l'écriture du jeu _ le jeu de l'écriture

Jean-Louis Le Scouarnec

l'écriture du jeu _ le jeu de l'écriture

Tome I

HUMANITAS
nouvelle optique

ISBN 2-9800950-0-1

Dépôt légal - 2e trimestre 1987
Bibliothèque Nationale du Québec
Bibliothèque Nationale du Canada

Çomposition, montage et couverture: **Humanitas Inc.**

Imprimé au Canada

Dédié à

Monsieur Yves Sanssouci,

Directeur général du Collège Édouard-Montpetit et président de l'Association des Collèges Communautaires du Canada, dont j'ai eu le plaisir d'être le maître d'enseignement et qui m'a fait l'honneur et le plaisir de devenir l'ami, et maintenant, le maître hiérarchique.

Monsieur Paul Filion,

Directeur-adjoint des Services pédagogiques du Collège Édouard- Montpetit dont le travail poursuivi avec haute intelligence et profonde sagacité a pu rendre possible l'apparition de ce premier tome.

JEAN-LOUIS LE SCOUARNEC

L'ÉCRITURE DU JEU / LE JEU DE L'ÉCRITURE

PRÉFACE de Georges Hélal

L'homme n'est pas uniquement un être de connaissance et de contemplation mais aussi un être d'action et pour tout dire un être de jeu. L'homme doit jouer, il ne saurait y échapper. Plus encore, être homme, c'est jouer. La dimension ludique de l'existence a conquis et subjugué Jean-Louis Le Scouarnec. Cette philosophie de la «ludicité» n'est pas simple théorie pour ce dernier. Quiconque le connaît vous dira que toute sa vie est imprégnée de l'esprit de jeu, que pour lui, penser, enseigner, converser, s'exercer aux sports c'est jouer son existence.

Mais pour l'auteur l'homme n'est pas le seul à se donner au jeu. L'univers entier est sous l'emprise du ludique: «Et même j'irais plus loin, ... j'avancerais que *tout est jeu*, à partir de la création du monde jusqu'à l'extinction des derniers feux de l'être, c'est-à-dire de l'enfant qui joue à la marelle, de la plante qui surveille sa photosynthèse, à la roche qui libère ses atomes» (p. 100). À vrai dire l'auteur ne donne pas une définition toute faite, figée du jeu. Au contraire, il sent toute la mouvance de sa notion et de la réalité qu'elle recouvre. Il préfère donc l'approcher par touches légères, variées et successives. Pour la cerner, il se réfère à Kostas Axelos et à Eugen Fink, tous les deux philosophes. Méditons cette citation importante de Fink: «Le jeu humain a une signification mondaine, une transparence cosmique. C'est une des figures cosmiques les plus claires de notre existence finie. En jouant, l'homme ne demeure pas en lui-même, dans le secteur fermé de son intériorité; plutôt il sort extatiquement hors de lui-même dans un geste cosmique et donne une interprétation riche de sens du tout du monde» (p. 101). Oui, le jeu humain est l'interprète du jeu cosmique et les deux s'inter-pénètrent. Le jeu humain trouve son correspondant dans la «ludicité» cosmique et, le ludique - au même titre que le bien, le beau et le vrai pour se référer aux transcendantaux de la philosophie médiévale comme le fait l'auteur - est une autre façon de dire l'être.

C'est en raison de cette correspondance entre les jeux humain et cosmique que Jean-Louis Le Scouarnec peut brosser un vaste tableau de la culture humaine dont les représentations du monde, nombreuses dans le temps et dans l'espace, reflètent ludiquement la propension de l'homme à vivre son existence comme jeu. Dans cette perspective «ludifiante», l'auteur nous propose une description des grands mythes de l'humanité (chapitre un), une interprétation de la vision judéo-chrétienne de l'homme et de l'univers (chapitre deux), et un réexamen des divers modes de jeu chez l'homme (chapitre trois). C'est ici qu'apparaît le thème, cher à l'auteur, de l'angoisse. Il n'y a pas de jeu sans angoisse, expression de la liberté humaine et de la plongée dans l'inconnu. Or jouer c'est être libre à s'aventurer dans la noire forêt de la créativité. L'homme se sent suspendu dans son univers ludique ne sachant trop où le conduiront ses prochains gestes. Pour autant comment éviterait-il l'angoisse?

Après nous avoir peint cette fresque anthropocosmique, l'auteur se tourne au chapitre quatre vers l'écriture elle-même. Si on s'en doutait auparavant, l'on sait maintenant que Jean-Louis Le Scouarnec est un écrivain, c'est-à-dire quelqu'un qui aime l'écriture, qui est poussé à écrire, à caresser le mot qui se laisse emporter par le rythme d'une phrase bien conçue. Évidemment, comme tout le reste, l'écriture est elle-même ludique. Il y a un jeu de l'écriture, l'écriture *est* jeu.

L'auteur se plaît à analyser l'écriture et ses modes, à scruter la signification des genres littéraires, tout particulièrement celui de l'essai dont le présent ouvrage veut être un exemple patent, à s'interroger sur la valeur et sur l'impact du livre dans notre culture. Au beau milieu de ce long chapitre, nous est livré le riche témoignage de nombreux écrivains sur la nature de l'écriture et tout particulièrement sur celle de l'écriture poétique. Cet intérêt marqué pour les poètes n'a rien de surprenant lorsqu'on sait que Jean-Louis Le Scouarnec est lui-même poète, et mieux encore, un poète très doué. Les réflexions de tout ordre sur l'écriture, sur l'écrit, sur l'écrivain, nourries par une érudition immense, permettent au lecteur de contempler les innombrables et riches variations de l'expérience littéraire et d'en apercevoir le caractère ludique. L'écriture est jeu, car elle est liberté, sortie de soi, pro-jection finie de l'infini, éclaboussement de l'esprit créateur, danse féérique de l'imaginaire, imitation angoissée du jaillissement divin.

Les aspects de cet essai sont si multiples qu'il me faudrait cesser de me taire. Mais noblesse oblige. Qu'il me soit quand même permis de souligner l'amour du style, d'un certain style, qui caractérise cet essai. Jean-Louis Le Scouarnec est un amant du verbe, un virtuose de la plume, témoin ces quelques lignes tirées du début du chapitre quatre (p. 311): «Comme on a pu avancer *Ludo ergo sum*, aurions-nous le droit de dire *Scribo ergo sum* et *Scribo ergo Ludo*? Si tout est jeu, les preuves sont presque faites, le jeu de l'Écriture n'est-il pas à son tour un jeu dans un jeu, une naissance sans cesse répétée et à répétition, un geste lucide dans un acte ludique, une duplicité, certes, une duplication de la parole, une fente ou une feinte, un *logos* en train de devenir vitrail, une Loth en statue de sel qui regarde figée l'accomplissement du Verbe, un *agôn* indésirable, un mauvais *alea*, un continuel *mimicry*, un rare *ilinx*, une oeuvre dans le désoeuvrement?». Ce style, on le voit bien, est lui-même un jeu, à l'image de la vision ludique de l'auteur. A-t-on à s'en surprendre s'il est vrai que le style c'est l'homme?

Accompagner l'auteur tout au long de cet essai, c'est accepter de vivre une aventure intellectuelle, culturelle et littéraire plutôt unique, c'est jouer le jeu de l'auteur, c'est apprendre un jeu inédit. Que le lecteur se laisse tenter; il en ressortira en-joué et peut-être même dé-joué.

Georges Hélal
Président général
Société des écrivains canadiens

Le 2 octobre 1986

REMERCIEMENTS

Remercier c'est reconnaître, rendre grâce à quelqu'un, pour quelque chose.

Dès ces premières lignes, je devrais dire: *maximas gratias vobis habere et agere debemus* (nous vous devons bien des remerciements) ou, pour faire savant: *pollèn carin oida zoi* (je vous sais beaucoup gré; ou encore, je vous dois mille remerciements) pour ce livre qui vient de paraître, et cela, grâce

> au geste généreux, à la bonne «gestionnerie» de Yves Sanssouci,
> au labeur constant, à la finesse chercheuse et sage de Paul Filion.

Mais pourquoi ce recours réduplicateur à la langue de Cicéron, à celle de Démosthène? C'est parce que reconnaître, remercier, c'est, en quelque sorte, faire l'aveu. Et que dans chaque aveu, il y a quelque chose de trouble qui passe et qui, à la fois, empêche. C'est ce que j'appelle, en un sens, la pudeur. Non cette pudeur qui prend sa source dans le sentiment de la pudeur naturelle. Peut-être. Mais plutôt celle qui vise et s'installe au niveau du psychisme et de la conscience. On peut, à ce compte, ajouter la pudeur littéraire.

Dans chaque livre ouvert, un être est mis à nu. Ce dénuement montre en lui, à travers un Absolu, les haillons de ses vicissitudes. C'est la pudeur, la honte d'un être qui a tenté le langage, la pensée, la Totalité et qui n'a réussi à trouver que des mots, que des idées, que de la futilité. La langue latine et grecque utilisée ici, ne sert-elle pas comme une espèce de vêtement langagier et exotique pour cacher cette muette nudité?

En jetant un regard sur les personnes et sur les choses; les premières pour rencontrer des éléments spirituels, les secondes pour reconnaître des cadres, des sites matériels, je devrai reprendre mes salutations d'alors et remercier ainsi ceux et celles qui ont assisté, dans ces trois années d'écriture, à l'élaboration du tome I et tome II de ce travail académique de longue haleine.

Ainsi je devrais rapprocher cette écriture près de mille regards, de centaines de lieux et de paysages. Et je devrais dire merci à quelques institutions universitaires et collégiales, à quelques personnes en particulier, à quelques moments de grâce ou, par le revers d'une feuille valsante de pluie, d'un rayon perdu de soleil et de neige, l'inspiration a pu prendre la silhouette des étoiles, a pu entendre sa propre voix à travers celles de l'homme et de la terre.

Merci en premier lieu à Messieurs les professeurs Joseph Bonenfant, Robert Giroux, l'abbé Robert Lacasse de l'Université de Sherbrooke; au précieux, élégant préfacier Georges Hélal, Président général de la S E C; aux bibliothécaires responsables Daniel La Salle, Mesdames Gisèle Laramée, Carole Blais, Gaétane Tardif (biblio. de Longueuil); à l'équipe très valeureuse de l'École nationale d'aérotechnique de St-Hubert, Normand Bernier et ses adjoints; à la bibliothécaire Marielle Raymond, Lise de Courval, Marcel Bourgeois qui ont cédé avec étonnement et frayeur à mes gourmandises intellectuelles; au groupe de secrétaires dirigé avec maîtrise et sagesse par Mme Marie-Liliane Forbes; spécialement Mme Mireille Gravel-Landry qui a assuré avec compétence et célérité le travail répétitif et fastidieux de la corection, aussi, occasionnellement, à Brigitte Purkhardt et à Claude Noël.

Merci, en premier lieu toujours, à l'équipe administrative du Collège tant à Longueuil qu'à St-Hubert; à mes collègues dans les Départements de Philosophie et de Littérature, ainsi qu'à ceux et à celles qui oeuvrent dans les disciplines des sciences pures, des sciences techniques et des sciences humaines; aux co-équipiers de la Galère, de l'Expression; aux confrères et consoeurs qui forment l'équipe professorale, professionnelle, de soutien du Collège; enfin, à mes amies écrivaines, à mes amis écrivains de l'U N E Q, de la S E C, de la S.L.L., du PEN international et de l'Union des Bretons. À mes quelques amis tout court. Sans effacer jamais de ma production littéraire, le souvenir tendre, patient, généreux de Marguerite Drapeau-Le Scouarnec et des quatre enfants: François-Pierre, Jean-Michel, René-Pierre et Anne-Marie.

Merci à l'éditeur M. Constantin Stoiciu, Président-directeur général des *Éditions Humanitas*.

Quant aux sites, ce sont les coridors fous, la Cafétéria masticatoire, les bureaux bourgeonnant du Collège; c'est aussi l'auréolement des pistes grises et légères de l'aéroport de Saint-Hubert d'où s'envolent les colombes civiles ou les faucons militaires; c'est la classe attentionnée, le Salon détendu des Professeurs, la bibliothèque joviale, l'endroit noir Café, l'agora «ping-pong» à Saint-Hubert; c'est également les vertes côtes de Sherbrooke, la rivière serpentée et sans tapage, l'assise universitaire dans la paresse des montagnes; c'est enfin, Lanoraie gris, bleu, or où s'allonge là-bas dans la vieille maison de campagne, sur des tables écrasées de livres et de travail, une chatte somnolente et au regard «odalisque»; aussi les grands arbres qui aiguillent les soleils et les pluies, le fleuve maintenant rangé qui promène les villages, enfin, le tout-le-monde qui font, avec les jeunes masures or, bleu, gris le bruit sourd et le ton guignard de la conscience humaine.

À toutes ces personnes, à toutes ces choses qui s'offrent à ma piété comme un reliquaire de souvenirs et que je reçois comme un don, j'offre, sans pudeur, ma profonde gratitude.

PROÊME

C'est une belle et sage institution de nos ancêtres, pères cons-
crits, de préluder par des prières non seulement aux actions
mais aux simples discours! puisque l'homme ne peut rien entreprendre sous de bons auspices et avec une pensée intelligente,
si les dieux honorés d'un juste hommage, ne le soutiennent et
ne l'inspirent.

                                    Pline
                                    (Panég. de Trajan, I.)

Pour peu qu'ils aient de sagesse, tous les hommes, sur le point
de tenter une entreprise grande ou petite, implorent le secours
de la divinité. Invoquons donc la divinité au début de ces recherches; demandons-lui de nous préserver de discours étrangers et déraisonnables, et de nous guider vers des opinions
vraisemblables... embarquons-nous dans la dispute présente.

                                    Platon
                                    (Timée, p. 178, 214;
                                    Louis, IV, p. 226;
                                    X, p. 202).

PROÊME ET/OU PRO-LOGUE

LA MISE EN GRÂCE DEVANT LA DIVINITÉ

(Invocation en l'honneur du divin)
«N'est-il pas bienséant de ne pas se mettre en route sans avoir fait une prière aux divinités...?»

(Phèdre, épilogue, p. 82)

1. Mettons-nous dans la présence de Dieu

Se mettre dans la présence de Dieu, c'est se trouver le matin, à l'aurore, dans l'inextricable et effroyable position de Jacob avec l'Ange, au moment où celui-ci va marquer son astucieuse victoire; c'est se poser devant la face du Verbe et essayer d'arracher quelques lambeaux du *Logos* et d'en faire, à son propre compte, son écriture.

Voilà le sacrilège. Sacrilège de tout humain qui prend la Parole, s'en saisit, la répand parmi les hommes en renouvelant à chaque fois la trahison, la démesure, la déréliction.

Quelques hommes depuis le commencement des temps ont, par leur courage, leur entêtement, arraché comme Jacob la bénédiction de Dieu, ont acquis le titre de mages, d'instituteurs de l'humanité, de porteurs du Verbe, de parleurs, de hurleurs du *Logos*. Mais tous, poètes, romanciers, philosophes, artistes, intellectuels, scientifiques qui ont manipulé le verbe et la matière, l'ont porté jusqu'aux limites du génie ou au creux de la folie, ou encore, qui l'ont mené avec l'éclat de leurs talents ou la finesse de leur habileté, ont senti ce que J. Paulhan a désigné sous la formule

3

déjà célèbre: «la terreur dans les lettres» qui signifie, selon Laurent Jenney, que «toute expérience de l'expression est aussi expérience de la terreur».

Écrire, n'est-ce pas vivre dans la contradiction, c'est-à-dire combler un vide, un manque, une perte qui trouve son «remplissage» par le discours ou l'écrit et par le fait même, son apaisement? Ce «diktat», et c'est là la double contradiction, «trahit l'intention que nous prêtons à dire. Ainsi, nous répondons communément à l'horreur du premier mouvement par la terreur du second. (Laurent Jenney). Écrire, c'est transgresser la Parole, compromettre le langage, mutiler quelqu'un, quelque chose, et d'abord nous-même. L'acte d'écriture comme l'acte ludique est un aveu d'impuissance au-dessus d'un monde lui-même défaillant où la parole est bafouée, crispée, souvent confisquée; c'est, malgré nous, tromper les gens et, dans des termes plus poétiques, écrire c'est ouvrir le silence, dégivrer le murmure des sources, exerciser la pensée, exorciser l'angoisse; c'est encore, en plongeant dans les racines des mots, déceler l'Être de la parole et tenter, comme l'a magnifiquement dit Heidegger, «devenir son berger».

C'est pourquoi, si écrire c'est en quelque sorte demander la dîme au *Logos,* l'acte d'écriture devient une sorte de présence en soi, à soi et surtout une présence en face de Dieu. Écrire, même en dehors d'une totale innocence, demeure un acte religieux. Une oralité sublime. Une *auraïté* surhumaine.

Se mettre dans la présence de Dieu, c'est plus que de se placer dans la terreur des lettres, c'est, dans un autre sens, subir le sentiment et l'épreuve de se terrer au fond des vallées, des cavernes, se creuser le long des murailles dans un quelque non-centre de la terre pour voir toujours braqué cet oeil de Dieu, qui est dans la tombe et qui regarde l'écrivain.

Chaque homme qui parle, qui écrit est un Caïn qui a commis, qui commet un fratricide. Le Meurtre de la Parole première.

«Mettons-nous dans la présence de Dieu!», phrase que l'on entend chaque jour dans les temples, est une sentence, une expression qui n'arrive pas à se débarasser malgré le tic du quotidien, de la grandeur, de l'impossibilité de cet appel.

Il faudrait bien, un jour, se rendre compte de l'épouvante ou de l'épouvantable de ces paroles et prendre résolution d'y aller moins allègrement. «Dieu est en creux au fond de toute conscience», écrit J. Nabert dans son dernier écrit (1), durant ce temps l'homme est au-dehors, en convexité. Quand les deux se rencontrent, dans ce qu'on appelle la rencontre

1.   Nabert, Jean. *Le désir de Dieu.* Éditions Aubier, Montaigne, 1966, p. 257.

avec son dieu (son Dieu), ce face-à-face, avance le même auteur, devint «une relation irréductible», un *leibhaft* absurde.

Ce n'est pas moi qui suis tellement faible, c'est l'Autre qui est trop fort. Le fameux jeu de la thématique à deux battants: l'Un et l'Autre ou le même et l'Autre. Beaucoup de théologiens catholiques, protestants et autres, puis moult philosophes (E. Lévinas, M. Heidegger, J.-P. Sartre, M. Buber, E. Mounier, J. Nabert, K. Rahner, H. Kühn, etc.) ont posé ce problème de la corrélation et de la totalité de ce tandem conceptuel de la dualité, Il y eut, je le répète souvent, dans les écrits des théologues, une démagogie de la parole, une «logocentrie». Ne pouvant s'expliquer sur nous, ils ont décrit l'Autre, Dieu, ou disons, la Totalité, dans des volumes, des bouquins, des bibliothèques entières comme pour essayer de s'approprier l'Insaisissable ou l'Innommable, diraient prudemment les Juifs. Serait-ce une honteuse ou maladroite forme d'investiture? Penser l'impensable. Écrire «l'inécrivable».

On ne peut se sauver de la présence, de ce regard. Peut-on même échapper à l'acte de dire ou s'empêcher du moins encore de ce délit d'écrire?

Il ne reste qu'à vivre dans la terreur... et... dans la culpabilité...

2. Mettons-nous dans la présence du Logos et de la Sapience

Dans le Prologue de Jean, écrit à Éphèse, patrie d'Héraclite, (le philosophe qui aurait découvert son Principe en pratiquant le jeu du dialogue, un des grands manoeuvriers de la parole), dans ce prologue donc, Jean le Sémite s'adresse aux Grecs et ouvre à leurs yeux pleins des mystères des dieux de l'Olympe, le Principe de toutes choses au-delà des formules déjà connues ou les principes de l'air, de la terre, de l'eau et du feu. Le *Logos* est Parole, Pensée, Action. C'est le Face-à-Dieu et en même temps identique à Lui.

Le message johannique que Paul de Tarse aurait cerné avant lui et qui aurait donné au *Logos* ce sens d'«image du Dieu invisible», s'offre ici comme une parole neuve, étonnante pour des Éphésiens; parole profondément messianique pour ne pas dire à signification hémorragique puisqu'elle trace le prologue et l'épilogue de l'historicité évangéliaire.

Voici le départ de ce fameux Prologue de Jean dans son Évangile qui pour moi est une manière de m'envelopper dans la présence de la Parole.

AU COMMENCEMENT

Au commencement le Verbe était
et le Verbe était avec Dieu
et le Verbe était Dieu.

Il était au commencement avec Dieu.
Tout fut par lui
et sans lui rien ne fut.

(L'Évangile selon saint Jean, Prologue)

Quelques philosophes récents ont fait osciller ou plutôt articuler ce célèbre passage en faisant ressortir le verbe capital «Être» et «Devenir» comme pour signifier l'avenir de la Parole, donc de la Sagesse, à travers les méandres de la langue grecque. Le mot «être» s'applique, selon Florent Gaboriau (2), au *Logos*, à Dieu, à la vie, à la lumière et le verbe «devenir», à toutes choses, au cosmos. Ce *ginestai* fonde l'histoire de tout le peuple hébreu, et fait apparaître le Dieu des chrétiens, le Dieu d'Abraham, d'Isaac et de Jacob. Jésus, *Logos* fait chair, dans un devenir christianique mystérieux du monde déployé par la Parole. Cette Parole qui, depuis «les commencements» décèle dans la nomination des choses et des êtres une ordonnance architecturale souvent simulée, un gouvernement du monde parfois adverse, voilé, enfin une économie, au premier regard, à fonds perdus. La Parole devient ainsi Sagesse qui règle les Univers mais aussi déclare cette effusion de la gloire du Tout-Puissant.

1.	Au commencement *est* le Logos	(être)
2.	et le Logos *est* face-à-Dieu	(être)
3.	et il *est* Dieu le Logos	(être)
4.	ce dernier *est*, au commencement, face à Dieu	(être)
5.	Toutes-choses *paraissent* à travers Lui	(devenir)
6.	hors de lui ne *paraît* rien	(devenir)
7.	ce qui est-paru en lui *Est* Vie	(devenir)-(être)
8.	et la vie *est* la lumière des hommes	(être)
9.	C'est en ténèbres que brille la lumière	
10.	et les ténèbres ne l'étouffèrent point.	
11.	*Parut* un homme, envoyé de Dieu	(devenir)
12.	Son nom: Jean	
13.	Ce dernier vint en témoignage afin de témoigner au sujet de la lumière afin que tous crussent à travers lui.	
14.	Il n'*est* pas, lui, la lumière mais pour témoigner au sujet de la lumière	(être)
15.	Elle *est* la Lumière, la vraie celle-là qui éclaire tout homme en venant dans le monde,	(être)
16.	dans le monde elle *est*	(être)
17.	Et le monde à travers elle (ou à travers lui) *est-venu* et le monde ne l'a pas reconnu, lui	(devenir)
18.	Il vint dans ce qui était sien et les siens ne l'ont pas accueilli	
19.	Et le Logos *devint* chair et nous vîmes sa «gloire»	(devenir)
20.	gloire qu'il tient de son Père, comme Fils-Unique rempli qu'il est de grâce et de vérité.	

2.   Gaboriau, Florent. *Nouvelle initiation philosophique.* Édition Casterman, Paris, 1962, Tome I, p. 239 - 540.

21. Jean Témoigne de lui. Il s'est écrié:	
«Voici qu'il *est* celui	(être)
dont j'ai dit:	
qui vient derrière moi	
est-passé devant moi	(devenir)
parce qu'il *est* avant moi	(être)
31. La «Loi» à travers Moïse nous fut donnée	
La grâce et la vérité à travers Jésus Messie	
est-venue	(devenir)
32. Dieu, personne ne l'aperçut jamais	(aoriste historique comme en 19 lignes)
33. (Fils-Unique, Dieu)	(absent de)
l'*Étant* sur le sein du Père	(comme penché
celui-là l'a explicité.	dans, «vers», acc. de mouvement)

Dans la clarté sombre, muette des temps s'est préparé l'Être à être, le *Logos* qui, aujourd'hui apparu, tend par la marche du Jeu, la danse continuelle du jeu sacré, dans les hommes et dans les choses, à refaire sa Création.

La Sagesse était là, présente avant l'homme, jouant sur la terre pendant que Dieu montait le grand Spectacle du Monde.

> Yahvé m'a créée au début de ses desseins,
> avant ses oeuvres les plus anciennes!
> Dès l'éternité je fus fondée,
> dès le commencement, avant l'origine de la terre.
> Quand l'abîme n'était pas, je fut enfantée,
> . . .
> Quand il affermit les cieux j'étais là,
> . . .
> j'étais à ses côtés comme le maître d'oeuvre,
> faisant ses délices, jour après jour,
> m'ébattant tout le temps en sa présence,
> m'ébattant sur la surface de sa terre
> et mettant mes délices à fréquenter les enfants des hommes (3).

Les premières paroles de la Bible ne s'ouvrent-elles pas sur la formule admirable et connue de «Au commencement, Dieu créa le ciel et la terre... l'esprit de Dieu planait»... (Genèse I, 1-2), et ne démontrent-elles pas le

---

3. *Proverbes*, VIII, 30-31. Trad. École biblique de Jérusalem, Père Ouvray, de l'Oratoire. Éd. du Cerf, Paris, 1961.
Les deux participes présents: m'*ébattant* et *jouant* s'affrontent selon les traductions et les transpositions. Dans la *Vulgate* de saint Jérôme, le terme *jouant* est utilisé dans le sens de *ludens*: «Et delectabor per singulos dies, ludens coram eo omni tempore, ludens in orbe terrarum; et deliciae miae esse cum filiis hominum». L'hébreu emploie un mot dont la racine est «Sahaq» (shq) qui signifie le rire, la plaisanterie, la compétition et, dans sa forme extensive, les sports, la danse et le chant.

jeu somptuaire de la création qui va faire suite au vide, à ce «tohu»: informe; «bohu»: vide; à ce «tohu-bohu»? (Genèse I, 1, 2, note b).

Non moins impressionnante cet Éloge de la Sagesse qui, on se rappelle, est *Logos*, haute raison spéculative comme profonde intelligence de la matière et des formes. Ici on sent dans toute cette éternité plaquée, cet avant-monde immuable, le rôle de la Sagesse, lieuse des gerbes de l'Univers.

> La sagesse est plus mobile que tout ce qui se meut, elle atteint et s'empare de tout grâce à sa pureté.
>
> elle est un souffle (vapeur) de la puissance divine, une effusion toute pure de la gloire du Tout-Puissant.
>
> Elle est un reflet de la lumière éternelle, un miroir sans tache de l'activité de Dieu, une image de son excellence,
>
> Elle déploie sa force d'un bout du monde à l'autre et d'une manière bienfaisante régit l'univers.
>
> ...et par son choix, décide de ses oeuvres.
>
> Car sa société ne cause point d'amertume, ni son commerce de chagrin, mais du plaisir et de la joie.
>
> *(Sagesse, 7-8)*

Se mettre en présence du Logos et de la Sapience, c'est entrer sous le doux parvis de la Sagesse et apprendre une façon de Dieu, non pas celle qui prend figure carcérale mais celle qui s'offre sous l'aspect de l'intelligence, de l'équilibre et de la joie.

3. Mettons-nous dans la nécessité d'Homère

Cette Nécessité d'Homère, devant laquelle nous nous mettrons quelque peu en présence, personnifie le destin, son obligation absolue et sa force contraignante.

Nourrice de Zeus enfant et elle-même fille de Cronos, elle eut pour enfants: Aether, Caos et Érèbe. Anankè, la mère des Moires, prend aussi le nom populaire de Nécessité et traduit l'incarnation de la Force suprême. Même les dieux ne peuvent s'y soustraire. Moires nous conduit à Moira, Moira à Kères qui jouent dans l'*Iliade* un rôle prépondérant. Rappelons-nous ce fameux choix d'Achille entre deux Kères, puis la Kère d'Hector et d'Achille que pèse Zeus dans la balance pour savoir lequel doit mourir. Les Kères, filles de la Nuit, selon les versions, soeurs de Thanatos (mort) et de Moros (trépas), s'appelleront également Parques et même Destins,

Erinyes, parfois Euménides ou Bienveillantes pour ne pas attirer leur attention.

À travers les vingt-sept mille vers que constituent l'*Iliade* et l'*Odyssée,* on sent constamment cette *Necessitas* apparaître dans les deux plus grandes oeuvres qui soient restées des premiers âges littéraires de la Grèce sous l'étiquette d'Homère. Omeros aveugle. L'instituteur de l'humanité. *L'Iliade,* c'est la colère d'Achille vers la fin de la guerre de Troie jusqu'aux funérailles d'Hector réclamées par Priam son père.

L'Odyssée, poème de la mer, raconte le retour d'Ulysse à Ithaque sa patrie et sa vengeance sur les prétendants de Pénélope son épouse.

Ces deux chefs-d'oeuvre, achevés à mesure, déploient cette attitude épique chez les Grecs du *mèden agan* (rien de trop) qui appelle à la démesure. Apollon lui-même criera: «vous êtes cruels, Dieux, et malfaisants». Plus près de nous, Pascal avouera que la force est la reine du monde, et non l'opinion. «La vérité de la guerre».

La Nécessité a figure de mort. De mort jusqu'au bout, jusqu'au dernier cri, au-delà de l'ultime prière. Elle n'est même pas maladie, affliction quelconque, mais un accomplissement comme un trait qui perce avec vigueur la lanière de cuir et rentre profondément à travers le cou ou au bas-ventre dans la chair. C'est la figure de l'implacable, de l'effroi, de tyrannie des dieux, aussi de leur comédie, malgré la parole de Zeus qui, dans l'*Iliade,* soupire en disant aux hommes: «j'ai souci d'eux qui s'en vont à leur perte. Et moi, pourtant, je vais rester dans un creux de l'Olympe, assis, et de leur vue, je réjouirai mon coeur».

Partout, c'est la fatalité de la force, l'expression déchaînée de la haine et de la virilité, le bruit des armes, le cri à fendre des combattants, le sang, la nuit, l'horreur, la vengeance. Avec les dieux qui rentrent dans la bataille, avec Zeus qui tout à la joie, se met à rire de tout son coeur.

Se mettre en présence de cette Nécessité, c'est à travers toutes les épopées et à tout moment trouver la mort, expier l'ubricité et, par le sang des héros, accomplir l'implacable destin. Destin individuel et collectif.

Le possible et l'impossible dans lequel il n'y a même pas de jeu. Oui, un jeu; le seul, celui des dieux. Ces immortels qui ne peuvent même pas faire l'expérience de la mort et dont la vie se ramène à une éternelle *dolce vita.*

La nécessité se comprend mieux quand on sait que le combat est inégal entre l'Ange et Jacob, entre les dieux et les hommes. Les dieux d'Homère ne peuvent vieillir, ni mourir ainsi leurs chevaux Xanthos, Balios. Les deux se nourrissent d'ambroisie. Ils connaissent l'avenir et parfois en touchent un mot pour dialoguer avec les mortels. Ils peuvent comme le Dieu moderne, faire quelque chose de rien. Créer *ex nihilo,* attribut essentiellement divin. Ajouter à cela qu'ils peuvent également créer de la lumière, prendre un aspect terrifiant, façonner un simulacre, susciter des brouillards, des nuages qui échappent à l'homme, modifier des êtres et des objets à leur guise, commander aux éléments naturels du monde, se métamorphoser en homme, animal ou chose, modifier la matière et la rendre vivante, prendre une silhouette qui les caractérise, posséder une taille, un poids extraordinaire, une force surhumaine, une vitesse incroyable, une vue impitoyable, une voix du tonnerre, une langue ésotérique, des baguettes d'or magiques, des sandales, une irradiation terrible, le pouvoir de l'invisibilité et cette espèce d'égide ou écharpe, dit-on, en fin tissu de métal qui a le don de terrifier tout adversaire, la possibilité d'avoir des préférences, des aversions, de se prendre aussi des protégés et vous avez là, de pieds en cape, le portrait des dieux. Toute cette dimension extra-humaine, tout cet arsenal rend la lutte impossible entre les dieux et les hommes malgré la vulnérabilité des premiers. Comme il n'y a pas de nature sans force, l'idéal pascalien serait d'unir «la justice et la force» pour obtenir un jeu plus égal, un monde meilleur. «C'est un monde sombre, le monde grec», dira Nietzsche. On ne peut aimer la superbe méprisante de ces dieux.

Et c'est là en lisant Homère, Virgile, que l'on voit, avant que n'apparaisse la notion de culpabilité, de remords, de faute, de grâce du monde chrétien, combien on vivait déjà dans un monde de chute. Mais cette fois, un monde où la faute est imputée aux dieux, à la force implacable, à la fatalité inexorable où l'homme n'est peut-être pas tout à fait innocent et n'est pas nécessairement coupable. Une faute sans coupable. Un pécheur sans péché. Ce thème de la nécessité n'est pas sans nous amener dans une impasse continuelle et demeurera en plus une éternelle question. Pour le moment, ici homérique, se placer devant elle, c'est constater la finitude de l'homme devant l'insolente infinité des dieux.

La mort d'Hector

... Un point cependant était à jour, là où la clavicule sépare le cou des épaules, là ou précisément il est le plus facile de donner la mort. Le divin Achille y enfonça sa javeline; Hector, lui, se démenait avec fureur; la pointe traversa de part en part le tendre cou, mais la lance en bois de frêne ne trancha point l'artère et Hector put encore parler. Puis il s'écroula dans la poussière. Lui, le divin Achille, il triomphait!

(Chant XXXII)

4. Mettons-nous dans la pensée d'Héraclite

Héraclite, descendant d'Androclès, fondateur d'Éphèse, est, comme Descartes sera le Père de la Philosophie moderne, le Père de tous les Philosophes du devenir. Le premier «nommeur» de la Psyché, de l'Âme-Feu, l'assembleur des contraires (le Même et l'Autre), l'interprète d'une Nature qui se déploie en oeuvrant et qui fait que l'homme est la voix de la Parole (*Logos*) en attendant que la Parole à son tour devienne la voie de l'homme. Ceci ne nous met-il pas en mémoire la formule du psychologue Delacroix: «la pensée fait le langage en se faisant par le langage», énoncé abondamment repris par le justement fameux de Saussure.

Ainsi Héraclite, l'obscur, dira que le *Logos*, principe de tout, est la contradiction même, l'identité des contraires et Dieu, cette unité des contraires. Héraclite, le philosophe du mouvement, le *fluens semper*, (544-484 avant J.-C.) écrira: «L'Être n'est pas, le non-être seul est». En face de lui une dizaine d'années plus tard, Parménide répliquera: «l'Être est, le non-être n'est pas». Le grand Aristote viendra deux siècles après concilier ces deux irréductibles et sublimes adversaires. Jeu qui se jouera des siècles de temps dans le théâtre de la dialectique. Voyons, dans ce prologue, forme de prière, de quête adressée au *Logos,* comme pour en puiser toute la profondeur et la sagesse, avant que de prendre la parole, quelques nobles pensées tirées des fragments d'Héraclite, qu'on surnommera aussi le mélancolique:

- Le temps, un enfant il est, jouant, jouant aux dés et déplaçant des pions; la royauté d'un enfant.

- Les hommes sont des divinités mortelles, et les dieux des hommes immortels vivant de notre mort, mourant de notre vie.

- Jeux d'enfants que les opinions humaines.

5. Mettons-nous dans la «pietas» de Virgile

Se mettre en la piété de Publius Vergilius Maro (né le 14 octobre aux ides du mois en 70, av. J.C., au bourg d'Andes, près de Mantoue), c'est habiter en quelque sorte la figure du «pieux Énée»; saisir, dans ce personnage-type, la fondation de la cité latine et comme assister à la mise en histoire des origines de Rome et de l'Italie toute entière. Il s'agit de la piété filiale, patriotique, politique, religieuse du poète national Virgile. Filiale, quand le héros virgilien Énée, après la chute d'Ilion, charge sur ses épaules son vieux père Anchise, chargé de garder ses dieux Pénates et tient par la main son fils Ascagne (Jules) dans une fuite noire et précipitée; patriotique, lorsque la lecture de cette épopée qu'on a dite homérique et romaine, déploie devant nos yeux une fresque nationale où le merveilleux tient le pas avec la grandeur, la sensibilité et qui par le Destin d'Énée, fils d'Anchise et de Vénus, mène au départ, avec une troupe de Troyens, une aventure, sans cesse périlleuse, toujours divine qui va rassembler Latins, Étrusques, Marses, Sabins, Volsques dans un monde nouveau vers un empire universel; politique, dans le sens que sous le règne d'Auguste, Virgile, ami de César Octavien, de Mécène, de Pollion, de Varius, son biographe, de Messala et de Gallus n'a pu mieux servir la destinée politique et religieuse de l'empereur que par l'édification d'une oeuvre grandiose, les *Bucoliques* (en 37), les *Géorgiques* (en 29) et surtout par l'*Énéide* (en 28) qui montre, chez le premier et le plus grand des poètes latins, ce souci hautement politique de servir la cause de Rome et de César, puis la cause des Lettres et des Arts; religieuse, selon G. Boissier, pour qui «L'Énéide est avant tout un poème religieux», elle place Virgile comme une sorte de représentant littéraire de la piété romaine. On peut situer Énée (pius Aeneas) comme un héros religieux. Déjà les dix *Bucoliques,* «travail de vannier», a-t-on dit, où Virgile joue admirablement à la poésie, ne manquent pas de manifester la présence des dieux. Les *Géorgiques* succèdent au désenchantement de l'Arcadie pour s'ouvrir sur un monde non plus de bergers et de poètes, mais sur la nature du travail et le travail de la nature. Là ici, et plus encore, Virgile développe l'importance de la piété. Il y a désormais une morale dans l'univers, une justice sous-jacente dans l'ordre du monde. Un seul mot règne: *Labor.* Une seule pensée: Dieu est avec l'homme dans la nature.

L'*Énéide*, «plein de prophéties, d'annonces, de figures», on l'a toujours dit, a pour sujet central «l'établissement en Italie des dieux de Troie qui doivent devenir les dieux de Rome» et ces dieux ne sont plus seulement des spectateurs mais des êtres comme les hommes unis dans la réalité universelle. Virgile plus qu'Homère a développé ce sens religieux dans ses peintures, et son polythéisme atteste continuellement sa piété dans, pourrait-on dire, sa théologie philosophique.

Le chant VI de l'*Énéide,* sommet de tout le poème qui fait descendre Énée dans les enfers pour rencontrer son père Anchise, est le triomphe de la piété, par le scrupule du rituel, l'accomplissement de la volonté des dieux, la soumission à leur justice.

Pour nous mettre en présence de cette piété de Virgile,

...Te voilà donc enfin! ta piété, bien attendue de ton père, a triomphé de l'âpre route. Il m'est donné de voir ton visage, mon enfant, d'entendre ta voix familière et de te répondre!
...
Énée répond: «C'est ton ombre, mon père, ton ombre attristée qui, s'offrant si souvent à moi, m'a décidé à diriger mes pas vers ce séjour... Donne-moi ta

main, mon père, donne-la moi et ne te dérobe pas à mes embrassements».
Trois fois il essaya de lui entourer le cou de ses bras; trois fois l'ombre, saisie
vainement, s'échappa de ses mains comme un souffle léger, comme un songe
qui s'envole.

(Chant VI, *Énéide*)

6. Mettons-nous dans la présence de l'oraison et du cri des Prophètes

Se mettre en présence des prophètes, c'est célébrer le génie d'Israël,
c'est-à-dire les merveilles de l'action et de la sagesse de Dieu. Soixante-
douze livres inspirés pour nous les raconter. Toute la création est poésie.
Poésie aussi dense, aussi profonde du barde sacré que celle d'Homère,
de Tibulle, d'Ovide, de Virgile et de Dante. Rencontre de trois génies:
le génie hébreu, le génie grec et le génie latin. Langue de Moïse, langue
d'Homère et langue de Cicéron. Les premières poésies primales de
l'humanité. La parole chaldéïque, point de jonction entre le monde oriental et occidental. Trois attitudes: contemplation, spéculation, juridiction.
Trois villes ou territoires: Jérusalem, Athènes et Rome. Temps: quatre
mille ans.

Si une langue avait ses prophètes, une manière prophétique était aussi
la leur; une sorte d'enthousiasme *(an théos),* une *Mens divinior* qui allait
jusqu'à la fureur chez l'écrivain sacré. Maints auteurs de la lignée
chrétienne n'ont pas manqué d'opposer Moïse à Homère, l'allégorisme
de la Bible à celui de l'*Iliade,* le propre et le sacré, souvent avec justice
mais toujours dans le jeu des parallèles. Exemple: Boileau, Lamartine,
Châteaubriand, Hugo, Bossuet, Lacordaire, Lamennais, De Maistre,
Renan, J.J. Rousseau, La Harpe, Marmontel, Laprade, Villemain, Vigou-
roux, Rollin, Calmet, etc., à part des clercs exégètes, panégyristes des
écritures saintes et des poètes de Sion. Toute poésie, à un certain degré
d'élévation, ne devrait-elle pas exprimer en finale de divin, le sacré,
l'humain dans son essence et ne point déboucher aussi vers l'*homo
religiosus* et l'*homo politicus*?

Cette langue sémitique plus spécifiquement hébraïque et chaldéïque
déroute plus d'un poète, d'un écrivain moderne. L'hébreu, langue
d'Adam, a-t-on affirmé jusqu'au siècle dernier, fut pour les prophètes un
instrument assez élémentaire. Les bardes, les scaldes, les aèdes, les nabis
qui exprimèrent une volonté divine, le firent dans un matériel linguistique
assez pauvre. L'indigence «racinielle» de l'hébreu (200 racines fondamentales de 3 lettres ou de 2 syllabes). Trois lettres ou deux. Une carence
squelettique de mots, un verset au lieu des périodes savantes des langues
prochaines, avec ordinairement une pauvre conjonction, *et,* très peu de
voyelles; mais, en revanche, une richesse verbale incroyable, exprimant

par l'opposition seule d'une lettre vingt nuances de la pensée. Économie telle qu'on pourrait dire que la littérature hébraïque a vécu dans une crise continuelle. C'est une langue de demande, d'appel, d'offrande, de supplication, de remerciement; une langue qui ressemble à l'histoire du peuple de Jéhovah, c'est-à-dire qui marche, lutte et se venge; une langue de passion, de mouvement, de fête, d'exaltation, privée de quantité, de mesure et de rime mais forgée au souffle de la poitrine, arquée sur le talon et la jambe qui piétinent sur place. La loi de l'alternative vocale, mélodique. Ce retour éternel dans le second membre de la phrase ou de l'incise hébraïque ressemble à la danse. Deux pas ou deux modes: l'un exprimant la force (dorien), l'autre évoquant la prière. La musique, religieuse comme le reste, fut aussi instinctive que la poésie et marquait de grands moments de solennité. Les chants de l'épée, de l'Arnon, du puits, d'Hésébon, sans oublier, de Moïse, le père de la poésie Hébraïque, le chant de la mer Rouge: le fameux *Cantemus*:

> Je chanterai Jéhovah! il a déployé toute sa magnificence! il a précipité dans la mer le cheval et le cavalier!
> Ta droite, ô Jéhovah! a signalé sa force! Tu as envoyé ta colère! elle les a dévorés comme la paille Qui d'entre les dieux te ressemble? Qui est comme toi, admirable en sainteté, digne de louanges magnifiques, merveilleuses en ses oeuvres?

Se mettre en présence des Prophètes, c'est se placer dans la rencontre de Dieu, dans ce face-à-face terrible et familier et souvent ne rien voir, ne rien entendre mais sentir l'indicible présence du divin.

Sous l'angle de la poésie lyrique, dramatique ou didactique dans la bible, avant d'entrevoir sous le chapitre de l'éloquence quelques prières, discours et prophéties, il nous faut d'abord nous mettre en présence de Moïse, ce Dante hébreu, qui avant de gravir le Nébo, sommet du Pisga, en face de Jéricho, donna avant de mourir à 120 ans, sa bénédiction aux enfants d'Israël:

> Heureux es-tu, ô Israël!
> Qui est comme toi, peuple vainqueur?
> En Yahvé est le bouclier qui te secourt
> et l'épée en marche qui te mène au triomphe
> Tes ennemis voudront te corrompre,
> mais toi, tu fouleras leur dos.

Se mettre en présence des Prophètes, des témoins de Yahvé, c'est entonner avec Déborah l'hymne de victoire

> Princes, prêtez l'oreille! je vais chanter l'Éternel je vais dire un hymne à Jéhovah!

C'est s'unir à l'ardeur guerrière, à l'ivresse de la prophétesse d'Israël, épouse de Lapidoth qui, par sa victoire à Tanak sur les Cananéens, dans la plaine de Yisréel, permit l'union de la maison de Joseph et des tribus de Nord et une paix de quarante ans.

> Foule le puissant, ô mon âme! le puissant écrasé sous le pied du cheval dans son élan dans l'impatience de sa course!
>
> Ainsi périssent tous les ennemis, Yahvé! et ceux qui t'aiment, qu'ils soient comme le soleil quand il se lève dans sa force.

Combien émouvante, ingénue cette prière d'Anne qui, stérile, reçoit chaque année les sarcasmes de sa rivale Peninna (Phénenna?)

> O Yahvé Sabaot! Si tu voulais considérer la misère de ta servante, te souvenir de moi ne pas oublier ta servante et lui donner un petit d'homme, alors je le donnerai à Yahvé pour toute sa vie et le rasoir ne passera pas sur sa tête.
>
> La femme stérile enfante sept fois, mais la mère de nombreux enfants se flétrit.

Anne, qu'Élie a cru ivre, sera la mère de Samuel, le juge et le libérateur d'Israël.

Le berger d'Ephrata, l'écuyer de Saül, le général, le proscrit, le roi d'Hébron, le roi de Jérusalem, le roi triomphant et aussi le roi chutant et repentant, le roi prophète, le harpiste, l'instrumentaliste; celui qui établit un choeur en permanence devant l'arche de Dieu, quatre mille choristes et une kyrielle d'instruments (près d'une quinzaine); celui qui savait si bien tenir le fer et manier la lyre; celui qui sera appelé le glorieux roi; celui que saint Jérôme appelle «notre Simonide, notre Pindare et notre Alcée, notre Horace, notre Catulle et notre Sérénus»; celui enfin, qui parmi tous les poètes a si bien dans ses psaumes chanté l'Éternel, c'est *David*, fils de Jessé, de la postérité de Pérèc.

Qu'on se rappelle la tendre prière du jeune cithariste à la cour de Saül quand ce dernier tourmenté par un esprit mauvais disait au premier, sa lance en main: «Je vais clouer David au mur!»

> O Jéhovah! chantait le poète, ne me repousse pas si violemment dans ta colère!... Fais-moi miséricorde car je suis accablé; soulage-moi parce que mes membres sont brisés, et la vie s'évanouit en moi! Mais toi, Jéhovah! jusqu'à quand?

À l'annonce de la mort de Saül et de son fils Jonathan par un Amalécite qui a tué le roi sur son ordre, David et tous ses proches saisirent, déchirèrent leurs vêtements. Un cri profond sortit de sa poitrine.

> Hélas la gloire d'Israël sur tes hauteurs est meurtrie
> Comment sont tombés les héros?
> Jonathan, par ta mort, je suis navré,
> j'ai le coeur serré à cause de toi, mon frère Jonathan,

> Tu m'étais délicieusement cher,
> ton amitié m'était plus merveilleuse
> que l'amour des femmes.
>
> Comment sont tombés les héros,
> ont péri les armes de guerre?

Ce moment d'amertume, de piété fraternelle nous ramène à Achille près du lit de Patrocle, à César recevant la tête de Pompée; nous fait penser aux pleurs de Maschus sur Bion, de Virgile sur Marcellus, d'Horace sur Quintillius.

Qu'y a-t-il de plus magnifique pour nous mettre en présence des merveilles du Très-Haut que l'ode historique du Psalmiste que l'*In exitu* Israël?

> C'est que la terre s'est émue devant la face du Seigneur, à l'aspect du Dieu de Jacob, du Dieu qui a changé la pierre en fontaine et la roche en source d'eau vive.

Que serait l'Église sans les psaumes: vie, exploits, préceptes et larmes de David? C'est l'encens de l'Église toute entière.

Le cantique d'Ézéchias dans sa note plaintive racontant son impression sur la mort; Judith, dans son cri de gloire offrant au Seigneur les dépouilles opimes d'Holopherne; Jérémie, qui assiste à la ruine du royaume de Juda (lui, fait pour la paix et qui n'annonce que la guerre), dans ses lamentations rappelant le choeur des Perses devant le désastre de Salamine, le choeur des Thébains suppliant Appollon, le choeur des Troyennes devant Ilion embrasée, la mère d'Hector, Hécube maudissant Hélène, l'émouvante Andromaque embrassant la statue de Thétys; le cantique de gratitude de Tobie, le huitième fiancé de Sara brisant les portes de la mort et de la cécité; le chant délirant de Daniel, d'Ananias, de Misaël et d'Azarias dans la fournaise de Doura sont autant de moments forts de prières, d'attitudes «médiatives», de présences ardentes en face de Yahvé. Ce saisissement, je dirais, cette irruption (irruit) de Dieu sur ses grands «Voyants» qui violent presque le corps, bouleversent l'âme et la répandent en pleurs de joie, de reconnaissance et de foi devant le Dieu des dieux. «Celui qui parle et appelle la terre», crée chez celui qui veut écrire l'infusion profonde, l'espace intérieur effroyable et nécessaire à l'angoisse de l'écriture.

Avec Job, cette mise en présence de l'oraison et du cri des Prophètes pose, et cela place déjà le chapitre à venir, l'écriture de l'angoisse. Là, avec le patriarche Job, émir arabe fortuné, c'est la catégorie du «devant Dieu»; ici, avec l'écrivain, homme aussi fortuné, c'est la catégorie du «devant soi». Les deux représentent la figure du mal insondable, d'une justice cécitaire injustifiable, d'une relation rompue, cachée dès la naissance.

Le cri de Job est effrayant, torrentiel, naufrageant: «Je la maudis cette nuit, parce qu'elle m'a permis de naître...» Voir aussi Sophocle (*Oedipe à Cologne*): «C'est un bonheur de ne pas naître ou de rentrer dans le néant aussitôt qu'on a vu la lumière!» Rien de plus humain, de plus attachant, de plus impondérable et même, de plus irrecevable que ce discours à quatre d'Élihaz, de Baldad et de Sophar. «Je t'appelle, ô Dieu! et tu ne réponds pas; j'insiste et tu me regardes d'un oeil sec!»

La réponse de Shaddaï, après l'allocution des trois sages d'Idumée et celle de l'arbitre de la discussion, Éliu, discours à fondement hautement philosophique, vient comme donner une réponse magistrale, hautement divine, mais qui pour l'homme reste toujours une meurtrissure: «Je suis Dieu et tu n'es qu'un homme! Veux-tu vraiment casser mon jugement, me condamner pour assurer ton droit?» Nous sommes en présence d'un Dieu qui s'affirme, se met presqu'en colère comme un homme. «Que faisais-tu le jour où naquit l'univers?» Ceci rappelle dans Homère comment Jupiter peut tout sur les dieux et l'univers. «Mais à son tour, lorsque je le voudrai, je vous enlèverai tous, avec la terre, la mer elle-même. Et si je fixe cette chaîne à l'extrémité de l'Olympe, tout l'univers sera suspendu devant moi: tant je suis au-dessus et des dieux et des hommes». Aussi ce vers olympien, olympique de Virgile vis-à-vis Jupiter: «Le roi des cieux inclina la tête, et l'Olympe tout entier trembla».

Yahvé s'arrêta d'être trop juste et remit à Job jusqu'à sa mort, cent quarante ans, une part double. Là, Dieu de justice, ici, de miséricorde. Même si nous courbons la tête, le problème du mal redresse son visage ébréché. La limite est là.

À la suite de ce grand poème de l'angoisse, de la souffrance de Job et de tous les hommes en Job et par lui, cet immense cri de désespérance, de joie, de sapience s'entend tout le long de la Bible et donne à chaque instant avec reconnaissance mais aussi avec frayeur, d'être en la présence de Jéhovah et des prophètes. Le Cantique des Cantiques, épithalame allégorique, chant amoureux, humain et divin du sage-roi; les Proverbes, gibecière sapientielle de préceptes moraux et universels; l'Ecclésiaste, livre par lequel je reprends à dire avec Quohélet, fils de David: *Vanitas vanitatum!* ou avec Hiéron, dans Xénophon: «Ô brillante misère de la royauté!», ou avec Crésus sur le bûcher dans Hérodote: «Nul des vivants n'est heureux!», ou encore avec Auguste dans Suétone, après quarante ans de règne: «Amis, trouvez-vous que j'ai assez bien joué cette farce de la vie?»; l'Ecclésiastique (le Siracide, auteur présumé, Ptolémée VI Evergète), autre coffre à bijoux de la sagesse orientale; le livre spéculatif et dogmatique de la Sagesse; poème didactique dont l'acquisition *in actu* procure à l'homme qui s'identifie à elle, la récompense de l'incorruptibilité; tous ces traités, ces livres, ces discours réflètent chez les Sémites la continuelle mise en présence devant leurs prières, leurs cris et nous convoquent par la lecture et leur méditation à la rencontre sacrée, au rendez-vous muet devant l'arche de Sion.

À méditer aussi l'éloquence improvisée, brute mais remuante, des hébreux dans leurs prières, leurs discours et leur prophéties, nous savons désormais que derrière celle-là, en dépit de cet art de la persuasion plus raffiné chez les grecs, et pour cela même qu'elle le fut davantage à cause des savantes tortures de la raison, nous savons que l'éloquence hébraïque se tenait sur un fond d'inspiration divine.

Voici pour reprendre, à titre de derniers exemples, quelques médaillons de cette oraison chez les prophètes: «De grâce, encore, que mon Seigneur ne s'irrite point, je ne parlerai plus qu'une fois: s'il s'en rencontrait dix?» suppliait Moïse devant Adonaï.

Ce Moïse qui triomphe cinq fois de la colère de Yahvé, Jacob épouvanté par la vengeance d'Esaü: «Daignez de plus me délivrer d'Esaü, dont je redoute la colère, de peur qu'il...», Xénophon, Alexandre, Fabius, Scipion, César, Caton, Brutus, Auguste puis chez Homère, Ajax, Diomède, Agamemnon, Achille, Hector, comme Jonathas chez les prophètes, imploreront dans la plaine de quelque térébinthe, chacun leurs dieux. Ce dernier devant les siens épouvantés: «Seigneur mon Dieu! que dirais-je en voyant Israël en fuite... que deviendra votre nom!» On se rappelle le fils d'Amathi, «le fils de la colombe», Jonas, quittant la colline de Geth-Hepher: «Prenez-moi et me jetez dans la mer, et elle s'apaisera», dira-t-il aux marins hors d'eux-mêmes. Et plus tard quand Jonas eut un grand dépit de voir Ninive épargnée par la crainte, dit familièrement à Dieu: «Car je savais que vous êtes un Dieu bon et clément, patient et miséricordieux et que vous pardonnez au crime. Faites-moi donc mourir: mieux vaut la mort que la vie». Et Yahvé suavement de répondre: «As-tu raison de te fâcher?» en voulant signifier gentiment: «Croyez-vous que votre courroux soit raisonnable?». Et Amos, le Voyant de Thécué, avec un ton fier mais proche de la terre, devant la corruption qui sévit sous Jéroboam II où 450 prêtres de Baal et 400 prêtres d'Astarté sacrifient aux dieux étrangers. Amos avec dégoût, avec passion, avec colère, s'écrie: «J'abhorre vos fêtes, je déteste votre encens et vos holocaustes; loin de moi le vacarme de vos cantiques! que je n'entende plus les accords de vos nobles! ce que je veux, c'est le bon droit et la justice»... «Silence! il n'est plus temps d'implorer le nom de Jéhovah: l'Éternel a prononcé!» Puis Osée, par son action symbolique, offre au visage d'Israël une famille délabrée, Gamer une prostituée, un fils avec un nom à malédiction, Yizréel, une fille du nom répudié de la «Non-aimée», puis une autre fille du nom réprobatif de «Lohammi» ou de «Non-mon-peuple». Il y a cinquante ans d'iniquité à punir. «Un peuple qui ne comprend pas, doit tomber *et Ephraïm educet ad interfectorem filios suos*. Pleure, fille d'Israël, arrache les tresses de ta chevelure...» «Le voici (Israël) maintenant comme un vase immonde parmi les nations».

Nous sommes en pleine colère de Yahvé. C'est le moment des Nabis, des «délirants», des Voyants, des Prophètes, des messagers qui sont appelés et qui annoncent avec la phrase terrible d'ouverture: «Ainsi parle Yahvé». Isaïe, fils d'Amoc, le héros national, le prophète le plus classique de la Bible, le Périclès de l'éloquence, le Moïse du VIIe siècle, le «salut du Seigneur», le plus grand des Voyants qui dans sa vision grandiose de l'Éternel répondra à la question de Yahvé Sabaot: «Qui enverrai-je? quel sera notre messager?»: - «Moi, Seigneur!»

Lui qui se promène en haillons, pieds nus, porte un cilice et qui impose à son fils le nom hautement symbolique de Maher-Shalal-Chasch-Baz (Hâte-toi-d'emporter-les dépouilles-presse-toi-de-piller). Xavier de Maistre et combien d'auteurs modernes ont proclamé la dignité, l'élégance, le sublime d'Isaïe. «Il y a plus qu'une République de Platon, écrit ce dernier, dans un seul des chapitres d'Isaïe, je pourrais presque dire, dans une seule de ses pages». (*Soirées*, tome II, p. 271). Écoutons encore le fils d'Amos (Amoc): «Ô Ariel, Ariel, cité qu'habita David!... ta parole s'élèvera de la poussière comme un léger murmure».

Michée (le voyant de Morasthi): «Et toi, Bethléem Ephrata... C'est de toi que sortira...»; Sophonie (La sentinelle de Dieu) avec cet oracle que tout chrétien a entendu sous les temples: «*Dies illa, dies irae...*»; Joël, (fils de Phatuel); Habacuc et sa fameuse question: «pourquoi punir le méchant par un plus méchant?», puis l'insondable réponse de Jahvé: «Si ma justice tarde, attends!»; Jérémie (le prophète de la douleur): «je suis enfoncé dans le lac, et on a mis sur moi une pierre; les eaux de cette fosse humide sont tombées sur moi; j'ai dit: «je suis perdu!»; Abdias (chute d'Esaü, splendeur de Jacob); Baruch (le «béni»): «nul ne connaît sa voie, nul ne comprend son sentier»; Ézéchiel (fils de Buzi, le visionnaire): «Hélas! hélas! hélas! Ô Dieu, vous achevez donc d'anéantir Israël!» ---«Épée! aiguise ta pointe...»; Daniel, initiateur du genre apocalyptique, interprète des visions et des songes; Zacharie et ses huit visions symboliques; Aggée, le bâtisseur du second temple; Malachie («l'envoyé») le dernier prophète de l'Ancien Testament, l'annonceur de la nouvelle Aurore.

Ces longs cris du désert, cette dense et tumultueuse épopée messianique, cette force du souffle et de la bataille, cette lignée en brisures qui de Noé à Malachie aboutit à l'avènement de ce «juste», du concept de juste dont parlait Socrate à Alcibiade (Platon, IIe Alcibiade, p. 67), cette psalmodie du coeur de l'âme et du coeur, tout cela nous jette par les oraisons et le cri des Prophètes, en la présence de Yahvé, l'Éternel.

7. Mettons-nous dans la «mirabil visione» de Dante

J'eus une admirable vision, dans laquelle je vis des choses qui me firent décider de ne plus rien dire de cette bénie, jusqu'à ce que je puisse plus dignement parler d'elle. Et pour en venir là, je travaille autant que je puis, comme elle le sait vraiment. Donc, si c'est le bon plaisir de Celui par qui subsistent toutes choses que ma vie dure encore quelques années, j'espère dire d'elle ce qui ne fut jamais dit d'aucune autre. Et ensuite plaise à celui qui est sire de la courtoisie que mon âme s'en puisse aller voir la gloire de ma dame: c'est-à-dire de cette Béatrice bénie, qui contemple glorieusement la face de Celui qui est *per omnia saecula benedictus.*

(Vita nuova, XLII).

Les dantologues ont habituellement vu dans ces lignes se dessiner la vocation de Dante Alighieri, vocation hautement poétique et spirituelle.

Lamartine appelle David le poète des rochers; Homère, le poète de la mer; Virgile, le poète des campagnes; Milton, le poète de l'air; Camoëns, le poète de la navigation; Job, le poète du désert et Dante, le poète de la nuit.

La Divine Comédie, oeuvre singulière et remarquable de ce «très haut poète» du Capitole, n'est pas une épopée, ni une tragédie, puisqu'elle en fuit les lois et les retourne même à l'envers (finir par le Paradis était une conception assez nouvelle vers ce bas Moyen-Âge, ce début de la Renaissance, aussi devant la civilisation et la crise de l'Occident). Elle serait un immense chant d'amour, une longue prière mi-charnelle, mi-spirituelle, une profonde expérience humaine; enfin ce poème, ose dire Jacques Madaule, et avec raison, est une «apocalypse, c'est-à-dire un dévoilement». On le reconnaît comme une prophétie, un poème sacré qui montre à travers les dix zones infernales, les sept terrasses *purgatoriel-les* et les neuf cieux paradisiaques, les pérégrinations d'une âme dans sa chute, dans son rachat et dans son salut.

Il n'en fallait pas plus pour accoler très tôt au nom de Dante l'épithète de «triste» et pour jumeler encore aujourd'hui, à la production dantesque le synonyme «d'effroyable». On peut dire de Dante comme de Michel-Ange: «on dirait que tu n'as jamais ri» (Antoine Barbier). «O Gran padre Alighieri!» dira Châteaubriand, se penchant sur le blanc tombeau du Guelfe. «Cet Enfer me paraît tout à fait abominable», écrira Goëthe dans son *Voyage en Italie*, 1787, le Purgatoire ambigu et le Paradis ennuyeux». Mais à côté de ce témoignage du grand romantique allemand se posent aussi les vers admirables de Banville:

Son camail écarlate incendiait la neige
D'un long reflet sanglant, rose, aux lueurs d'éclairs

Comme si, revenu des cieux et de l'enfer,
Ce voyageur portant l'infini dans son âme,
Au lieu d'ombre, traînait à ses pieds une flamme.

Le poème de Dante est un chant. La ligne de fond, l'Amour. *La Divine Comédie*, poème sacré et cosmique à trois autels, née de la *Vita Nuova* et plus avant, loin de la *Convivio* ou *le Banquet*, raconte la destinée de l'âme après la mort. Cela, dans l'ordonnance, l'établissement de la Justice avec les prérequis de l'Empire Romain, de Virgile et de l'*Énéide* qui nous font comprendre les sources profondes de cette sorte d'Histoire Sainte. On remarquera toujours cette idée trinitaire d'invention pythagoricienne, dans l'oeuvre du grand humaniste, ce fameux chiffre trois, chiffre mystérieux qui semble commander les grands leviers de la terre et du ciel. D'abord, la trilogie elle-même de *la Divine Comédie* (l'Enfer, le Purgatoire, le Paradis), ensuite ses trois oeuvres *Vita Nuova, Convivio* et la *Divina Comedia*; aussi cette date de 1300, ce Vendredi saint où il eut cette *mirabil visione*; cette incarnation de Virgile, son maître qui conjugue en lui la Raison, l'Art et l'Empire; également cette finale des trois parties du poème qui s'achève sur le mot «étoile (purifié et disposé à montrer aux étoiles l'amour sacré qui met en mouvement le soleil et les autres étoiles). Puis, (s'il faut jouer sur le chiffre 3 et ses multiples) le nombre de ses enfants; la peine de mort qui s'applique à ces derniers Jacques, Pierre, Antonio, dès la quinzième année de leur âge; sans oublier la trilogie essentiellement dantesque, le Pape, l'Empereur et Dieu; sans doute, sa formation qui de la *grammatica* antique passa à la *grammatica* de Quintillien, puis aboutit à la révélation du grand Virgile et du mouvement grandiose et patriotique de son *Énéide*; la rencontre à neuf ans de Béatrice; l'interrogation (chant vingt-troisième, *Paradis*) de saint Pierre, de saint Jacques et de saint Jean; le chemin pour parvenir à Dieu, la Vierge Marie, saint Bernard et Dieu; les deux poètes qui l'accompagnent, Stace, Virgile et Dante; les trois femmes, objets d'amour divin, Lucie, Béatrice et la Vierge Marie; les trois «Cantiche» du Purgatoire et de l'Enfer; les trois planètes près de notre monde, Mercure, Vénus, la Lune (réservée, cette dernière, aux religieuses violemment arrachées à leur couvent); les trois autres plus éloignées, Mars, Jupiter et Saturne; les trois premiers mois de cette année 1300 où «l'Ange a pris dans sa nacelle qui y a voulu entrer en toute paix», (*Purg.* II, 98-99); l'ombre à trois corps; les trois bêtes qui le séparent de Béatrice: la Luxure, l'Orgueil et l'Avarice; les trois grandes catastrophes du prieur de Florence: la mort de Béatrice, l'exil, l'échec (mort d'Henri de Luxembourg), autant d'exemples qui ornent ce chiffre magico-religieux et que l'on rencontre dans les traditions les plus récentes et les plus reculées. Cette mystique du nombre!

La Divine Comédie ne prend son sens véritable que si l'on conserve dans l'esprit qu'elle fut inspirée par Béatrice et que, par elle, Dante conjugua son amour et l'art de chanter, de louanger cet amour.

21

Ita n'è Beatrice in l'alto cielo
nel reame ove li angeli hamo pace,
e sta con loro, e voi, donne ha lasciate

(Vita Nuova, Canzone 3)

Béatrice s'en est allée au plus haut du ciel,
dans le royaume où les anges sont en paix:
elle s'y tient avec eux, et vous Dames,
elle vous a abandonnées.

C'est quelque peu extraordinaire cet amour de deux enfants d'âge tendre qui se sont rencontrés dans une fête enfantine... Béatrice Portinari, jeune Florentine. Neuf ans. Le «fidèle d'amour». Entre les deux, un amour indicible porté jusqu'à l'au-delà. Vocation amoureuse d'une espèce très rare et qui surgit durant et après toute une vie; ce même attrait sans doute que Tolstoï avouait à une amie à soixante-quinze ans: «Mon plus grand amour a été un amour d'enfant, pour la petite Sonia Kolochine». Les deux avaient alors neuf ans.

Mais Dante a porté Béatrice dans son oeuvre et l'a en quelque sorte divinisée.

Se mettre dans la *mirabil visione*, c'est se placer sous le regard de l'Amour, de la beauté, de ce saisissement qui jette l'âme dans une sorte de révélation, de désarroi délicieux et qui attache l'âme dans la mémoire charnelle, l'être dans la destinée éternelle. Béatrice, la pieta; Béatrice la *donna della schermo*, la Dame-Bouclier, la reine des vertus; Béatrice, la Béatifiante, «ce tout jeune ange», la Muse parfaite, la Bienheureuse, la Vierge Marie, la très noble, la très belle, la glorieuse dame du *Paradiso*, l'unique Dame du «Poème sacré».

Se mettre dans la présence de Béatrice, c'est trouver le regard de Dante Alighieri fixé sur la Lumière suprême:

Ô suprême Lumière, qui t'élèves tellement au-dessus des concepts mortels, restitue à mon esprit un peu de ce que tu parus, et fais ma langue si puissante qu'une seule étincelle de ta gloire, je la puisse laisser aux races futures;
...
Ô lumière éternelle, qui seule en toi résides, seule te comprends, et comprise par toi et te comprenant, t'aimes et te réjouis!

Par., XXXIII

8. Mettons-nous dans les pas du «Surhomme» de Nietzsche

Jadis on disait Dieu lorsqu'on regardait sur les mers lointaines; mais maintenant je vous ai appris à dire Surhumain...

Dieu est une conjecture; mais je veux que votre conjecture n'aille pas plus loin que votre volonté créatrice.

Sauriez-vous créer un Dieu? Ne me parlez donc plus de tous les dieux? Cependant vous pourriez créer le Surhumain.

Ce ne sera peut-être pas vous-mêmes, mes frères! Mais vous pourriez vous transformer en pères, et en ancêtres du Surhumain: que ceci soit votre meilleure création.

Sur les îles bienheureuses, (*Also sprach Zarathustra*, p. 96-97)

La parole de Frederich Wilhem Nietzsche s'offre dans le haut poème de *Ainsi parlait Zarathoustra*, sommet de l'oeuvre du philosophe allemand (1883-85), comme un livre sacré, un cinquième Évangile et par le fait même fait surgir ce fils de pasteur (Karl Ludwig et Francesca Oeler, père et mère), comme un des grands prophètes du 19e siècle.

Cette fois, ce n'est plus le Dieu d'Abraham, d'Isaac et de Jacob, c'est la figure éminente de l'Homme dressée sur le tombeau d'un Dieu assassiné, d'un Dieu moral, d'un Dieu véhiculé par les canaux de la tradition, d'un Dieu confortable et réconfortant, donc d'un Dieu trahi, pour qu'apparaisse l'Homme au-dessus des «arrière-mondes», des anciennes valeurs. Cette homme qui danse, ce visage qui rit a maintenant le choix terrible de se surpasser et de créer ses propres valeurs.

Scandale pour les Chrétiens qui à son regard ne sont que des gentils. Un nouveau Sacré.

Se mettre dans les pas du Surhomme (*Uebermensch*) de Nietzsche, c'est essayer de répondre à l'appel dans la ligne de faîte, sur la route ténébreuse et solitaire, vers un chemin circulaire de volonté pour manifester une Volonté de Puissance... Celle-ci étant prise comme un principe cosmologique, une structure essentielle de la force, le «démon de la puissance», l'ordre et l'*hubris* de l'homme, peut-être, mais aussi et davantage la «transcendance comme acte de se surmonter soi-même».

Rappelons-nous les paroles sublimes et toujours récentes de ce grand prophète de la valeur, le voyant de la métaphilosophie à problématique trinaire ou la Vérité, le Surhomme et le Temps.

Ich lehre euch den Uebermenschs. Der Mensch ist etwas, das überwunder werden soll.

Je vous enseignerai le Surhumain. L'homme est quelque chose qui doit être dépassé. L'homme est une corde tendue entre la bête et le Surhumain - une corde au-dessus d'un abîme. La grandeur de l'Homme, c'est qu'il est un pont et non un terme; ce qu'on peut aimer chez l'Homme, c'est qu'il est transition et perdition. Créer un être qui nous dépasse, tel est donc notre essence.

Et plus loin ces mots toujours grands, beaux et étranges: J'aime ceux qui ne savent vivre qu'à condition de périr, car en périssant, ils se dépassent.

Un jour, je suis prêt mûr dans le Grand Midi, prêt et mûr, pareil à de l'airain ardent à une nuée grosse de foudre, à un pis gonflant de lait... - un astre prêt et mûr dans son Midi, incandescent, transpercé, aux délices des flèches anéantissantes du Soleil: - lui-même soleil et volonté-soleil, inexorable, prêt pour anéantir en triomphant»... Ma tâche est de préparer à l'humanité un instant de suprême retour sur elle-même, un grand Midi, où elle pourrait regarder en arrière et dans le lointain.

Nietzsche, prophète d'un monde nouveau, disciple momentané de Schopenhauer, admirateur aussi momentané de Wagner, continu de Beethoven, inconditionnel vis-à-vis les maîtres grecs, Anaximandre, Héraclite, Parménide.

Nietzsche, le fêteur de l'avenir, l'iconoclaste de la raison, l'immoleur d'un Dieu qui s'ennuie et crée le monde pour se dissiper et pour ensuite le laisser crever sans raison; le crieur, le créateur de la Surhumanité, le chercheur d'éternité au coin du Temps; Nietzsche le communiant de l'athéisme, le porte-voix des Valeurs nouvelles, l'euthanasiste ou le thanatologue de Dieu et des divinités, le concasseur de la Métaphysique et des grands Idéaux, le Moïse des Tables nouvelles, le Samouraï des cimes, le poète du Sol et du Soleil, le prêtre des glaciers de la Bernina, du nouvel Évangile, du nouveau sacerdoce dans quelque temple argonautique; Nietzsche, le Seigneur des anneaux, le chevalier de la vie dangereuse, l'acteur et surtout le spectateur, le grand simulateur, le voilé, le masqué, l'*artiste en jeu*, en créativité permanente, aussi le sélectionneur darwinien, le maître de la grande conscience, le nonce de la renonce, le servant de messe d'Apollon et de Dionysos, l'enfant dans le masque d'un vieillard, le blasphémateur de l'infini, l'ange Révolté, le S.S. de la plèbe, l'allumeur des grands incendies du soir, le pèlerin de l'Éternité, l'aigle annonciateur des temps «avenir», aussi et encore, Nietzsche, la figure de Zarathoustra, prophète de l'Apocalypse prochaine et du Surhomme de l'horizon...

J'aime sa nuque de taureau, mais je voudrais lui voir aussi le regard de l'ange.

dira-t-il en parlant de l'âme sublime.

Mais comment pouvons-nous à l'instar de Nietzsche nourrir une dévotion à l'Homme, au Néant, sacrifier les dieux, opposer la violence à la morale, magnifier résolument l'instinct du moi et se mettre dans les pas du Surhomme dans la suite de Zarathoustra? Comment est-ce possible, après les observances du même évangile et du même Dieu, évoquer la présence du divin, du sacré, adorer le néant de l'Éternel?

> La réputation de Dieu, en somme, ce n'est que le Dieu moral qui est réfuté.

> (*Oeuvres posthumes*, p. 89, texte de 1882-1884)

Cette thèse nietzschéenne du nihilisme, de l'athéisme, du continuateur, en un sens, de Zoroastre (nom grec de Zarathoustra 660 à 583 av. J.-C.?) suppose une longue réflexion, un accompagnement profond et studieux avec les exégètes de Nietzsche. À la lecture des travaux de ceux-ci, on apprend que *l'enterreur* de Dieu, l'auteur de la fameuse formule: «*Gott ist tot*», n'a jamais dit: «Je ne crois pas en Dieu!» Non plus: «Il n'y a pas de Dieu!» Ce Dieu assassiné est le Dieu des chrétiens, le Dieu au-delà des ciels qui détient le destin de l'homme, le tient en sujétion morale, donc maladive, «ressentimentale», ce Dieu créateur de la réalité suprasensible, ce tout ce qu'il est, ce à quoi Il ressemble et se transforme chez les hommes en codes, en préceptes, en moeurs, en rites, aussi en craintes, tremblements depuis des millénaires. C'est le désabusement, aussi l'échec, la déception ontologique devant ce monde impie, immoral, inhumain; devant les valeurs, la naïveté de nos Idéals sucrés; devant la faute dont l'homme subit les stigmates sans avoir péché et qui hypothèque tout le devenir de l'homme. L'homme qui ne pourra jamais se proclamer «innocent», qui doit mourir avec en face de ses yeux un «tu dois» kantien insupportable, pour qui veut essayer de faire jouer quelque peu sa liberté, ses valeurs choisies devant «ces hommes bons», «ces pieux chrétiens du vieil Évangile».

> Je regarde autour de moi: plus aucun mot n'est resté de ce que jadis s'appelait vérité-vérité chrétienne, foi chrétienne, Église chrétienne - chacun le sait et pourtant tout reste inchangé comme avant. Qu'est devenu le dernier sentiment de convenance lorsque nos hommes d'État n'hésitent pas même à s'appeler, aujourd'hui et encore, chrétiens et aller communier? Qui donc le christianisme nie-t-il? Qu'est-ce donc qu'il nomme «monde»? Qu'on soit soldat, juge, patriote; qu'on se défende; qu'on tienne à son honneur; qu'on recherche son intérêt, qu'on soit fier; toute pratique à chaque instant, toute évaluation devenant action est aujourd'hui antichrétienne. Quel monstre de fausseté faut-il donc que soit l'homme moderne pour n'avoir pas honte, malgré tout, de s'appeler chrétien?

> (*Nietzsche aujourd'hui?*, Tome 2, présenté par Karl Löwith, Coll. 10/18, p. 213)

La mort de Dieu signifie que le chrétien doit se dépasser. Même et surtout après deux mille ans. Le chrétien, surhomme du passé doit maintenant se surpasser et devenir le Surhomme du présent et de l'avenir. Dans les propres mots du philosophe: «surmonter tout ce qui est chrétien par quelque chose de super-chrétien». Ce Surhomme est le «sel de la Terre», et il n'est pas au ciel. Ce dernier est vide. Qui l'a vidé? Qui sont les assassins? C'est vous, moi, nous, les assassins. Nous qui comme ce fou du Gai Savoir entrons dans l'Église et chantons le *Requiem aeternam*

Deo! (Liv. III, 125, p. 171). Ce désespoir profond chez Nietzsche d'avoir à remplacer Dieu par l'Homme, trou qui ne se remplira peut-être jamais, ce cri, ce *De profundis*, dit Heidegger, a été une invocation, un dernier regard vers Dieu.

Nietzsche, cet athée de haute classe, dira-t-on, est au contraire, selon le philosophe, l'ex-recteur de l'Université de Fribourg, «l'unique croyant du XIXe siècle».

Nietzsche malgré sa virulence vis-à-vis du christianisme, du Dieu formé, imagé par lui, du code qui s'ensuivit avec la culpabilité, le ressentiment, avance que l'ère des religions n'est point close, que malgré «l'euthanasie du christianisme» peut-être un christianisme regénéré pourrait se poser dans l'avenir comme une religion d'avenir:

> Ce n'est qu'après la mort de la religion que l'intervention du divin pourra reprendre toute sa luxuriance.

(V.P. IV, 589)

«Près de deux mille ans presque et pas un seul Dieu nouveau». Cette sentence: *Gott ist tot* et qui a fait fortune ne s'est jamais posée chez le Professeur ou l'ancien infirmier au siège de Metz (guerre franco-allemande, 1870) comme une thèse en forme de l'existence ou de la non-existence *théorique* de Dieu, elle signifie plus le scandale de l'Église et le bêlement timide du troupeau. Elle est un vif reproche à l'institutionalité, à l'architecture romaine, à la hiérarchie, à la perversion ou biaisement du message, à la médiation religieuse, à la pratique accomodante des fidèles. Les anciens théologiens ont peut-être plus fait pour tuer Dieu que Nietzsche a tenté de l'éliminer. «Ce Dieu qui voyait tout, même l'homme; ce Dieu ne pouvait que mourir! L'homme ne souffre pas que pareil témoin vive». C'est l'image de Dieu qui gêne, non son existence.

Écoutons encore ces mots pris de l'insensé:

> Dieu est mort! Dieu reste mort! Et c'est nous qui l'avons tué! Comment nous consoler, nous, les meurtriers des meurtriers? Ce que le monde avait possédé jusqu'alors de plus sacré et de plus puissant a perdu son sang sous nos couteaux.

Tuer Dieu par amour pour l'homme...

> Dieu nous l'avons aimé plus que nous-même et ne lui avons pas seulement sacrifié notre «fils unique». Vous en prenez trop à votre aise, vous autres athées! Bon, il se peut qu'il en soit comme vous dites: les hommes ont créé Dieu - est-ce là une raison pour ne plus se soucier de lui? Nous avons depuis lors inversement conclu: Dieu deviendra.

Quel sera ce Dieu? Dionysos, Apollon ou le Crucifié, ou un nouveau Dieu? Le voilà ce dieu, c'est un visiteur auquel Nietzsche voue un culte au point de s'y sacrifier lui-même. C'est un dieu nu, au pied léger. Écoutons cet admirable texte, troisième partie du Zarathoustra:

> Le dieu, sa beauté le voile: ainsi tu caches tes étoiles. Tu ne parles pas: c'est *ainsi* que tu m'annonces ta sagesse. Silencieux sur la mer bruissante, tu t'es levé pour moi aujourd'hui, ton amour et ta pudeur parlent révélation à mon âme bruissante. Que tu sois venu à moi, toi qui es beau, voilà dans ta beauté, que silencieux tu me parles, manifeste dans ta sagesse: ô comment ne devinerais-je pas tout ce qu'il y a dans ton âme de pudique! Qu'*avant* le Soleil, tu sois venu à moi le plus solitaire! Nous sommes amis depuis fl'origine: chagrin, épouvante, profondeur, nous sont communs; le Soleil encore nous est commun. Nous ne nous parlons pas, parce que nous en savons trop; - nous nous taisons l'un face à l'autre, d'un sourire nous nous livrons notre sagesse.

Se mettre dans les pas de Zarathoustra, c'est comme les Prophètes, les grands visionnaires, suivre la corde raide, vivre dans l'intensité, la fatalité, le regard de Dieu, la contradiction du sacré; c'est voisiner le vertige, côtoyer l'abîme, la mort; c'est vociférer comme les gladiateurs des Césars de la Rome impériale: «Caesar, qui morituri...»

> Servir le Dieu inconnu
>
> Je veux te connaître, Inconnu,
> Toi dont les prises plongent en mon âme,
> qui passes dans ma vie comme un ouragan,
> Inconcevable, de qui je tiens;
>
> Je veux te connaître, et plus te servir.

> (*Gesammelte Werke*, Musarion, t. XX, p. 63)

Malgré une oraison inversée, une totale vocifération contre Dieu et le christianisme, Nietzsche n'a pas moins mérité de la force des Prophètes, de la profondeur d'Héraclite, des Ombres ou de l'Ombre de Dante et de la hauteur lyrique de Claudel. N'y a-t-il pas, malgré tout, reprise de Dieu?

Voici un dernier exemple de cette incantation magique d'un des plus grands philosophes de tous les temps:

DU HAUT DES CIMES

> Ô midi de la vie, temps solennel!
>   Ô jardin d'été!
> Bonheur inquiet dans la halte, les aguets, l'attente: -
> j'attends les Amis, prêt jour et nuit;
> où êtes-vous, Amis? Venez, il est temps, il est temps!

...
Ô midi de la vie, seconde jeunesse!
    Ô jardin d'été!
Bonheur inquiet dans la halte, les aguets, l'attente!
J'attends les Amis, prêt jour et nuit,
les Amis *nouveaux*. Venez, il est temps, il est temps!

Ce chant n'a plus d'objet - le doux cri du désir a expiré sur mes lèvres:
un magicien en est cause, l'Ami venu à point,
l'Ami de midi - ne demandez pas qui - :
C'est à midi qu'Un devint Deux...

Sûrs de la commune victoire, nous célébrons
    la Fête des fêtes:
L'Ami Zarathoustra est venu, l'Hôte des hôtes.
Maintenant le monde rit, l'affreux voile s'est déchiré,
les noces sont venues pour la Lumière et l'ombre.

Extrait de *Par-delà le Bien et le Mal,* traduit par Henri Albert, p. 345 à 348.

9. Mettons-nous dans la présence de la «Muse qui est la Grâce» de Claudel

Les Muses, on le sait, sont filles de neuf nuits de l'Amour. À part chanter devant les dieux, elles créent entre les hommes l'harmonie en mettant dans la bouche des rois la sagesse, la parole pour dissoudre les germes de la discorde et de la guerre. Quand elles louent les dieux et les héros, leur chant verse dans le coeur des hommes le baume de l'oubli.

La Muse claudélienne, Polymnie et la Vierge Marie, l'une, muse intime, l'autre, celle de Dieu, nous jette en pleine grâce et nous crée cette magie, cette ferveur, cette illusion fatale d'être en un face à face avec la Parole, le Verbe de Dieu.

Cet ambassadeur du catholicisme, ce page du Christ a bien parlé de Dieu, de la Vierge Marie, de la Terre et de l'amour en le Créateur. Entrer dans la pensée et le style de Paul Claudel, c'est pénétrer dans cette âme qui tournoie autour des nefs ardentes, dans le choeur même de la «muse qui est la Grâce». Ouvrir Claudel, par les soins de sa soeur Camille, c'est méditer sur l'Écriture Sainte; c'est apprendre «l'évangélisation progressive»; c'est répondre à deux vastes appels, celui de Dieu et celui de l'Univers; c'est tenter les premiers pas (septembre 1900) vers l'abbaye de Ligugé et comme forcer, mais en vain, une retraite cénobitique; c'est subir la crise terrible de la Grâce et la fulgurante lueur de Damas du 25 décembre 1886; c'est essayer par et à travers toute son oeuvre magnifique (10 poèmes, 17 pièces de théâtre, 17 livres de prose) rencontrer la douleur et la joie, puis enfin la sérénité de cette lutte étrange entre Dieu et lui, entre l'Ange et Jacob; c'est, comme la plupart des grands prophètes et des poètes, faire face au Grand Midi qui chez lui s'est joué momentanément dans l'affrontement du grand *Partage* (Mesa n'est pas sans Ysé), dans celui d'une deuxième conversion qui n'est pas sans rappeler la faute de David et de Bethsabée, femme d'Uri le Héthéen:

> J'ai fui en vain. Partout j'ai retrouvé la Loi.

D'abord, cette vision appréhendée par la lecture des *Illuminations*, d'*Une Saison en enfer* de Rimbaud, (cet «alchimiste du verbe», cet autre voyant), ne laisse pas de paraître, dans nos jours d'impiété, quelque peu troublante. Traumatisante quand on songe qu'un même jeune homme de 22 ans, est fort loin de tomber sous le coup de la Grâce, sous l'allégresse d'un Magnificat ou la tendresse d'un Adeste. Claudel n'avait-il pas aussi devant lui un Renan omniprésent, des littérateurs épanouis dans le Naturalisme, des philosophes monistes, mécanicistes, un art, une science, une littérature irréligieuse, un enseignement libre? Tout cet appareil instanciel d'alors n'avait peut-être pas touché le fond même du peuple à ce degré tel que les gens d'aujourd'hui me paraissent moins les «damnés de l'Espérance» que les désespérés de l'Espérance. Ce Salut, évidemment lié au salut familial, social, économique, *et caetera*.

Je ne veux point ici effriter cette rencontre de l'Insondable avec l'adolescent malheureux en ce Noël à Notre-Dame de Paris, ou jeter, ne serait-ce qu'un doute, sur l'authenticité de cette merveilleuse conversion. Au contraire, je veux signifier seulement combien cette nécessité de croire, ce besoin, cette apparition de Dieu, cette Grâce exigerait dans le climat actuel, une empreinte de feu, une dévoration presque égale aux stigmates de saint François.

> Que les gens qui croient sont heureux!
> Si c'était vrai, pourtant?
> C'est vrai!
> Dieu existe, il est là. C'est quelqu'un,
> c'est un être aussi personnel que moi!
> Il m'aime, il m'appelle.

écrit le chantre de Dieu, le servant de la Grâce. Son oeuvre entière atteste cette Présence, avoue sa mise en catholicité, pose sur l'univers le regard d'un Dieu jaloux, fait jouer sur le monde le drame chrétien, nous tient dans une évolution lyrique «parachutismale» et nous renvoie à travers l'éclat de son envol vers ce grand Partage, cet ardent Midi, vers cette messe première où le poète Tardenois en cette Nuit illuminante et folle de promesses sent «tout-à-coup le sentiment déchirant de l'innocence, de l'éternelle enfance de Dieu, une révélation ineffable».

Paul Claudel, appelé de Dieu, comme jadis avant après lui, Jacques Maritain, Max Jacob, Alexis Carrel, Léon Bloy, Francis James, Jacques

Rivière, Charles du Bos, Charles Péguy, Henri Bergson, Gabriel Marcel, Joris-Karl Huysmans, Daniel-Rops et combien d'autres témoins de Lui, centurions de la Foi, lampes ardentes aux lueurs de l'au-delà et, certainement, selon la modulation propre à chacun, Voyants et Annonciateurs du Grand Midi.

Se mettre dans la présence de la «Muse qui est la Grâce», c'est se placer en face de l'Amour et en souffrir les émerveillements; c'est essayer de rejoindre la Vierge Marie comme Dante, Béatrice, (ce Dante que Claudel a imité et qu'il range avec les cinq poètes impériaux ou catholiques, c'est-à-dire Homère, Eschyle, Virgile, Shakespeare).

Écoutons Coeuvre, le poète et Isidore de Besme, l'ingénieur (in *La Ville*); le premier contemplateur de l'Univers qu'il s'agit de faire surgir en le nommant; le second, le *demiurgos* qui organise dans une création matérielle la matière, le son et la lumière.

BESME

Sache que parfois je descends d'ici la nuit et je m'en vais dans la ville, et par les rues désertes, au milieu d'un peuple qui dort, j'erre comme un homme perdu.
…
L'homme ne sortira point du sépulcre qu'il s'est construit. (Pause - la lune se lève.)

COEUVRE

Ovation à la resplendissante Lune, oeil de la gloire! Tu manifestes, sans le détruire, le mystère du Ciel avec son étendue.
Car, comme le maître nouveau d'un palais qui le visite, un flambeau à la main.
Tu marches en l'éclairant à travers la salle de la Nuit vide.
…
- Aime
Ce jardin parmi le lieu qui ne montre rien que d'aride, Diane!
Je te salue avec, ne t'offrant rien d'autre,

(Il prend de la terre et la répand.)

Cette libation de terre.
Les fleurs nouvelles te rendent, Lampe du Sommeil, l'encens.

Paul Claudel, *La Ville* (2ᵉ version) Théâtre I, Bibliothèque de la Pléiade, Gallimard, éditeur.

De même dans *Le Soulier de Satin* dans lequel Paul Claudel avoue avoir résumé toute son oeuvre poétique et dramatique, Dona Prouhèze, si près d'Ysé, se trouve de part et d'autre entre trois hommes, Giz, Mésa, Almaric, autour de la dernière, et son mari, le juge de sa Majesté, Don Pelage, Rodrigue et Camille près de la première. Les deux auront un enfant.

La lutte entre l'Amour humain et l'amour divin (Prouhèze et Don Rodrigue), entre la femme, «cette promesse qui ne peut être tenue» (in, *La Ville*, acte III, Théâtre) et l'homme devant la femme (amorce, tentation, espérance, aussi grâce et inspiration) longe toute l'oeuvre de l'ambassadeur, de l'éternel exilé. Ici ce dialogue mystique entre l'Ange Gardien et Prouhèze, illustre comme la plupart des drames claudéliens, ce jeu effrayant entre le péché et le salut et qui a donné à la conscience mondiale le jeu d'une littérature sacrée.

DONA PROUHÈZE

Eh quoi! Ainsi c'était permis à cet amour des créatures l'une pour l'autre, il est donc vrai que Dieu n'en n'est pas jaloux? l'homme entre les bras de la femme...

L'ANGE GARDIEN

Comment serait-Il jaloux de ce qu'Il a fait? et comment aurait-Il rien fait qui ne Lui serve?

DONA PROUHÈZE

L'homme entre les bras de la femme oublie Dieu

L'ANGE GARDIEN

Est-ce L'oublier que d'être avec Lui? est-ce ailleurs qu'avec Lui d'être associé au mystère de Sa création
Franchissant de nouveau pour un instant l'Éden par la porte de l'humiliation et de la mort?

DONA PROUHÈZE

L'amour hors du sacrement n'est-il pas le péché

L'ANGE GARDIEN

Même le péché! le péché aussi sert.

DONA PROUHÈZE

Ainsi il était bon qu'il m'aime?

L'ANGE GARDIEN

Il était bon que tu lui apprennes le désir

DONA PROUHÈZE

Le désir d'une illusion? d'une ombre qui pour toujours lui échappe?

L'ANGE GARDIEN

Le désir est de ce qui est, l'illusion est ce qui n'est pas. Le désir au travers de l'illusion Est de ce qui est au travers de ce qui n'est pas.

DONA PROUHÈZE

> Mais je ne suis pas une illusion, j'existe! Le bien que je puis seule lui donner existe.

L'ANGE GARDIEN

> C'est pourquoi il faut lui donner le bien et aucunement le mal.

Se mettre dans la présence de la «Muse qui est la Grâce», c'est partir avec la Sagesse identifiée à la Vierge Marie (la femme-sagesse) qui rythme en nous le pouls du coeur et de l'être: «Quand Il composait l'Univers, quand il disposait avec beauté le jeu, quand Il déclenchait l'énorme cérémonie»...; c'est comprendre que le poète (en se rappelant Virgile) participe à la création, à l'existence en les proférant: «Toute parole une répétition»...; c'est chanter la Muse; c'est entendre le pleur émouvant et blond d'Ysé, d'Erato, de Terpsichore, muse toute hagarde et qui crie au poète: «Ami... prends-moi... je suis chaude et folle, impatiente et nue! Baise-moi et viens!...; c'est écouter avec le poète la voix de la Sagesse, le poète, toujours premier à entendre le souffle de Dieu; c'est, dans le *Magnificat* (3e Ode), savoir le poète investi dans le rôle de prêtre: «Me voici comme un prêtre»...; c'est recevoir la Muse qui est grâce et puis la Grâce qui par l'âme convertie du poète devient Muse.

> Ô passion de la Parole! ô retrait! ô terrible solitude!
> ô séparation de tous les hommes!

c'est, dans l'Ode finale, s'intérioriser dans la maison fermée aux quatre portes (vertus cardinales); c'est reprendre la Parole en renonçant au rôle de poète, en refusant de faire acte d'écriture, en s'effaçant dans l'anonymat du Cercle catholique et du Corps Mystique, incluant toutes les âmes présentes et disparues; c'est, dans le rôle, maintenant, de Prêtre-poète, perdre son propre visage pour annoncer aux hommes la Parole...

> Comme un semeur de silence,
> comme un semeur de ténèbres, comme
> un serveur d'églises,
> Comme un semeur de la mesure de Dieu.

10. Mettons-nous dans l'invocation de Thomas d'Aquin

Avant que de mener l'acte d'écriture, après s'être mis dans la présence des Hauts Prophètes de la Parole qui, dans le sacerdoce des mots, ont élevé leurs chants à la hauteur des dieux, il me reste à terminer cette longue oraison spirituelle et littéraire du Pro-logue par la prière toute obédientielle de Thomas d'Aquin, que tout étudiant en philosophie d'alors récitait sans doute avant d'élaborer une longue pensée, avant d'entreprendre un noble agir.

> Créateur ineffable, qui, par les trésors de votre sagesse, avez disposé les Anges en trois hiérarchies, placées par vous dans un ordre admirable, au-dessus du ciel empyrée, et qui avez distribué, avec un art souverin, les parties de l'Univers; Vous, dis-je, qui êtes la vraie Source de la Lumière et de la Sagesse, et le Principe suprême, daignez projeter sur les ténèbres de mon intelligence le rayon de votre lumière, pour dissiper la double nuit dans laquelle je suis né, celle du péché et celle de l'ignorance. Vous qui rendez éloquentes les langues des enfants, instruisez ma langue et versez sur mes lèvres la grâce de votre bénédiction.
>
> Donnez-moi une intelligence pénétrante, une mémoire tenace, la méthode et la facilité pour apprendre, la subtilité pour comprendre, une heureuse abondance pour m'exprimer. Aidez le début de mes travaux, dirigez-en le progrès, menez-les à bonne fin: vous qui êtes vrai Dieu et vrai Homme et vivez et régnez dans les siècles des siècles. Amen.

INTRODUCTION

PROBLÉMATIQUE GÉNÉRALE DE CET ESSAI

(Logos-Jeu-Angoisse)

Partie A

1. Au commencement était le Logos

Logos: Pensée-Vie-Action.

Le vocable *Logos*, avant ses titres de noblesse, signifiait «dire», «poser» et même avec un sens voisin: «lit de repos». Récupéré par la théologie, il a dénommé la deuxième personne de la Sainte Trinité. Un mot qui possède comme le val de la montagne une écharpe merveilleuse de sons, de sens et qui offre dans sa texture «définitionnelle» une racine-mère «para-digmatismale», une force de matrice cosmique. Il fait partie des mots-clés hégéliens. «*En*», (le Tout) qui nous vient de Parménide (son fameux *ex nihilo nihil fit*); «*Logos*», (la Raison) qui a arraché à Héraclite (sa phrase célèbre: «*panta rei*», «*Idea*», (le Concept) émané du divin Platon, un des foyers lumineux de la première Grèce, (sa trilogie universellement connue: le Bien, le Beau et le Vrai); *Energeis* (l'Affectivité) issue du père de Nicomaque, Aristote, qui donnait un enseignement sur deux registres: acroamatique et exotérique, auteur de la théorie de l'acte et de la puissance et des quatre causes (*Id quod primum principium est motus*). Les quatre mots du Monde. Le monde en quatre mots.

Le *Logos*, pour le besoin de cet essai, représente pour moi la figuration, le monde, la création, l'apparaître, le sortir de... l'homme qui doit préserver la vérité (*aleteia*) du monde et du soi par le *logos*. Aussi le *Logos*, toujours par l'homme et par une perversité qu'on lui croirait co-naturelle, a fait de ce mot lumière, non plus un *Logos* mais une logique séduisante, séditieuse, qui par exemple trouverait dans cet axiome bien connu: «la parole est le masque de la pensée», une parole guet-apens, un discours piégé, un mot à retour muré et hostile. Le songe de la parole créant le mensonge. Nous y reviendrons plus loin. «L'homme, écrit Heidegger, est celui qui dit. Dire - en haut allemand *sagan* -signifie montrer, laisser apparaître et voir. «L'homme est l'être qui, de son dire, laisse reposer devant lui le présent en sa présence, dans l'attente de ce qui lui fait face. L'homme ne peut parler que dans la mesure où il est celui qui dit» (1).

À un autre endroit, ce même penseur qu'on peut appeler «le pilosophe» comme on le disait tout le long du Moyen Âge jusqu'à ces derniers temps d'Aristote, stipule que la mythologie (*muthos*) veut dire: la parole distante. Cette parole qui parle rentre dans les vues du *logos* qui, lui, ne diffère pas de ce dévoilement et ne s'oppose pas à ce dernier comme le veut le rationalisme qui fait que le *logos* ait supplanté le *muthos* ou que la raison ait expédié la religion. Bref, que la raison chasse la foi. L'histoire en a fait la preuve dans son rationalisme. Culte de la Raison, culte de la Foi. Le mythe, parole endormie dans le lit de la pensée, selon moi, est une histoire d'abord à réveiller, ensuite à tenir en éveil. Discours naïfs, a-t-on dit, des peuples primitifs et crédules. Il y a eu une réduction du mythe, en plus d'une catégorisation jusqu'au pullullement, jusqu'au pillulement, jusqu'au «polluement». Prolifération. Contamination. N'empêche qu'il fait tout comprendre sans qu'il apporte une explication. Sa force, c'est son élasticité interprétative et son «illogicité» apparente. C'est un *logos* enseveli dans le mystère. Plutarque disait que celui qui connaîtrait les mythes saurait toutes choses. Il hante continuellement notre quotidien. Il s'agit de se ré-approprier cette assertion lorsqu'il sera question de *ludus*. «Au commencement était la fable», avançait Valéry, bien que le mythe, pour lui, semblait posséder dans sa formule toutes les couleurs du scepticisme. Il écrivait encore: «Mythe, est le nom de tout ce qui n'existe et ne subsiste qu'ayant la parole pour cause». Un *anti-logos*, quoi! Mais le divin Platon n'a-t-il pas, bien qu'il rejetât les poètes (les sophistes), utilisé le mythe et déposé devant nos rationalismes, une philosophie idéaliste, bien sûr, mais capable de nourrir un *logos* hautement philosophique. Ex: *Georgias, le Phédon, la République, le Timée*, etc. Je comprends et je comprends mal qu'on n'accepterait pas le mythe comme une pensée hautement construite mais aveuglante à force d'être aveuglée.

1. Heidegger, Martin. *Questions II*. Éditions Gallimard, Paris, 1968, p. 65 et suivantes.

Démythologiser Platon, c'est décapiter toute la philosophie grecque dans ses Socratiques. Donc, *muthos* et *logos* auraient eu, vraisemblement, devraient avoir la même couche, mais non la même éducation. Ce dernier serait voilement par le premier et dévoilement par lui-même. L'un n'a pas tué fratricidement l'autre, les deux ont apparu; le premier caché dans dans le par être (paraître). Le *logos*, c'est la parole, le discours, la technique, la science, la «chiffrerie», la poésie, la sagesse, la nature apprêtée, la raison, le jeu, l'écriture, etc. Le *muthos*, c'est la nature dans ses langes, la caverne première, l'Olympe, où se tient Zeus, la mer où Vénus sort de l'écume, le Nil où Isis cherche les cendres de Byblos, son époux, la roche d'où surgit un taureau noir en Bretagne. Enfin, le *Mythos* est symbole, discours sur les dieux, etc. Dans la réflexion heideggerienne, le mot *logos* comprend une kyrielle de sons, de rapprochements presque inattendus. Dans le chemin grec, il signifie davantage, surtout le dire, aussi le recueilli, l'étendre, la récolte. Il veut dire également le ce qui est en votre possession, sous votre garde, qui fait que l'amalgame, la soudure des deux, développe «ce sentiment, dit Jean-Marie Benoît, de posséder la vérité en se la donnant présente». Ceci fait mieux saisir toute l'ironie que peut dégager une phrase classique qu'on a lue souvent dans notre littérature: «il avait la possession tranquille de la vérité».

2. La mainmise du Logos.
La position callicléenne de l'anti-logos

Quand le *logos* devient *polemos*, c'est-à-dire lutte, conflit, polémique (un autre parent consanguin de fl'autre), il est en position dialectique. À ce moment-là, la vérité est en balance. Si le *Logos* se charge d'expérience, de force, de loi, de chiffre, de sentence, de proverbe, de modèle fait, définitif, de figure du Père, de pérennité, de vérité dernière, de table immuable de la loi, d'indexité, de scientificité, *et caetera*, à ce moment-là, il devient ou risque de devenir un système, un logos-centrisme. Et même un *anti-logos*. Il perd son oecuménisme, sa plasticité. Il est sûr que sans une certaine *praxis*, le monde ne peut bien tourner sur son essieu; mais quand tout est devenu logarithme, logiciel, «empiricité», «machinalité», «industricité», jusque dans les antres des intentions, des motivations, des conduites, on appelle cela un univers concentrationnaire. Ainsi en est-il d'un document juridique, d'un incunable, d'un auteur fait, surfait, admis au-delà de toute critique, d'une oeuvre sur laquelle s'est établi un monde de pensée durci par le sens commun et que ne peut atteindre aucun jugement de révision. Cet auteur, cette oeuvre traverse le siècle, prend figure de l'éternellement vécu et dit.

En effet, ce n'est que dernièrement qu'on a commencé à brûler les idoles, du moins à consentir à fouiller derrière les autels de vénération, soit pour mieux analyser la texture de telle réputation, soit pour l'incendier dans une iconoclastie au-delà de la pudeur. C'est le *logos* cuit. Un peu comme l'on voit dans les vitrines ces beaux pains dorés qui forcent l'oeil, le goût, excitent l'appétit, mais qu'on one peut acheter à cause de la matière plastique (plasticité) de ces «modèles». Bref un *logos* de l'avoir, du pouvoir et du valoir, pour reprendre les mots de Paul Ricoeur. L'académisme du *Logos*. Bref, un *logos*-modèle, archétypal, une «logocratie», un gérontisme intellectuel.

On a vécu l'ère de ces modèles jusque dans ces dernières années. Il fallait écrire comme... avec devant les yeux de hauts modèles, représentatifs d'un dire, d'un écrire parfait, tant dans les sphères de l'éloquence (Démosthènes, Cicéron, Baudelaire, Massillon, Lacordaire, Jaurès) que dans les genres littéraires enveloppant la poésie, le roman, la tragédie, le drame, l'histoire, le théâtre, la critique, la spiritualité, la science, la philosophie, etc. sous lesquels se détachaient en partant les trente-trois principaux écrivains grecs (d'Anacréon à Xénophon), les trente-trois principaux écrivains latins (de saint Augustin à Virgile) et puis les milliers d'écrivains d'expression française depuis l'âge d'or du Moyen Âge, c'est-à-dire de la «*Chanson de Roland*» jusqu'à la moitié du vingtième siècle avec Claudel, Valéry, Gide, Proust, Duhamel, Montherlant, Bernanos, Aragon, Cocteau, c'est-à-dire à *La guerre de Troie n'aura pas lieu*. En passant, bien sûr, par les premiers mandarins du dix-septième (Molière, Racine, Corneille, etc.) et ceux du dix-neuvième (Châteaubriand, Hugo, Lamartine, Musset, etc.).

Ma classification reste subjective, impressionniste, peut-être *a-logique*, presque démente. Tout cela pour dire que le *Logos* se traduisait par un fixisme de la Pensée, de la Vie, de l'Action. Seulement, en ce qui concerne la production littéraire, la galerie des grands bonzes de la littérature, comme un quelque chose de hautement assumé, de parfait, à proposer à nos jeunes intelligences. Qui pouvait supputer d'écrire, de produire, de rayonner à travers le monde comme le plus grand des poètes de la France, Victor Hugo? On s'est résolu à l'imiter. Et cette littérature d'imitation, écriture hypothéquée, reconduite, était le fait d'un *Logos* tyrannique, de type triomphat et césariste. La *parole-logos*. L'anti-*logos* de Gilles Deleuze, se réfère à «toute pensée qui se définit par opposition à la conception grecque de la pensée». Ici, avec le modèle ancien, là avec celui de la littérature française ou d'expression française du vingtième et du vingt-et-unième siècle. Le *Logos* n'a point disparu, on n'a pu l'assassiner, mais on tente de le mettre au rancart comme les anciens dieux. Qui de nos jours lit Ronsard, Lamartine, Georges Duhamel ou Paul Claudel? «Ah! pas Claudel!», s'écrie Paul Chamberland. A-t-on idée de repeindre le plafond de la Chapelle Sixtine, de corriger la Mona Lisa ou de refaire Flaubert, Rimbaud, de retaper Valéry? L'impérialisme du *Logos*.

Mais depuis que «l'homme est homme», plus exactement, «est l'homme», il s'est toujours produit par la parole, l'écriture, le jeu, l'action humaine, en général, un *anti-logos*. Cela dans l'histoire de la pensée et de l'action. Ce qu'on pourrait appeler la loi du changement, de la lutte, de l'affrontement. Je pense, par exemple, à deux auteurs dont les titres sont un démenti direct en ce qui concerne l'idéologie de leur pensée. L'un a écrit sur *La philosophie de la misère* (Prudhomme). Réponse de Karl Marx: *La misère de la philosophie*. Cette dénégation peut se voir aussi au niveau de la pensée dans le discours de Socrate et de Calliclès dans le *Gorgias* de Platon (2). On voit, dans ce discours, la thèse de Calliclès, à la fin, devant céder à celle de Socrate-Platon. Pour le meilleur des mondes possibles. Pour le salut de la république, du droit, de la loi, de l'institution, de l'idée de la justice. Éternel conflit entre nature-Culture, Anciens-Modernes, loi de la nature-loi de la morale, Dionysos-Apollon, Socrate-plébéien-Platon-aristocrate, Un-Autre, Fort-faible, Maître-esclave, enfants des hommes-Ceux du ciel, Eros-Thanatos, Dominant-dominé, Élu-maudit, politique-Morale, Absolu-relatif, Écrivain-critique, écrivain voulant écrire-Écrivain en train d'écrire, Jeu-règle du jeu, écriture flaubertienne-Écriture robbe-grillettienne, nature Spirituelle de l'Ange-nature physique de Jacob. Bref, cette thèse supportée également par Thrasymaque dans *La République* (3), à savoir «la définition de la justice par le règne des plus forts» et par Calliclès dans le *Gorgias* (4) «la justice, c'est le droit du plus fort», trouve une position antithétique aussi irréfutable chez Socrate: «Il vaut mieux subir l'injustice que de la commettre et, si on l'a commise, il vaut mieux subir le châtiment que de lui échapper». L'affrontement n'a pas d'issue, les deux thèses sont inconciliables, irréfutables. À la fin, Socrate, pour sortir de l'impasse coïnçante ou de l'incoïncidence, ne trouve pas mieux à dire, à Gorgias (et il n'y a rien de mieux à dire...?), qu'après la mort, il y aura des châtiments pour les méchants et que les vertueux se réjouiront. Ce Socrate, père et modèle des Philosophes, qui au nom de la dignité humaine demande l'honneur de la Justice! Ce Calliclès, précurseur des hippies, des maffiosi, des tyrans, de ceux qui rejettent l'injustice et proposent la leur, reflète bien l'homme supérieur, le Surhomme, la Volonté de puissance. Nietzsche ne manquera pas de désigner le contradicteur de Socrate comme l'homme des nouvelles valeurs. Calliclès, c'est l'ange noir; c'est Nietzsche, Camus, Lautréamont, Baudelaire, Sade, Vallès, Verlaine, Artaud, de Nerval, Bataille; c'est aussi Héraclès, Prométhée, Sisyphe, Jacob; c'est l'écriture, je dirais «détonale», «nocturnale», de Kierkegaard, de Kafka, de Gide, de T.E. Laurence, de Drieu La Rochelle, de Montherlant, de Beckett, de Leiris, celle des écrivains de la nuit.

2. **Platon,** *Gorgias*, Bibliothèque de la Pléiade, tome 1, éd. Gallimard, p. 426 et suiv.

3. Platon, *République*, Bibliothèque de la Pléiade, tome 1, éd. Gallimard, Paris, 1950, p. 800 et suiv.

4. Platon, *Gorgias*, *ibid.*, p. 483 et suiv.

3. Lucidité du Logos ou ludicité de la nature

«C'est la faute à Platon!» Faire briller devant nos yeux les ciels de l'Absolu, des Idées éternelles quand, bien loin de là sur terre, dans le fond de la Caverne, vit comme des crabes une partie de l'Humanité! Le *Logos*, Pensée-Vie-Action a beau jeter sur l'homme et les choses la lucidité, il ne peut les approcher que par la ludicité. Le regard de la Méduse est trop terrifiant. L'homme (enfin, l'homme du quotidien), préfère regarder l'oeil de l'enfant qui joue à la marelle. L'homme ne veut pas briser ses chaînes, sortir de la Caverne. Dans tout homme dort un Calliclès, un Gygès. L'*hubris* veille toujours à la fenêtre. L'univers devant nous offre «apparemment» l'image de la plénitude de la carte postale, avec écrit dessus: Paysage platonique des Laurentides ou de l'Estrie. Allez voir au bord, au premier bord seulement, quel carnage, quelle dévastation pour arriver à ce «tout est calme, luxe et volupté!» Qui a raison? La lucidité du *Logos* ou la ludicité de la nature? Et pour l'optique de cet essai, cette question prochaine à débattre: «Vaut-il mieux dire, écrire, selon un modèle, un usage logocentrique ou dire, écrire sur la mesure de notre propre mode ou modèle? Nature ou Culture?

C'est la question d'une mise en loi ou d'une mise au jeu de l'écriture.

Partie B

1. Le Logos comme Être-jeu

Le jeu (*ludus*) prend son origine dans le fond des choses et des mondes. Portrait de l'Être, il présente un aspect paradigmatique de l'être qui est jeu. Le Jeu, jouant son être, jouant son jeu, devient le jeu et le lieu de l'être. Définition plus ou moins dans le style «heideggerial» pour le moment, mais que je rachèterai par la phrase très valide de Kostas Axelos et qui va situer la notion philosophique du Jeu.

> On peut dire que le monde est langage et pensée et travail, amour, lutte et qu'il est aussi jeu. On peut dire que le monde est être, devenir et totalité et qu'il est aussi jeu. On peut dire qu'il est dieu, nature, homme, histoire et qu'il est aussi jeu. Mais le fait qu'on peut dire, fait justement partie du déploiement du monde et ces diverses interprétations et transformations en tant que jeu (5).

Pour amplifier, voici Sartre: «Dès qu'un homme se saisit comme libre et veut user de sa liberté, quelle que soit son angoisse, son activité est jeu» (6). Et pour revenir au premier philosophe: «Le jeu du monde englobe le jeu de l'être - l'être des étants et l'être du monde - et le jeu du néant» (7).

5. Axelos, Kostas, *Le Jeu du monde*, éditions Minuit, Paris, 1969, p. 426.

6. Sartre, Jean-Paul, *L'être et le néant*, éditions Gallimard, Paris, 1943, p. 669

7. Axelos, Kostas, *op. cit.*, p. 420

Alors le *Logos* s'identifie à l'Être. L'Être est jeu, comme le Jeu est Être. Le jeu est un *logos*, également Verbe, Parole, parce qu'il a son fondement dans l'Être *et* par le fait même qu'il peut être dit participant à la Vie, au Divin, au Sacré dans l'homme, le Jeu est la «manifestation continue, irradiée des choses». Je dirais que le Jeu est la plus grande des vibrations dans l'Univers. Et la seule. L'Être possède l'essence du Sacré, il est «le don de profondeur qui règne en toute présence», en revenant à Martin Heidegger. Puis le Sacré se réfugie dans le symbole qui, «signe de l'événement, unit les divins et les mortels». «Si l'étant reflète le Jeu de l'Être, la chose reflète celui de la quaternité, c'est-à-dire le ciel, la terre, les divins et les mortels». Et la chose, c'est quoi? C'est la proximité de ce qui est... Dans le célèbre exemple de la cruche, par exemple, le récipient n'est pas la cruche, c'est le vide, le néant de la cruche. Mais qu'est-ce qui fait enfin le caractère «cruche» de la cruche? Nous ne le savons pas. Platon aurait certainement répondu: l'Essence. Le vide de la cruche contient le prendre et le conserver. Verser le vin, c'est faire le «don» de verser le soleil et la terre. Et dans ce don, «séjournent toute la quaternité ou le ciel, la terre, les divins et les mortels», avance subtilement Martin Heidegger.

2. La problématique symbolique de l'essai: Le Combat de l'Ange et de Jacob. Interprétation

La symbolique choisie dans le présent essai et qui sert d'armature à toute sa problématique, c'est le combat de l'Ange et de Jacob, ou, si vous voulez, l'image de la condition humaine, privilégiée dans le concept de JEU. Le Jeu en soi, pris comme totalité et le jeu du dire, aussi de l'Écriture pris comme partie d'un Jeu total.

Sous le chiffre d'une symbolique et d'une mythique à fond religieux, *le combat de l'Ange et de Jacob (Gen.* 48 ou 32, 23 à 33), il s'agit, dans cet Essai, d'identifier le paradigme ontologique du Jeu en soi. de l'authentifier chez l'homme en tant qu'être du jeu et aussi en tant qu'être possible de l'écriture.

Cette lutte, d'ailleurs inégale, démesurée de Jacob avec un Ange, avec Dieu, avec un être mystérieux (selon la tradition Biblique), représente bien le jeu d'être, de vivre et de communiquer de l'homme, aussi et en même temps, cette difficulté d'exister, d'assumer sa vie, son rôle; celle également de dire, de lire et d'écrire la parole. L'Ange prend figure ici du *noûs,* du *pneuma,* du *psychè*; également du héros, de l'idéal, des aspirations nobles, de la vie de l'au-delà, du Je, du mystère, aussi du tyrannisme, bref, de l'homme glorieux rendu à la limite de sa conscience. Jacob offre le visage de l'homme tellurique, du corps luttant, du ça, de la mort, de la matérialité mixte. Il est le *yan,* le *yan,* le *manque-à-être,* la rupture.

Le combat entre un être supérieur et un être inférieur exige, à la fin, la chute de ce dernier; ce tournoi, disons, «ubricitaire» en un sens, condamne Jacob à la prostration (frappé à l'emboîture) et démontre l'angoisse vécue au fond de toute existence humaine.

On ne peut être surpris de l'émergence de la dialectique qui peut se nouer autour du héros céleste et du héros terrestre, c'est-à-dire autour de l'au-delà, de l'en-deçà du jeu, du faire comme si..., au sujet de l'homme dans l'acte de jouer, dans le jeu de jouer à l'écriture, de jouer la parole et l'écriture.

Ce duel qui nous situe dans le jeu continuel de l'opposant et de l'opposé, va mener sans doute un parallèle entre d'une part, le héros du sacré, le sorcier divin, le messager de Dieu et d'autre part, l'oint du Seigneur, l'élu d'entre les hommes, d'entre les nations, le patriarche, sommet de toute l' descendance d'Israël. Parallèle, on le devine déjà, entre l'homme et sa mission, le héros et sa destinée tragique, entre, enfin, le jeu à jouer et le jeu à écrire, à s'écrire, D'écrire. Décrire.

Il ne faudra pas voir ici seulement l'histoire du héros, du génie, du sage, du savant, du saint, mais examiner d'abord le jeu dans l'homme, puis l'homme dans son Jeu, l'écrivain et l'écrivant dans sa création et celui, ensuite, qui à travers le *jouer* et «*l'écrivance*» a puse hisser, se magnifier dans le rôle de sage, de saint, d'ange, de héros, de savant, d'athlète, d'écrivain, etc.

Pérégrination audacieuse de cet essai que seule l'énonciation «d'essence musicale» dont parle Robert Vigneault (8), et non la discussion cartésienne, peut sauver.

3. État de la question: L'Angoisse, fond de tous les jeux.

La fonction ludique est un paradigme à signification ontologique par lequel l'Être est jeu et sous lequel le Jeu devient le lieu de l'être.

L'angoisse, phénomène existentiel, fond vide et avide de l'être et du jeu, fait jouer le jeu qui, à son tour, se déploie pour liquider cette angoisse et la rendre créatrice.

Cet acte de création issu de la néantisation provisoire de l'angoisse émergera dans le mouvement, le temps, l'espace, dans le langage et la communication à variations multiples et presque infinitésimales. Et cela jusqu'au grand jeu final où l'homme mettra sa vie en procès. La démonstration ou la monstration de toute l'activité humaine que représente la

8.   Vigneault, Robert, «L'énonciation dans l'écriture de l'essai», dans *Voix et Images*, éd. P.U.Q., vol. VII, no 3, printemps 1982, p. 531 à 552.

fonction ludique en général (*homo ludens*) et en particulier, le jeu d'écriture (*homo scribens*) ne pourra point faire abstraction de l'*homo sapiens*, de sa sagesse et de son profond savoir. Je veux dire qu'elle (la démonstration) fera appel nécessairement aux sources adroites et savamment accumulées des ludologues, des pédagogues, des psychologues, des philosophes, des psychanalystes, des écrivains et des théoriciens ou analystes du langage et de l'écriture.

Comme on va essayer de saisir l'*écriture du Jeu*, on va également tenter d'explorer le *jeu de l'Écriture*. Il faudra admettre, et ceci par un souci de logique et de rigueur que commande cette thématique océanique, ce développement nirvanesque, qu'il me faudra d'abord résolument, situer le jeu *en soi* avant le jeu *pour soi* et *pour l'autre*. Mon voeu sera, plutôt tôt que tard, de mener ces deux jeux en parallèle. Le plan en fait déjà foi. Le titre de l'essai nous y invite et nous dispose avec une égale insistance vers le lieu de l'écriture.

La conclusion glissera quelques hypothèses sur le détour et le retour éternel du Jeu qui ne pourra s'accomplir sans une certaine résurrection du jeu et sans la mort peut-être du jeu de l'écriture. Le jeu, être éternel ne finira jamais de jouer. Y aura-t-il lieu de catégoriser les genres d'écritures autour de la typologie cailloisienne des jeux? Je ne sais pas. Pour le moment, j'ignore la Chance prochaine des Jeux et de l'Écriture de l'an 2000 ou 3000. Ceci est sans doute lié à l'interrogation vis-à-vis le sujet, puis à la virulente et longue mutation du monde des Jeux et des jeux du Monde...

Partie C

L'essai... Une définition à capturer...

1. Formulation typique de la présente recherche: L'Essai Examen des définitions de l'essai. Témoignages

L'essai en tant que genre n'a pas hautement réussi une axiomatique qui lui a permis de se classer aisément dans un genre propre, comme la poésie, le roman, le théâtre.

Il a pour ainsi dire ce caractère hermaphrodite qui lui prête une connotation presque ludique au point qu'avec le changement des paramètres, l'essai, comme le jeu, se déplace, se déploie, se désemplit dans un temps, un espace pluriel et, qu'à la fin, il demeure un jeu non exempt d'ambiguïté, ni de confusion dans les règles. C'est sans doute après avoir joué longtemps à ce genre d'écriture dans de hauts exemples depuis l'antiquité, voir Platon (*Dialogues*); Théophraste (*Caractères*); Pline, Sénèque

(*Épîtres*); Plutarque (*Écrits moraux*); Marc-Aurèle (*Méditations*) et même Aristote (*Traités*) que la conception de l'Essai s'est dessinée au point d'occuper depuis Montaigne (1580), Bacon (1697), Defoe (1704), Richard Steele (1709-11), Addison (1711-1714) une place importante dans la littérature du 19e et du 20e siècle en Angleterre et en Amérique. Aujourd'hui, l'Essai envahit de larges espaces muraux et s'est donné dans tous les pays une réputation, un prestige, aussi presque une définition, qui, malgré tout, ne cesse pas d'être conflictuelle par manque d'unanimité. Demander «illico» à trois professeurs de littérature la définition de l'Essai et vous serez quelque peu surpris devant ce «brouillage» intellectuel. Après s'être ravisés, ils arriveront cependant à avancer, non sans rupture, que «l'Essai est un discours certainement théorique qui se caractérise par une certaine logique (donc non pas purement fictif), qui se développe dans l'argumentatif et qui se réfère toujours à un objet. Il n'est pas, disent-ils, nécessairement polémique comme dans le manifeste mais, amène avec lui une problématique». Réponse satisfaisante. Ce n'est pas facile.

Si l'on avait à classer l'Essai dans une exposition donnée (semaine de la Bibliothèque ou Foire du Livre), je serais tenté de suivre l'exemple de Joseph T. Shipley (9). Je traduis, sans même changer un iota son point de vue sur l'Essai, sa place dans l'acte des écritures, non pas pour lui donner un genre, puisque cette production semble encore prolixe chez les gens de la république des lettres, mais pour répondre à un souci bien cartésien de récupérer une sorte d'écrit où se sont illustrés tant d'écrivains depuis les dernières décennies et qui a, à partir d'un *momentum* historique, pris naissance dans l'alvéole d'une chambre ou dans l'abri d'une tour. Voulant indiquer par là son côté de subjectivité, d'intériorité. Plus tard, des écrits fort sérieux tant en science, en philosophie qu'en littérature s'exhiberont en pleine agora, pour défendre des positions idéologiques ou mettre en question tel auteur, tel système, ainsi de suite. Voici ce qu'avance Joseph T. Shipley:

Ce qu'est un essai n'a jamais été précisément déterminé. En général, c'est une composition, le plus souvent en prose, d'une longueur modérée, et portant sur un sujet restreint. Si l'on établissait une «ligne de démarcation des matériaux semblables», et si, d'un côté, à gauche, on inscrivait les caractéristiques de formalité, d'objectivité, d'intérêt pour ce qui est intellectuel, et d'un autre côté, à droite, on inscrivait les caractéristiques de non-formalité, de subjectivité, et d'intérêt pour ce qui est imaginaire, voici ce qu'on obtiendrait: à l'extrême-gauche se rangeraient des écrits tels que les traités et les monographies; à l'extrême droite, des compositions telles que les essais familiers et les croquis. De gauche à droite se succéderaient les essais formels-bibliographiques, historiques, critiques ou d'exposition générale - et environ à mi-chemin, se situeraient les éditoriaux, les comptes rendus de livres et les articles de journaux.

De l'autre côté de la ligne médiane, à droite, apparaîtront les «caractères», les écrits impressionnistes, les essais personnels, les essais de divertissement et les croquis.

Formalité	Non-formalité
Objectivité	Subjectivité
Intérêt pour l'intellectuel	Intérêt pour l'imaginaire

ESSAI

traités	comptes rendus «caractères»	essais de divertissement, essais personnels, croquis
éditoriaux essais biographiques, scientifiques, historiques, critiques, exposés.	articles essais impressionnistes	

Une conception moins large et plus littéraire de l'essai ne retiendrait que les essais formels, biographiques, historiques, critiques, et les essais personnels ou de divertissement et les croquis. Tous ces écrits, ceux relevant du groupe informel associant les idées librement, souvent sur la base du sentiment, de l'imagination, de la fantaisie. Le souci ou l'excellence dans le mode d'expression est aussi une de leurs caractéristiques communes.

Poursuivons quelque peu cet exercice académique qu'on a plus ou moins résolument appelé l'Essai et qui fait l'objet de la présente recherche.

Avant de faire apparaître une définition personnelle, assez audacieuse en soi, il me reste à jeter un regard sur le numéro d'*Études littéraires* (10) où quelques écrivains ont apporté un témoignage scientifique autour de la notion et de ce genre littéraire, l'Essai. Je résume, (résumer, c'est présumer) la pensée de chacun.

«L'essai, nous apprend Fernand Ouellette, est un creuset de combustion verbale»... «une prose qui se refuserait de périr»... «un fragment, concentré d'imagination, de conscience et d'écriture»... «un travail de deuil»... et l'essayiste «un être de vertige et du saut». «Écrire, stipule Joseph Bonenfant, c'est penser dans l'instant»... «donner du sens à des instants qui par eux-mêmes n'en ont pas, c'est lier des fragments qui se précipitent de façon incohérente dans une durée aveugle» *Ibid.*, p. 18-19. L'essai joue,

10. Bonenfant et al, Joseph. «L'essai» in *Études littéraires*, P.U.L., Québec, vol. 5, no. 1, avril 1972, p. 9 à 104.

selon cet écrivain, entre les paramètres de la circularité (pensée) et celui de la linéarité (écriture). Faut-il avancer avec Fernand Roy que l'essai est «un texte sans sujet»... «une oeuvre en prose où l'esprit tente de se donner un savoir à partir du possible»... un «crackling»... «un genre de savoir par image non vérifiable», *Ibid.*, p. 26, 28, 32-33, ou croire avec Claude Brouillette, à ses quatre grands critères de la littérarité d'un texte, de l'appartenance de l'essai à la littérature.

L'approche de ces auteurs vis-à-vis de cette musardise littéraire est prenante, elle a les vertus d'un discours qui cherche à persuader. L'essai serait un véritable essai quand l'essayiste remplit cette spécificité fondamentale de faire voir au lecteur «le pouvoir du signifiant sur le signifié». (Francine Belle-Isle Létourneau) *Ibid.*, p. 55. Pour Robert Vigneault, «l'essai est un écrit en situation, dynamique, actuel, tourné vers l'avenir... c'est une pensée (ici je me demande s'il ne qualifie point une sorte d'essai qui se rapprocherait plus de la critique, de la littérature de combat, de la polémique que de l'essai vu sous un angle de création littéraire) nécessairement engagée et qui donc, ajoute-t-il, n'a rien d'innocent, d'inoffensif puisque, une fois proférée, écrite elle suscite la réponse, peut-être le dialogue, et, en définitive, l'action», p. 60-61. «L'essai est une aventure, une incertitude avouée, c'est la pensée avec un tu»..., développant plus loin sa définition, qui, à mon sens, rejoindrait plus l'action méditative et explosive de la pensée essentielle de l'essai en général. Son essai me paraît vouloir trop lutter, prouver, bref, être un exercice contre un état, une situation oppressante. Le caractère de gratuité, de liberté de l'essai en serait-il bafoué? La vision polémistisque des choses.

L'article de Jean-Marcel Paquette installe au coeur de l'essai son véritable personnage, le Je. «Le Je individualisé comme processus générateur et non métaphorique du discours». Le je avec sa culture (premier élément du discours du je) mais aussi d'une façon paradoxale, en face de sa culture. Le je, *sujet-conscience* et le je, *objet-culture de la connaissance*. Structure du Je, culture du Je. On voit déjà le jeu que doit se livrer un moi culturel et un moi individuel lyrique qui doit s'approprier le premier en le dépassant mais sans jamais le dissoudre. «L'essai est une centration du Je, contraire de la décentration qui mène au récit scientifique ou à la science. Écrire un essai, c'est livrer une conscience de la fin, une maturation». Et l'essai, par un curieux phénomène de la rentrée en Je (donc en une manière à l'affirmation du moi chez l'enfant, à l'âge de trois ou quatre ans et de son vouloir d'expression du sentiment lyrique) partira d'une vision du monde pour s'achever souvent dans une vision scientifique. Toujours dans la pensée de Paquette. L'essai serait-il le produit d'une crise, disons, d'une prise de conscience entre un monde passé de l'enfance et un monde présent de l'adulte dans lequel, aliéné par ce dernier, j'essaie de me produire, de signifier mon Je et d'avouer un monde à venir, de mettre au monde à l'essai? Si je me réfère à la définition globale de l'essai, je saisis mieux maintenant avec tous les intervenants antérieurs, la nature, la forme et la fonction de l'essai. «L'essai, soutient à la fin, J.-M. Paquette, est la forme caractérisée de l'introduction dans le discours littéraire du JE comme générateur d'une réflexion de type lyrique sur un corpus culturel agissant comme médiateur entre les tensions fragmentées de l'individualité de sa relation à elle-même et au monde. C'est du jeu combinatoire de ces trois fonctions que l'essai compose et recompose infiniment sa forme. Forme ouverte, elle emporte dans un égal et même mouvement la pensée, la passion et la prose». *Ibid.*, p. 87-88.

Enfin, Georges Luckàcs présente l'essai comme «une forme d'art, une mise en forme totale et autonome d'une vie complète et autonome» *Ibid.*, p. 114. Il faut rappeler pour Lukàcs sa belle comparaison, que l'essai sous ses formes diverses en serait, de tout le soleil littéraire, le rayon ultra-violet, *Ibid.*, p. 99. L'essai doit, selon lui, puiser ses motifs dans la vie et dans l'art (p. 104). L'essayiste moderne a-t-il perdu les leçons, la force, l'enthousiasme du passé, tel que chez le plus accompli de tous, Platon, se demande l'auteur, qui veut que l'essai soit le type même de la vie et non seulement un genre littéraire.

Après cette brève enquête autour de la notion d'essai, je comprends que l'Essai est un immense jeu verbal, une haute gymnastique de mots au service d'une pensée structurée mais dans l'évocation non scientifique, non fictive mais littéraire et poétique du moi et du monde où le Je privilégie sa relation. Il s'agit comme l'explique un intervenant ci-précité de prouver le pouvoir du signifiant sur le signifié. Voilà tout le Jeu de l'essai dans sa spécificité littéraire.

Il ne faut pas être malin pour découvrir à l'apparition des diverses théories présentées dans *Études littéraires* quelques contradictions manifestes. Cependant, il faut dire dans l'immédiat que ces auteurs ont peu à faire pour faire un front commun, disons, littéraire. Les auteurs se rencontrent ouvertement ou tacitement pour avancer que l'essai comme le jeu est gratuit, qu'il échappe à la scientificité, qu'il aborde allègrement le style lyrique et se déploie dans le subjectivisme, qu'il échappe à la fiction, que son objet est l'homme, qu'il développe son propre langage, qu'il nous mène par son vouloir de «conscientialisation» au-delà de l'écrit présent, c'est-à-dire qu'il débouche vers d'autres valeurs proposées, qu'il répond avant tout à des critères esthétiques et qu'enfin dans le jeu du Je, il définit un Je en jeu.

En un mot, l'essayiste, d'autres l'ont dit, se tiendrait dans cette éternelle méprise entre son Je et les hommes pour, à la fin, arriver à faire apparaître à travers le moi l'instance de la collectivité.

Robert Vigneault a développé avec belle véhémence la pensée de Pierre Vadeboncoeur dans l'article qui s'intitule: «L'énonciation dans l'écriture de l'essai» (11). Dans *Études littéraires*, Robert Vigneault a décortiqué la notion de l'Essai sous le titre de «L'essai québécois: La Naissance d'une pensée». Nous sommes maintenant en face de deux écrits du même auteur, dont l'un définit l'essai en soi au Québec, dont l'autre démontre la charpente stylistique chez un écrivain de chez nous, Pierre Vadeboncoeur. «Le seul essayiste, selon Vigneault, à part entière». Enfin, «le seul nom qui lui vient spontanément à l'esprit». Rappelons brièvement la pensée de R. Vigneault sur la *formulation énonciatrice* dans les écrits de P. Vadeboncoeur. Il n'est pas sans intention ici de suivre la démarche de l'auteur des *Deux Royaumes*. N'est-elle pas la naissance, enfin, une des hautes et premières générations de l'Essai dans nos lettres québécoises? Suivons le trajet de deux écritures de l'essayiste Vadeboncoeur, dont l'une démasque le réel, dévore l'extérieur en polémique solennelle, dont l'autre apprivoise le regard intérieur, intercède pour l'âme en crise de situation de l'homme et du monde, autout d'un *Je* hautement humain. Voici l'histoire de ce *Je* de Pierre Vadeboncoeur munificent.

Parti de la pensée poétique claudélienne que «l'on ne vient sur terre que pour dire une chose, la même chose, si petite soit-elle», il se ressent chez l'essayiste en général une note monotonique, répétitionnelle, *recto tono* de l'écriture, à cause justement d'un mouvement dualiste de la pensée qui se traduit dans la phrase par une certaine raideur conceptuelle axée sur cet aspect binaire, biphasé. Biphrasé. Cela est dû à une vision manichéenne du monde divisé en deux, binomique ou binocoque, tant scientifique que philosophique. Exemple: le noir et le blanc, le haut et le bas, le beau et le laid, le sujet et l'objet, etc. Héritage cartésien issu de Platon et d'Aristote. Il faut donc sortir de cette obsession dualiste des choses, de l'inconfort psychique de la trahison avec le monde, bref de la culture des mots pour eux-mêmes. C'est la théorie de l'art pour l'art (Théophile Gauthier), le jeu pour le jeu, l'écriture pour l'écriture... Pour sortir de ce modèle-tandem, Vadeboncoeur parlera de la condition douce-amère de la fécondité littéraire qui de *La Joie* au *Deux Royaumes*, (oeuvre de départ, oeuvre de la fin) surmontera cette pesanteur de l'écriture par la force de l'énonciation, la suprématie du Je, l'appui de la pronominalité, en un mot, par la mise en scène de l'énonciation qui, dit R. Vigneault, «finit par accéder à la souveraineté littéraire». Pour mettre au monde ce discours introspectif, il est nécessaire pour l'essayiste de quitter le trajet idéal pour le trajet idéel. La thématique demeurant la même. Il faut se méfier de la *Ratio*. Oui, mais comment atteindre la Vérité sans refuser la raison. Le coeur signifie pour l'auteur d'*Un amour libre*, une manière vibratoire en face de l'événement de façon à devenir l'écho de cet événement par le contact personnel. Nécessité est donc pour tout écrivain de

---

11. Vigneault, Robert, in revue *Voix et Images*, p. 531 à 552.

posséder une oreille musicale, une justesse de la sensibilité. On peut entendre par le *tumos*, cher à Platon, qui se développe dans la poitrine, enfin le coeur, toutes les raisons absurdes, la divination, le sentiment intérieur, l'intuition, etc. Ici, la froide raison, le savoir chaussé, forgé (trajet idéal); là, le coeur, le vécu, le savoir expérimental, l'intuition, «j'ai vu ce que j'ai vu» (trajet idéel). Conséquence: Littéralité différente dans les deux parcours. La première, basée sur l'autorité des auteurs, la raison, la tradition, le sens officiel, serait (c'est moi ici qui extrapole) la littérature; la seconde, fondée sur le *Je*, la présence totale du moi, le sens caché, serait, c'est Vigneault qui l'affirme, la littérarité.

L'écriture prochaine de Vadeboncoeur prendra son envol sur le rythme de performance du coeur. L'écriture performatrice de l'énonciateur. L'arrivée en scène du *Je*. La parade un peu guindée d'abord de ce Je, à la Lionel Groulx, style en habit de soirée. De là, cette figure éminente du Je. Le *Je* portrait du Père, de celui qui prend la parole et dit: «je suis venu pour vous annoncer que...» Ce Je scindé du Nous, avec la charge pronominale, la qualification langagière, l'investiture des mots, la marée des phrases, le cuir raide des épithètes, la lanière flagellante des verbes jusqu'au déchaînement poétique de la métaphore, fait apparaître, chez le penseur qui maintenant est devenu l'écrivain, le dépôt nucléaire de son désir, de sa frustration, de son angoisse. Un acte d'écriture dynamité par le coeur. Un Je en avant, polémiste, armé de tous les courroux comme l'ange en Paradis terrestre avec l'épée flamboyante de la Parole. Un «*logocentre-je*».

Plus tard quand la fiction idéelle fera place à la fiction narrative, le Je de l'énonciateur descendra des tréteaux et prendra la place du: «Comment j'ai lu Rousseau», du fabuliste, du conteur. Un nouveau Je: le *Je* narrateur. Un Je qui dans le temps et dans l'espace monte encore aux fenêtres de l'événement, mais cette fois pour chercher à découvrir l'âme-soeur. Un lien parental avec Jean-Jacques. Aussi l'Essai, par une mutation du *Je*, la conversion de l'existence, par une intimité nouvelle de l'essayiste vers un monde nouveau, plus réduit, au «plus secret des territoires intimes» (p. 546), s'étalera vers le récit, la narration, où le premier *Je*, dans les écrits polémistes vadeboncoeuriens, se substituera à un second *Je* des écrits introspectifs. Les anciens textes oriflammes suivront ceux, confidentiels, auréolés de la conscience de soi et du Monde.

Mais ce *Je* scripturaire, pavillon au fronton des phrases, ne risque-t-il pas, par sa présence obsédante de cacher, de cocher l'objet par le sujet, d'appeler un certain égoïsme, de développer un infantilisme? C'est la question qui nous vient spontanément à l'esprit. Ce *Je* absolu, stirnérien, style «Je suis celui qui est»; ce *Je* haïssable pascalien, souverain! Pierre Vadeboncoeur a échappé à ce *Je* concentrationnaire, jaloux, divin, en travail de lui-même. Il aura recours avec sa dextérité de polémiste à cette panoplie de la pronominalité dont il est question ci-haut. Le Nous, le Vous, le Il, le On désignent respectivement: la collectivité ou la condition humaine; l'autre ou le lecteur; la sensibilité du lecteur; le sentenciel avec le *Je* omnipotent, unique, «référenciel» (mesure du moi), prendront chacun la vedette, tant pour distancer ce *Je* monolithique que pous asseoir cette large écriture sur le sens de la vie et de la mort. Et cette belle phrase de Vadeboncoeur que Vigneault rappelle deux fois: «Je deviens autre, absent, mais quelque part proche du coeur de l'homme». Elle met toujours en évidence, en exemplarité ce *Je* qui au fond marque l'essence première, la pierre de touche profonde de l'Essai.

Voilà le *Je* de Pierre Vadeboncoeur.

La revision de cette analyse de l'Essai avec Robert Vigneault répond à cette interrogation profonde, à savoir comment Pierre Vadeboncoeur a mené son jeu d'écriture, sa logique du coeur. Sa «pascalinité». Cette reprise se résume dans le vouloir de mieux identifier cette démonstration ludique de l'écriture arquée sur un autre jeu plus viscéral, celui du coeur. Cette «écriture performatrice» ne pourra rester sans effet dans la formulation de ce présent essai.

2. Tentative de formulation personnelle de cette écriture spécifique nommée, l'Essai. Une définition à capturer...

À travers toutes ces approches définitionnelles et devant ce magnifique exemple d'un Vadeboncoeur, illustré par Robert Vigneault, quelle sera la mienne, ma définition, dans cet essai? Peut-elle échapper à ces prérequis savamment esquissés?

Le présent essai qui s'inscrit d'abord comme travail universitaire (la mise en essai d'un Essai), par le bon vouloir et l'amabilité éclairée de Joseph Bonenfant, n'a pas de raison de vouloir s'exclure de cette production particulière, dénommée l'essai, ni de se placer dans un «jouer à part» littéraire. Bien que chaque essai soit ou devrait être un objet neuf, rare, tout essai, cependant, se tient dans une espèce de filiation spirituelle avec cette écriture dite «essayistique». En ce sens, l'essai actuel ne pourra s'esquiver de ce genre et devra, tôt ou tard, se ranger, mais non se soumettre. Il affichera, je crois, ses couleurs, accusera même sa particularité. Il y a toujours entre chaque essai une question de nuances, et même plus, de *sui generis* qui en fait toute la différence. Voici, avec la vision globale déjà reçue chez les écrivains essayistes modernes, et que je partage également, une approche d'abord réaliste, et plus tard, symbolique.

L'essai pour moi a la nature, la forme et la fonction de l'oiseau. Il sera alouette, goéland, chouette, épervier, corbeau, hibou, rossignol, sphinx, colombe et simple oiseau. Pour le besoin d'une approche entre l'essai et l'oiseau, l'essai-oiseau ou l'oiseau-essai, il y aura lieu, à la fin, de faire apparaître à travers les attributs de l'oiseau, les cinq grandes qualités propres à l'essai qui en font sa littéralité.

En un mot, j'essaie de dire l'Essai, de le définir à mon tour, tout en sachant fort bien qu'il y aura volontairement retour, répitition et reprise des définitions déjà posées.

Faut-il rappeler quelque peu la symbolique de l'oiseau et la notion de symbole? On sait que l'oiseau est la figure de l'âme qui s'envole du corps, le visage de l'intellectualité, de l'ange, des états supérieurs de l'être et de leur langage, celui des dieux. Les auspices ne dénonçaient-ils pas à Rome le dessein des dieux? L'oiseau signifie également liberté, imagination, message, chant, amitié des dieux envers les hommes, fidéliée, migration, nidification, destin (dans le Coran), ange Gabriel (deux ailes vertes), immortalité, communication avec l'au-delà, Esprit saint, esprit de Dieu, figure de roi, même d'impérialisme moderne, puissance, vie, fécondité, ancêtre, feu, «phénixisme», revenant, couleurs, ambivalence et multivalence, enfin, sagesse. *Logos* évidemment.

Sans chercher à extraire la quintessence du symbole qui peut s'irradier en un nombre fou d'usages terminologiques, il est besoin ici d'ajouter, en vue de restreindre l'éclosion proliférante de ce vocable, que le symbole présuppose, au contraire du signe dont le signifiant est étranger au signifié (objet ou sujet), «une homogénéité du signifiant et du signifié au sens d'un synamisme organisateur». L'imagination structure ce dynamisme organisateur, facteur d'homogénéité dans la représentation. Bien loin d'être faculté de former des images, écrit Gilbert Durand

> l'imagination est puissance dynamique qui déforme les copies pragmatiques fournies par la perception et ce dynamisme réformateur des sensations devient le fondement de la vie psychique toute entière. On peut dire que le symbole... possède plus qu'un sens artificiellement donné, mais détient un essentiel et spontané pouvoir de retentissement (12).

Ce retentissement souvent habite des longueurs d'étoiles. Quand on pense que les mythes nés dans le creuset de l'âme primitive se sont prolongés jusqu'à l'homme moderne et qu'ils tissent encore profondément son âme d'enfant, même d'adulte. Ainsi l'emblème ducal de la Bretagne et le plein d'hermine, le rapport analogique entre Rimbaud et Mallarmé, l'Apologie de Socrate peuvent être dits des signes; il en est de même pour l'attribut, l'allégorie (souvent confondu avec le symbole), la métaphore, le symptôme, la parabole. Le signe ne dépasse pas le niveau de la signification. Le symbole lui, est toujours à refaire. Toujours à

---

12. Durand, Gilbert. *Les structures anthropologiques de l'imaginaire*. Coll. Études, no 14, 3ᵉ éd. Bordas, Paris, 1969, p. 20-21.

inventer. Il n'est pas comme «l'allégorie, dira Hegel, un symbole refroidi». On ne répète jamais le même jeu. Et davantage, lorsqu'il faut interpréter une oeuvre étrangère. Le symbole est toujours en gestation. L'enfant ne finit pas de naître. Le chiffre deux cent vingt-quatre (224) nourrit bien la science, c'est un signe conventionnel. Il ne sera, à moins d'une «absoluité» des choses, jamais symbole. Pas plus que le «Stop» au coin de la rue, que la swastika soi-disant allemande. J. Chevalier et A. Gheerhrant, qualifient ces schèmes affectifs, dynamiques que sont les symboles, d'*eidolomoteur (eidole*, pour image et imaginaire) au lieu de *eidos* (idée) qui se situe nettement sur le plan intellectuel. Ces schèmes seront appelés archétypes, fantasmes originaires ou engrammes originaires ou engrammes et se délieront dans des structures, des modèles (taxinomiques, téléonomiques), des mythes qui seraient, pour ceux connus et exploités, une mise en scène. Et tout cet ensemble sous le jeu d'une force constante se développe en une symbolique, «en un langage structuré», écrira Lacan. Un symbole comme la lune a toujours un côté caché; il a ma figure, exprime mes conflits, me rappelle quelque chose, me renvoie à moi, il est toujours présent, il joue en hauteur, en profondeur, m'appelle à la verticalité et, à la fois, peut être visible ou invisible. Ajoutons qu'il est comme la lune, toujours situé quelque part et affinitaire, qu'il couvre plusieurs dimensions et fait partie à chaque instant, oui ou non, de ma vie. Aussi le symbole m'appréhende, me fait ressourcer, m'approcher de l'origine, du sacré, du divin; il me fournit toujours une réponse, enfin voilée, autre, pour me consoler. Je puis même dire qu'il est un facteur d'équilibre, qu'il conjugue, unifie une synthèse et par le fait même crée une thérapeutique individuelle et sociale, sans mentionner sa fonction hautement transcendantale. Cette digression, pour faire apparaître à la mémoire la définition, et pour aussi dire la difficulté de saisir la nature du symbole qui, en partant, signifie dans son étymologie: coupure, brisure en deux, une partie connue et une partie cachée.

Avant la mise en symbole de l'essai et de l'oiseau, fantaisie que le visage de l'essai peut affecter, mimer pour ainsi dire dans les cinq grandes qualités que tous reconnaissent à ce «genre» (littéralité, gratuité, imagination, conscience et affectivité), il me faudrait localiser une définition personnelle et me demander ouvertement cette question: L'essai... c'est quoi?

L'essai est un discours qui veut dépasser la littérature pour l'entreprise spécifique de la littéralité (l'esthétique). Le *bene dicere* érigé en devoir. Il a pour rampe de lancement l'*imaginaire* sans toutefois *n'être* qu'une seule *fiction*.

L'objet de ce discours est centré sur une certaine «quaternité»: l'homme, la nature, la cité et les dieux, c'est-à-dire orienté de telle sorte que l'on voit toujours ce décrit, dans ce genre d'écrit: l'homme dans ce qu'il est, l'homme dans sa situation au sein du cosmos, dans son implantation sociale, dans son implication religieuse, politique ou autre.

L'essai est un *genre en soi* (digne de la trinité: Poésie, Théâtre, Roman). Il a dépassé le genre mineur (vu l'importance et la profusion de ce genre d'écriture de nos jours). Si les genres existent encore!

Il tient sa majorité en ce que même si sa parole ne peut et ne veut accumuler un savoir certain, se façonner scientifiquement en un fait social, culturel, il est souvent un produit *hors du vérifiable* et offre par certains aspects le visage de l'impondérable.

L'essai offre l'image d'un relais le long des voyages où le chef de gare, hanté par des chemins de naufrage, invente à chaque détour le frisson de nouveaux aiguillages.

Né de la fragmentation des écrits, issu d'un être en soi fractionné, l'essai et l'essayiste ne resteront toujours qu'une résultante de..., malgré tout. Même si la dynamique interne (le coeur plus la raison), externe (l'écrit) de l'essai, vise une remise en place, crée le choc culturel, déjoue le stratagème, défie le temps et l'espace, nage sur un fond de désespoir, de pessimisme et tend autour d'un *Je* oedipien à aller jusqu'à la *castration de ce premier Je pour recollecter un Nous* à dimension sociale même universelle.

C'est *l'écrit de la précarité*, un écrit déclarant la labilité. Sa forme n'est pas nécessairement prosodique, elle peut aussi s'ouvrir sur une dictée totalement poétique (poésie prosodique ou prose poétique: proême). Mais dans ce cas dernier, *le signifiant devra partager le pouvoir avec le signifié* pour éviter ainsi de succomber au magisme des mots et de miner le discours en soi, enfin le fond.

La *toile de fond de l'Essai est l'angoisse* (ainsi pour toute parole, tout écrit), mais spécifiquement pour l'essai, puisqu'il me paraît comme retour, re-interrogation, recherche des causes et tentative de solutions.

Sur la scène de l'essai se déploie le jeu. Le jeu de l'écriture, de l'acteur qui a répété maintes et maintes fois le jeu de la parole et le jeu de son armature psychique, afin de donner, dans une réconciliation (lui et le texte), le meilleur spectacle du monde. La monstration (le rôle) en gestes et paroles de l'angoisse, de celle de l'écrivain, de celle du Monde. Dans la salle se tient le spectateur, celui qui veut se faire dire son angoisse et de qui on veut qu'il fasse lui-même l'aveu, soit par l'écrit (l'écrivant, le critique), soit par l'assistance muette, spontanée, admirative (les spectateurs, le tout-le-monde-parquet). Alors, selon le spectacle donné, (parole sur les planches de bois ou planches de plomb), l'essai dévoile les *deux masques traditionnels de Jean-qui-rit et de Jean-qui-pleure*. Ce genre-ci développerait des ouvrages intellectuels avec les caractères de formalité, d'objectivité et d'intérêt; celui-là, ceux relevant de l'imaginaire, avec les caractères de non-formalité, de subjectivité et d'intérêt. On a reconnu la définition de Joseph T. Shipley que fj'essaie d'ajuster comme une gaine aux deux grands masques grecs. Elle fait toujours souffrir. L'essai se placerait davantage (en tenant compte des temps actuels où se cabre l'obsédant, le fragmentaire, l'inessentiel, l'insignifiant, le parcellaire de l'homme) sous le masque de *Jean-qui-rit*. L'ânerie (l'âne rit). On réclame plus le droit de rire de nos jours que l'espoir de pleurer. Il y a beaucoup de finesse dans ce *castigat ridendo mores* à la Molière.

L'essai, c'est *l'écrit qui crie, qui s'aime et qui sème*. Écrit sur les écrits, l'essai prend son émergence dans la plongée des autres discours et devient ainsi l'écume bouillonnante de la conscience à prendre. Il manifeste sans Manifeste. (?) Écriture du non, il affirme cependant qu'au bout là-bas, il y a une île merveilleuse, un absolu, un quelque chose à dire, à faire pour... Mais c'est difficile, pour ne pas dire impossible. Il y a la face dure de l'essai. Et là, sa formulation risque parfois d'être dense, utopique, crépue, et pourtant, en avant et sous un visage «maturitaire», s'esquisse toujours la frimousse de l'enfant qui s'ouvre en dedans pour froncer les sourcils au dehors. La surface de la profondeur.

L'essai peut alterner dans diverses mélodiques, ou aller de la fureur de la vérité à dire à la chance ironique de la dissimuler. C'est un écrit autogéré, autique jusqu'à un certain point *pédégé*, qui s'aime par le Je et sème à la fin, par le Nous.

En tant que fonction ludique, *l'essai est un jeu qui se met en jeu pour un enjeu*. Lucidité d'abord de l'écrivain qui se met en présence de la Parole, qui la met en jeu pour cet enjeu «luciditaire» de la produire dans sa totalité. Et c'est peut-être là qu'on pourrait parler de la *culpabilité de l'Essai*, de son état de peccaminosité, de sa non-innocence bien que l'écrivain veut toujours revoir le pays de l'éternelle enfance ou son *Shangri-la*. Mais pourquoi demeure-t-il, face à cette grâce impossible, dans l'impénitence? l'écrivain, l'essayiste surtout, peut-être a-t-il compris le jeu du qui-perd-gagne. Qu'il va gagner à force de perdre...

L'essai est le terrain de jeu du Je. Le Je est Jeu. Le U final (vase communiquant) vient rompre l'égotisme et faire la relation avec un autre Je. *Je u Je.*

Le Je aussi simple que l'individu, aussi riche que l'homme s'impose dans l'essai, endosse plusieurs personnalités, mais ne se révèle cependant que par un seul individu. Cet individu tient le langage de l'enfant de 3 et 4 ans qui exerce son *Je* devant un miroir, le langage de l'adolescent qui veut changer le monde et celui de l'adulte qui entreprend de semoncer l'univers. Il s'essaie. Et là, dans une espèce de contradiction, le *je-sujet* (enfant) fait la rencontre du *je-culture* (adolescent) avec un troisième *je-conscience* (adulte). La couche finale et la couche primaire produisent le discours biface de l'Essai, c'est-à-dire l'enfant qui pose son Je, l'adulte qui essaie de créer le pays de l'enfance et un monde de conscience de l'adulte à venir. La couche sédimntaire de l'adolescence, le Je-culture, rêve entre les deux autres couches en attendant d'asseoir sa culture dans le creuset de sa conscience. *Si les trois Je se rencontrent*, si la vision de l'enfance sur l'homme suit les lois de l'économie humaine, si le voeu de l'adolescence échappe à la radicalité et si la conscience de l'adulte ne tombe point dans la démesure quant à l'homme à venir, eh bien! on aura produit un chef-d'oeuvre à la hauteur de Platon, de Montaigne ou de Descartes.

À ce moment-là, Jacob tient l'Ange et il ne reste pour ce dernier que le sursis de l'aurore.

Le risque de la foi ou la foi dans le risque!

N'y a-t-il pas en arrière de tout essayiste ou au départ, un Platon qui dort, un saint Jean-Baptiste qui crie dans le vent, qui parle au désert, un Don Quichotte qui veille? Que restera-t-il après l'éblouissement de l'essai? Le monde a-t-il changé? *That's the question!* En dépit de toutes les réponses funèbres, de ce retour éternel du Je-projet et du Je-irrésolu ou du Je-subjectal et du Je-objectal, je dirai: *Oui*. Le monde a changé. *Oui*. Le fond est resté le même...

Quant au style de l'essai, je me rends sans condition devant les quatre critères de B. Brouillette, la fragmentarité de F. Ouellette, de J. Marcel Paquette, de J. Bonenfant, aussi de son instantanéité; la force du signifiant sur le signifié de F. Belle-isle Létourneau, mais *non* son écriture sans «épaisseur»; *oui*, à la séduction par le style; *non* à F. Roy pour l'essai comme «texte sans sujet». La centration sur le Je de J. Marcel Paquette, Le Je lyrique, le discours tendu vers la «volonté de style», le jeu combinatoire des trois fonctions, et surtout ses trois P (pensée, passion, prose), *oui*. Devant G. Lukacs, que «la forme de l'essai devient une vision du monde», (son exemple de Saül et de Platon), que l'essai est «une forme d'art, une mise en forme totale et autonome d'une vie complète et autonome». *Oui*.

Tous ou toutes ont dit, ou paru dire, que le fond de l'essai est la forme; que la forme est enthousiasme, libre expression, passion de dire, insinuation, insistance par le style, compromission, complicité, liberté d'idée, de présentation, règles de jeu de l'essayiste. Toutes ces offrandes s'adressent à l'essai purement littéraire et par conséquent, ne rendent pas tout à fait justice à un écrit scientifique, philosophique et surtout à celui, mixte, dans lequel se rencontrerait - l'interdisciplinarité est de mise de nos jours - la conjugaison de deux ou trois savoirs dans le respect de cette passion du langage. La mise de fond est différente.

Ajoutons que l'essai est le voyage de l'oeil, de la ligne, passage à la lumière après des traversées d'ombre et de bruine; le fruit de la gestation, de la naissance, de la douleur. Condition presque apeurante de la création. Le devenir de l'espérance. Marcher dans la joie quand, au bout de l'essai, le lecteur a les jambes rompues et détourne tristes les yeux en regardant ailleurs...

Cette écriture de l'essai «*d'essence musicale*» s'inscrit dans un tournoi, dans une aventure personnelle, du moins au chiffre d'un individu qui doit faire du beau avec du laid et du moins beau. Et qui doit écrire, s'écrire, s'inscrire dans et s'extirper, s'exclure de. Il y a de tout pour tomber dans une idéologie engagée, engageante, pour chuter dans la thèse avec un *télos* bien rompu et prêt à apparaître sur le coup de l'horloge. Une thèse sur demande.

Cette phrase de J.-P. Sartre: «la fonction de l'écrivain est de faire en sorte que nul ne puisse ignorer le monde et que nul ne puisse s'en dire innocent» (13), n'amène-t-elle pas l'écrivain, et en l'occurrence *l'essayiste*, vers un logocentrisme, vers un message en noeud?

Et c'est là la ruse nécessaire à l'essayiste, cette sorte d'intelligence de la ruse chez les Grecs qui s'appelait savoir-faire, habileté, prudence, art, etc., bref, *la mètis qui peut échapper à l'anti-logos*, au prêt-à-porter mental. Et l'éthique sous l'esthétique, c'est aussi une question! Et combien d'autres pièges?

Est-il possible d'avancer que l'Essai est un écrit de l'oblique et de la conjecturalité? Je prends la liberté de répondre: *Oui*.

L'essai se ressentira toujours de l'emboîture... en tant qu'être de l'ouverture et de l'impossible.

3. Nouveau dossier sur l'essai.
L'oiseau comme figure vibrante et ailée de l'essai.

Un récent dossier sur l'essai littéraire dans *Québec français* (14), vient

13.   Sartre, Jean-Paul, *Qu'est-ce que la littérature?*, éd. Gallimard, Paris, 1948, p. 31.
14.   Landry, Kenneth. «Où commence et où finit l'essai», in *Québec français*, no 53, éd. Québec français, Québec, mars 1984, p. 34-35.

de faire paraître une nouvelle définition de cette écriture. L'écriture de Kenneth Landry: *Où commence et où finit l'essai* n'élabore point une définition, mais plutôt propose une classification plus ample, iplus explicite que celle de Joseph T. Shipley. Elle s'appuie sur l'analyse de Edward Morot-Sir quant à la définition. «L'essai est une exigence stylistique d'abstraction, il est une systématisation relative et locale d'idées abstraites saisies intuitivement et en liberté, gardant leur nudité conceptuelle ou cherchant l'enveloppe charnelle»(15).

Cette définition excellente semble remplir les exigences de ce non genre (?). Un adjectif cependant, me retient et amoindrit, à mon sens, la portée globale de l'essai littéraire comme genre. Ce qui briserait le large envol thématique possible, le souffle indéniable que l'on peut reconnaître aux grandes oeuvres. C'est le vocable ici de «local», de «systématisation relative et locale»... comme si l'essai ne pouvait supputer les grands sujets propres aux genres dits classiques et ne point tomber à la fois dans le haut discours philosophique ou scientifique. Morot-Sir prétend que «l'essai serait donc l'anti-genre chronique - refus du genre et de ses conditions, refus de laisser le langage enfermé dans ses définitions et ses règles opératoires, revendication d'une liberté, signe d'une anarchie endémique qui dériverait de l'invention même des langues» (16). Il faut éviter, avance l'auteur, la dichotomie proposée par Roland Barthes qui met en face l'un de l'autre, ou en arrière de l'autre, «l'écrivain et l'écrivant». Elle met en exergue le non pouvoir, l'incapacité virtuelle de... qui affiche, selon mes mots, la difficulté pour l'écrivant de fonder et de centrer son *Je*.

La définition du critique François Châtelet sur l'essai, en page 34 du même article, se veut plus classique.

> L'essai apparaît comme un entre-deux entre la contingence du roman - qui laisse libre cours à l'invention de l'auteur et s'abandonne apparemment à la singularité irréductible des situations et des actes - et la nécessité du discours philosophique ou scientifique - qui prétend, lui, à la nécessaire expression de ce qui doit être. (L'essayiste) tente d'allier la fraîcheur et la spontanéité du premier à la rigueur du second. (17)

Après avoir rappelé la *Je-ité* de Robert Vigneault, que l'on a déjà vue et qui fonde avec la forme, le type exemplaire de l'essai, François Châtelet ne manque pas de nous offrir l'exemple de la *Catégorisation de l'essai* de Kenneth Landry.

15. Morot-Sir, Edward. «L'essai ou l'anti-genre dans la littérature du XXe siècle», in *French Literature Series*, vol. IX, The French Essay, South Carolina, University of South Carolina, 1982, p. 118.

16. Landry, Kenneth, *op. cit.*, p. 34-35.

17. Châtelet, François. *La littérature*, Coll. Dictionnaire du savoir moderne, p. 164.

Pour l'instant, et pour un moment très court, l'étude de Laurent Mailhot, «L'essai québécois et son voisinage», dans la même revue, développe ainsi la notion de l'essai, disant qu'il n'est ni un traité, ni une thèse, ni un éditorial, ni un sermon. Il ne traduit pas une pensée, il la cherche; il ne résume pas une question, il la déplace et la complique. Il n'est pas neutre, objectif, mais engagé dans une aventure personnelle», (p.26). L'essayiste contemporain est «un artiste de la narrativité des idées comme le romancier est un essayiste de la pluralité artistique des langages», avance André Belleau (18).

Quant à l'essai féministe, dans la pensée de Jacques Ferron, c'est «un discours réflexif de type lyrique entretenu par un «je» non métaphorique sur un sujet culturel» (au sens large). L'essai féministe ne nage-t-il pas trop encore dans son propre jeu? Marque-t-il suffisamment de distance vis-à-vis soi? La feinte (mimicry), quoique gracieuse et sincère, n'est peut-être pas des plus heureuses. Elle est invitante et par le fait même évitable.

En définitive, dans le jeu de l'écriture, l'essayiste, en donnant du jeu, met en jeu son enjeu. Se laisser prendre au jeu, on le sait, ce n'est plus jouer; c'est simplement risquer de tomber dans les filets de la polémique et du sermon. Le véritable essai, (et le meilleur), prend ses ébats au-delà de. son propre jeu. Comme les hautes montagnes, il baigne et respire mieux dans un certain sur-réalisme. L'écriture essayistisque possède aussi sa *métis* et ne dédaigne pas l'enflure de sa sincérité.

Voici maintenant la classification tentée par Kenneth Landry.

CATÉGORISATION DE L'ESSAI

subjectivité	neutralité		objectivité	
	critique			
journal	littéraire		exposé	
intime	ponctuelle	monographie	scientifique	
	(recension)			
correspondance	pamphlet	éditorial	éloquence	
	(écrit		(discours)	thèse
autobiographie	polémique)		(conférence)	rapport
(confessions)	satire	causerie		mémoire
	chronique		ouvrage de	
souvenirs	billet		vulgarisation	
témoignages	aphorismes			
	maximes			

18.   Belleau, André. «Petite essayistique» in *Liberté*, no 150, décembre 1983, éd. PUL, p. 9.

```
                    pensées
mémoires                                ouvrage d'érudition
-vie publique           essai libre     -étude littéraire       traité
-vie professionnelle    (sujets variés) -étude historique       (étude
-vie privée             essai spéculatif -étude philosophique theorique)
```

L'oiseau, pour fuir le désert chaud, harassant des définitions, peut s'offrir ici, en finale de cette Introduction, comme la figure vibrante, ailée, extatique de l'essai.

L'essai est la plume qui nage, qui écrit; le feu qui grésille les mots, le brasier où flambe les idées; l'essai est l'âme qui arrache à la pesanteur, la femme qui avertit la maison de ses couches, l'amitié qui tend des ponts, l'ange qui reploie le serpent, l'être ailé qui *message* le voyage; l'essai est le chant hors des nids, la naissance brisant l'enveloppe, la face orageuse de l'aurore, la tempête chassant les points fixes du Midi, le vent qui sème à tous vents, l'oeil ouvert sur le destin averti, le chaos où s'invente la création; l'essai est le phénix aux couleurs de pourpre et d'immoralité, la colombe charnelle et divine, le cygne gardien des lacs de silence, le vautour aux yeux fixés sur les soleils, le corbeau au regard d'intelligences; l'essai, enfin, est l'essayiste, l'écrivain, le libérateur, le prophète, le devin, l'annonciateur, le grand duc perché sur l'arbre du monde et qui regarde en bas puisqu'il est élevé...

L'OISEAU

ou

(de la littéralité)

1.   Je rêve de l'enfance je rêve d'un rêve
   mon vol spirale le vent qui porte
   au temps les dols nuages
   en feignance des absences de plage et
   de ciel franc
   je promène la couleur ma beauté
   épuise l'absence
   je ne tiens que par elle comme
   le flanc porte l'aile
   au haut des treillis de l'aurore
   au tréfonds des premières demeures
   des hauts cris de la parole

   > je suis littérature
   > espace oiselé
   > ciel créature
   > de la littéralité

2.   je suis l'éternel voyage
   de la volatilité
   je retrace les mondes
   au lit des coquillages
   je cueille aux rampes des arcs-en-ciel
   les urnes neigeuses de l'hiver
   les moissons oboles de l'été
   je rassemble le verbe brouillé
   de l'homme égosillé
   en gestes amers
   je suis l'arbre sauvage
   en sève de liberté
   je suis texte au passage
   dans un corps explosé
   mon vol est ouvrage
   de la gratuité

3.   je suis né aux oubliettes boréales
   dans la tige des jeunes goémons
   avant que la raison en ligne droite de tissage
   vienne harnacher en jointures de fer et
   de béton la solitude des limons
   engrossir la ville de fins verbiages

et mourir violet d'avoir toujours raison
moi je ne suis point sage un peu fou
dans l'opinion je ne suis point en cage
je suis orange mauve blé bleu rayon
horizon en ligne verticale
«je suis oiseau; voyez mes ailes»... voyons

    je suis l'imagination
    jeu décrypté
    en signes désertés
    de la fiction

4.   je suis la voix des feuillages éblouis
en écoute aux larmiers
des geintes et des joies de l'homme
mon vol tancé vers l'infini
déporte le cri ailé
à l'acmé des forêts du ciel
j'ai vu la mort j'ai su l'amour
les jours cirés par la douleur
les nuits cambrées de joie
la vie comme des jonques démarrées
je suis la courbature du ciel le jaillissement
aux mains de l'homme qui me déploie

    je suis le chant
    de la présence
    le hauban
    de la conscience

4.   je suis le jeu verbal aux fenaisons
du langage et des émotions
flûte souriante de mots
lyre exaltée qui dévale en écho
des buissons élancés de la parole
je suis ton âme anxieuse à s'ouvrir
ton coeur oppressé d'auberges murées
de silence le temps jaillit de moi
l'espace m'éclate en vol comme un long rire
au matin des soleils dans les rames de lumière
je suis volute d'ange aile chantante
qui t'appelle comme témoin de toi-même
à la fête éblouissante de ton coeur à dire

    je suis le hautbois
    de la saisonnité
    le son pur et droit
    de l'affectivité

Grandes dimensions générales de cette recherche

L'articulation de cette recherche a subi jusqu'ici bien des avaries. Parti pour un long voyage dans les mers pleureuses du souvenir, à travers les passages redoutés des idées, l'Argo a réussi non sans peine sa croisière.

Comme Jason, j'ai demandé d'aller quérir la toison d'or, comme lui, n'ayant qu'une chaussure, j'ai accepté l'épreuve de ramener le trophée en Colchide, avec cette fois un équipage muet, éloquent et tout aussi prestigieux et habile.

Conçu depuis plusieurs années mais parti depuis un an, le présent essai a fait plusieurs escales (île de Lemnos, De Samothrace, de Cyzique), a subi presqu'à chaque aube des naufrages, des retours douloureux (les côtes de Doliones), a perdu plusieurs membres de l'équipage Héraklès, Polyphème, Canthos, Mopsos), a rencontré sur son chemin de nombreux devins (Phinée), beaucoup de dieux, de déesses, de demi-dieux, de héros, d'être mystérieux (Amycos, les Harpyes, Lycos, Aeétès, Apsyrtos, Idmon, Castor et Pollux, Aethalidès, Erginos, Tiphys, Orphée, Euphémos, Phanos, Staphylos, Atalante (la seule femme de l'équipage), Thésée, Aphrodite, Athéna, Phoebos, Zeus, Poséidon, Circé, etc.), a eu constamment à éviter les délirements, les embûches d'un sujet tant sidéral, d'un voyage aussi vaste (les Roches Bleues ou les Symplégades, le sanglier, la mort d'Idmon, de Tiphys, les taureaux d'Aeétès, les hommes-robots, le dragon, la Mer des Sirènes, le détroit de Charybde et Scylla, le géant Talos), a vécu cependant beaucoup de moments de plaisirs de consolation (le trait de flamme de Phoebus-Apollon, la colombe, l'île des Sporades ou de la révélation et surtout Médée, la fille du roi de Colchide, Aeétès et la petite-fille du Soleil, transportée, selon une tradition, aux Champs Élysées». Déesse bienfaisante, comme Athéna que je me permets respectueusement de comparer au coryphée de cette recherche, au cicérone de ce présent travail et qui m'a permis par sa chaleur, son encouragement d'accoster à Iolcos et de déposer ma Toison d'or.

Après cette longue pérégrination qui explique mythologiquement les soucis de la recherche, de l'écriture, de la réflextion à travers le labeur quotidien (autre anabase), il me faut présenter maintenant non plus le voyage mais la confection de ce navire, c'est-à-dire l'articulation générale de cet essai. Quitte à créer ici une imparité historique, cet Argo devient un navire plus costaud et, à poursuivre la comparaison, arbore maintenant quatre mâts supportant chacun trois voiles ou quatre chapitres contenant trois parties chacun.

Le *premier chapitre* s'intitule: *L'écriture du jeu divin* (le jeu des dieux). Il supporte trois fanions. *Partie A*: Ontologie du jeu. *Partie B*: Protohistoire du jeu. *Partie C*: Retour aux grottes cosmogoniques. *Le second chapitre* porte comme titre: *La Geste de Dieu et de l'homme*. Il porte en effigie les trois parties suivantes. *Partie A*: La création biblique. *Partie B*: Les sept grands jeux de l'épopée divine et humaine. *Partie C*: En passant la rivière... Le *troisième chapitre*, mât principal s'arc-boutant dans la carène de la nef, dresse vers l'Empyrée l'oriflamme suivant: *Le jeu de l'homme* (l'homme en travail du jeu) avec ses trois divisions. *Partie A*: En quête d'une définition globalisante du jeu. *Partie B*: Théorie calloisienne des jeux: Parallèle entre le jouer et l'écrire, entre le joueur et l'écrivain. *Partie C*: Base de l'acte ludique et de l'acte d'écriture: l'angoisse. Jouer l'angoisse qui s'angoisse à jouer. Le *quatrième mât*, aussi imposant sur ce vaisseau de ligne, cet Argo nouveau, porte en vedette *Le jeu d'Écriture* avec ses trois hunes bretèchées. *Partie A*: Réflexions premières sur l'acte d'écriture. *Partie B*: Vers un humanisme ludique. *Partie C*: Le jeu inversé: substitution de la parole par l'écriture. Le jeu renversé: dissolution de l'écriture (pouvoir), retour de la parole.

L'introduction rentre hardiment dans le sujet en posant d'abord la *Problématique générale de l'essai*. *La partie A* s'ouvre sur la première phrase de tous les grands livres: «Au commencement était...»; *La partie B* raconte une problématique symbolisée: le combat de l'Ange et de Jacob; *la partie C* se veut une enquête et une recherche sur la définition de l'essai.

Une nouveauté peut-être dans ce genre. L'essai actuel, disons cette galère, s'est dotée d'un éperon imposant. Sorte de rostre romain ou, plutôt, pour être plus fidèle, sorte d'*embolos* grec, le Prologue s'avance, un peu comme la tête d'Athéna sur l'Argo, énorme et majestueuse. Ornement digne de ce navire, le Pro-logue (Proème) se dresse comme un hommage aux dieux, à quelques grands hommes et s'inscrit devant la transcendance comme une longue oraison jaculatoire.

CHAPITRE UN

L'ÉCRITURE DU JEU DIVIN

LE JEU DES DIEUX

Partie A: Ontologie du Jeu

Introduction

Par une distorsion bien compréhensible, après des millénaires d'occupation des mains et du corps de l'homme par «l'ustensile», lorsqu'on parle de jeu, on pense irrémédiablement à l'enfant ou, dans une mentalité moderne, à ce grand jeu, à ce coubertinage qui a envahi nos cités modernes et qu'on appelle les Olympiques. À plus courte vue, l'écran presque indifférent de ce que font quelques groupements ludiques, inscrit chaque soir en vue: La manchette des sports. (Un jeu se tenant par la manche).

De toutes manières, le mot *jeu* dit un après travail, un entre-deux qui diviserait le jour entre un long et pénible moment de sérieux et un cours et excessif moment de non-sérieux, et même de jouissance. Ce temps de l'enfant qui travaille sa vie à jouer et de l'autre, ce temps de l'adulte qui «joue» son existence à travailler. Le temps des jeux, dans un *placet* existentiel à deux temps. Comment ne pas se rappeler notre enfance autrement que par ces longs soleils qui flambent sur les corridors jaunes ou sur les glaces bleues des patinoires poudreuses où le vif du temps «exercisait» notre haleine et tenait congelé notre corps debout. Après ces années heureuses à voyager tous les jeux, à étirer la cloche de fin de récréation, avant le devoir pénible, mais après un chaud et confortable temps d'études, on devenait un petit adulte. On vient, à ce moment-là, de quitter l'enfance, qu'on ne quittera vraisemblablement jamais, et à laquelle, tuant l'enfant en nous, on débouche sur l'homme, dans un type sérieux en fulmination de son avenir. De là l'opposition éternelle entre l'enfant et l'adulte, entre les jeux immodérés, insignifiants du premier et les occupations ludiques, mathématisées, significatives du second. *Excelsior, Esto vir, Ad majorem Dei gloriam, Labor omnia vincit, Improbus, J.M.J., Sursum corda*, etc.; autant d'expressions glorieuses d'alignement, de remise en l'idée, en l'état de l'âge post-adolescent ou du maintenant: «soyons sérieux»!

Et nous avancions graves dans le temps de l'homme... Finis les jeux, finis la gratuité, l'éparpillement. Maintenant le sérieux, le travail concerté. Le jeu qui était de mise se substituait à la nouvelle mise au jeu. Un espace à remplir sur un temps vide, égrené de notre enfance. «Sommes-nous là pour jouer ou pour être sérieux?» se demande Georges Bataille à propos du livre pour lui récemment paru, *Homo Ludens* de Jean Huizinga.

C'est la terrible question que je dois me poser le long de cet Essai et qui trouve déjà comme une réponse toute faite par les réflexions de l'auteur de *La part maudite*: «La nature toute entière peut être considérée comme un jeu», dit Georges Bataille, «l'homme souverain est *homo ludens*: l'allure délibérée, souveraine de l'homme riant et séduisant, de l'homme-jeu» (1). Et plus loin: «Le joueur authentique est (...) celui qui met sa vie en jeu» (2).

Ces mots au départ du chapitre Un, pour nous placer dans le sens général de cette partie qui se veut une *écriture du Jeu*, avec l'examen du jeu divin dans le plan mythologique et dans la séquence biblique.

Partie A

Ontologie du jeu

1. L'être-jeu

Le jeu, ce fut déjà dit, est un paradigme à signification ontologique par lequel l'être est jeu et sous lequel le Jeu devient le lieu de l'être.

Sans vouloir solliciter trop à fond le concept d'être et mener une dissertation métaphysique sur ce vocable, il me faut le réapproprier quelques

1. Bataille, Georges, *Oeuvres complètes*, tome IV, Éd. Gallimard, Paris, p. 390.
2. *Revue critique*, nos 51-52, p. 735.

minutes pour conduire, avec ce «mot-clé» de la philosophie (et toujours sans serrure adéquate), une discussion, je dirais, potable, entre l'être et le jeu, puis entre leur réversibilité.

Le côté mystérieux de ce mot, *Être*, vient du fait qu'il n'a pas d'histoire, de régistre de baptême, d'état civil et, de plus, sa simplicité ineffable en fait sa désastreuse complexité. Il est si pur devant nos yeux d'impureté. Ce n'est pas lui qui se refuse à nous, c'est nous qui ne pouvons l'atteindre; lui pourtant dont nous sommes faits et qui remplit tout l'être de l'Univers. Le symbole mathématique peut à peu près seul l'approcher. Tout mot est de trop. Le gauchit. Il y a grande misère au royaume de l'intelligence qui ne peut que mal comprendre et mal saisir l'être, son roi. Je connais quelqu'un pour qui, au moment où la foule dormeuse caresse les envies de ce monde et se jette tête-bêche dans les délices de Capoue, le mot Être et sa double signification de *ens inquantum ens* et de *ens commune*, le faisait comme chavirer autour de la bulle de l'être avec laquelle il jonglait angéliquement devant nos yeux et devant laquelle aussi il nous invitait à la fureur de l'extase. Ce professeur de métaphysique, on le devine, vivait dans un monde de splendeur que ne violentaient nullement nos jeunes esprits déjà entassés devant les portes du monde. Il venait doucement saupoudrer en filées lumineuses, un peu comme l'image-type des films de Walt Disney, nos premiers et somptueux châteaux. La notion d'être qu'on ne peut d'ailleurs pas expliquer a toujours été l'eldorado de la philosophie. Peut-être pas de la philosophie enseignée actuellement dans les institutions d'enseignement supérieur. L'être n'est plus le fer de lance. La conquête de l'essence, de la toison d'or, de la substance rappelle encore ce temps «périhélique» de la quête du Saint-Graal.

Si l'on dit que l'Être est jeu, tout un courant philosophique, même littéraire actuel, amorce une réflexion dans le sens de cet énoncé; sans pour cela s'ériger ouvertement comme le courant écologiste en un système qui s'affublerait, par exemple, du titre de *Ludologie* ou de traité *Ludo-philosophie*. À cause justement d'une espèce de parti pris contre tout ce qui était récréationnel, ludique, loisirs ou contre tout objet sphérique qui dansait, roulait, sautait. Sujet certes pas suffisamment noble autrefois pour ces Messieurs de la Philosophie. Le jeu devint occupation des Pédagogues; beaucoup plus tard, celle des Sociologues, c'est-à-dire un jeu. Notion qui était restée dans la cours de l'école ou dans la grande salle de récréation, en attendant l'autre sérieux à venir, les études et la prière.

Comment peut-on audacieusement avancer que l'Être est jeu? Et même à l'instar de Descartes (sans le paraphraser ou le parodier), proclamer non plus son fameux: *Cogito ergo sum* mais mon *Ludo ergo sum*? Il est convenable de croire, ici soyons scolastique, l'Être ne peut être distingué que par l'ordre des idées et qu'à ce moment-là, à défaut d'avouer absolument ce qu'il est, il est objet formel de l'intelligence; ce dernier donnant plus tard, à ce mot dynamite dont on n'a jamais trouvé la mèche, un sens substantiel, phénoménal et objectif. Nous voilà en pleine philosophie! J'ai comme un peu peur de réveiller ce passé... parce qu'il me faudrait apprivoiser ces monstres sacrés qui, dans la superbe de l'adolescence, se sont échappés devant notre belle et sotte folie de vouloir supputer l'Être. Une imprenable capture, quoi! Continuons. Si l'on regarde l'Être substantiel (*dasein*), on l'aperçoit, dit-on, à première vue, par la simple appréhension, comme par instinct, et on lui accorde, bien sûr, *1o*: le fait d'être dans l'existence (*sein*, une entité, etc.); *2o*: le fait aussi de savoir qu'il est réellement (*ens reale*, une planche) dans le sens concret; et à la fin, *3o*: la possibilité de se loger dans la raison seulement (un trou dans une planche) existant dans la pensée sans existence affective. Mais la substance, c'est quoi? Dans le *kit* ontologique concret (substance, essence, quiddité) c'est le *permanere* dans les choses qui changent, un sujet qui subit tous les changements et, à la fois, reste le même. Imaginons le sable du désert qui ensevelit les choses, les civilisations, les pyramides et qui, tantôt dune, tantôt doline, apparaît le même dans le changeant visage de chaque aube. «C'est ce qui est dans un sens vrai, complet et fort». «L'*essentia*, écrit Étienne Gilson, dans son langage toujours clair, n'est donc que la *substantia* en tant que susceptible de définition. Exactement l'essence, c'est ce que la définition dit que la substance est». C'est la permanence dans les choses qui changent, un sujet qui subit tous les changements et à la fois reste le même. Et l'essence (aussi quiddité, forme, nature, le *quod quid erat esse*: ce qui fait qu'une chose est ce qu'elle est) qui ne s'enveloppe que par l'intelligibilité, c'est l'idée ou ce que nous comprenons qu'elle est. «C'est un pur possible», dira encore Gilson; et quelque temps après, les philosophes ne manqueront pas, quitte à passer par-dessus cette constante ambiguïté du mot essence, de la relier à une nature (ce terme est tombé depuis), puis, à une liberté.

Nous voilà en plein existentialisme. On a fait deux sauts. D'abord historique: celui des Scolastiques aux Existentialistes actuels et, définitionnel: celui d'affirmer l'Être comme une liberté. Entre temps, je veux absolument (adverbe qui ne devrait pas être dans aucun dictionnaire, ni dans aucune langue), trouver la relation entre l'Être que sont, le *verum*, le *bonum* et le *pulchrum*, parce que selon moi, c'est là que peut se situer le jeu en tant qu'être. L'Être-jeu. Et même j'ajouterais, à ces attributs nécessaires de l'Être à la suite de Lévinas, l'*étant*. Certains philosophes n'hésitent pas à reconnaître l'étant (l'idée de l'étant) comme un accident propre (relatif) de l'être. Peut-on me chercher noise d'ajouter le *ludum*? Cette hypothèse, disons, «apophantique» pour le moment, illustrerait un nouveau défilé des attributs de l'être ou l'*unum*, le *verum*, le *bonum*, le *pulchrum*, l'*étant* et le *ludum*.

Il est sûr que dans une pensée thomiste (et Dieu lui-même peut-être dans sa tolérante bonté nous en a délivrés), il n'y a que trois propriétés de l'être, et qui fait proclamer bien haut que «l'Être est nécessairement un, vrai et bon». Ce qui implique dans cette ligne de réflexion, le *splendor veri* et le *splendor ordinis* ou le *pulchrum*. Le Beau est ce qui plaît, ce qui mène l'homme à la «fulguration de la forme», à la jouissance, au plaisir esthétique, à la contemplation. Ces trois *proprium*, on le sait, ne sont pas l'être, mais des prérogatives de l'être. Ils ajoutent à l'être de trois façons: *1o*: un élément étranger à son essence, (l'homme et la pigmentation brune de son corps), ou *2o*: une limitation, une détermination, (l'homme et l'animal), ou *3o*: un élément de raison, (l'homme et la risibilité de l'athlète). Les deux derniers, logiquement postérieurs, l'étant et le *ludum*, viennent comme servir l'économie de l'Être et nous jeter par le fait même dans les siècles de la philosophie ultra-moderne, dans l'arène de la raison contemporaine. Ils servent à dépasser le stade essentialiste pour aboutir au palier existentialiste. «L'idée de «l'étant», en général, mérite déjà, dit Lévinas, le nom de transcendant que les aristotéliciens médiévaux appliquaient à l'un, à l'être et au bien...» (3).

Le *ludum* que j'essaie de faire admettre (et je ne serai pas hérétique pour autant) dans cette épiphanie de l'Être (le mot est de Maritain) accuse chez l'étant une irruption de l'étant lui-même. L'étant (*seindes*) signifie au sens concret et en compréhension, ce qu'une chose est, son essence; et en extension, l'englobement de l'existence et de l'essence ou un existant. Soutenir que l'Être est jeu et que ces deux lexèmes sont en corrélation entre eux, aurait présenté dans la philosophie ancienne une sorte de haut scandale, un attentat contre la raison, bref une «impropriété» philosophique, un quelque chose d'inadmissible et même d'impardonnable. Heureusement, nous sommes loin de ces temps où les philosophes du Moyen Âge s'arrachaient mutuellement leur perruque et ponctuaient leurs arguments d'un nombre égal de coups de bâton. Dans la philosophie actuelle, le jeu en soi, comme problème métaphysique, est-il encore un impromptu, une saillie capricieuse d'un esprit qui veut se trouver une mode, une manière intéressante de jouer la «philo», de méduser la pensée sérieuse des grands penseurs actuels? Non.

Vous avez depuis près de quinze à vingt ans des philosophes hautement sérieux qui ont posé la problématique du Jeu comme un problème sérieusement philosophique, qui ont monté non pas un système (parfois, oui), mais fait éclater une interprétation métaphysique du Jeu en se référant à l'Antiquité de Platon. Par exemple, Eugène Fink et Kostas Axelos, Bataille, Baudot, Blondel, Gaède, Deleuze, Derrida, Flam, Poutrat, Rey, Lacave-Labarthe, Friedmann, Klossowski, Maurel, Löwith, Dumazedier, Cacérès, Bianu, de Smedt, Varenne, si on se donne la peine

3. Lévinas, Emmanuel. *De l'existence à l'existant.* Éd. Fontaine, Paris, 1947, p. 17.

de parcourir quelque peu leurs oeuvres. Et même j'irais plus loin, l'Essai en soi permettant ces audaces, j'avancerais que *tout est Jeu*, à partir de la création du monde jusqu'à l'extinction des derniers feux de l'être, c'est-à-dire de l'enfant qui joue à la marelle, de la plante qui surveille sa photosynthèse, à la roche qui libère ses atomes. C'est à une philosophie globale, «prospectivante» de le prouver. La preuve, disait un philosophe, «c'est ramener une affirmation douteuse, par un raisonnement tenu pour valable, à une affirmation tenue pour certaine». Prouver se rapproche beaucoup de la technique de faire un escalier (preuve inductivo-déductive) où je descends vers les sources et je remonte les bras chargés vers la gloire. Et puis, dans le cas qui nous occupe actuellement, avec l'existence de transcendentaux, je remonte, avançons-le, avec un panier rempli d'essences, de belles vacuités, d'heureuses feintes intellectuelles au point que prouver ici, c'est peut-être, non pas tant changer l'opinion du lecteur que, comme dirait Alain, donner à ma preuve «un air de raison». «Prouvez-moi, dit-il, qu'il y a des preuves de ce que je crois».

2. Le jeu d'être

Écoutons ici quelques mots de ces philosophes ancrés dans l'existentialisme du vingtième siècle:

> Qu'est-ce que l'être? se demande Kostas Axelos. Voilà la question. Elle ne comporte cependant pas de réponse positive, car, aussitôt que l'on fixe l'être en disant qu'il est ceci ou cela, on fait de lui un étant particulier; c'est ainsi qu'opère toute la philosophie appelée métaphysique. L'être ne se réduit ni à l'infinitif verbal, ni au verbe devenu substantif, bien qu'il soit plus près de son allure verbale que de l'allure nominale. Il ne se réduit pas non plus à la copule et au jugement. Il n'est pas même quelque chose qui est ni le fondement ou la totalité de tout ce qui est. Alors? Il *est*, mais il n'*existe* pas en tant qu'être. Impliquant le néant et impliqué par lui, l'être est en devenir, est le dévenir de la totalité du monde, le jeu de l'errance (4).

> Le jeu humain, avance Eugen Fink, a une signification mondaine, une transparence cosmique. C'est une des figures cosmiques les plus claires de notre existence finie. En jouant, l'homme ne demeure pas en lui-même, dans le secteur fermé de son intériorité; plutôt il sort extatiquement hors de lui-même dans un geste cosmique et donne une interprétation riche de sens du tout du monde (5).

Ce ludologue (K. Axelos, E. Finks) a interrogé d'une façon minutieuse et très pertinente le problème du jeu, de cet étant dans le monde, en essayant d'abord de savoir si le *ludus* pouvait en soi faire objet de la philosophie; objet digne (*dignus*). Cette question éludée, il a voulu lui donner non seulement un statut existentiel mais «existential», selon le néologisme connu heidéggerien. Son interprétation métaphysique, en-

---

4. Axelos, Kostas. *Le jeu du monde*, chap 11, éd. de Minuit, Paris, 1969, p. 160.
5. Fink, Eugen. *Le jeu comme symbole du monde*, éd. de Minuit, Paris, 1966, p. 22.

suite mythique du Jeu complète une pensée qui place l'acte ludique comme point de départ et d'arrivée du monde et du cosmos. L'alpha et l'oméga chardinien ludique. En examinant à nouveau ce livre, ici je ne veux point flatter mon ego, je me demande si ces notions axiales de Jeu cosmique avant l'homme, d'être jouant, luttant, joué, on joue parce qu'on est joué, etc., notions qu'on retrouve à travers l'essai actuel et déjà très exploité dans des écrits antérieurs (ce concept de *Jeu* est depuis fort longtemps chez moi un objet de réflexion), je me demande, en effet, si elles furent l'effet de cette révélation finkienne ou axélosienne ou si, les ayant extraites d'une longue méditation personnelle, elles ne vinrent pas, comme *par après*, m'apparaître dans leur intentionnelle fulgurance et me confirmer dans une sorte de *Cogito ergo sum*, plus exactement de *Ludo ergo sum*. Je ne le sais pas, honnêtement. Parce que ce *Spiel*, ce *ludus*, ce *paideia* et *paidia*, ce *jocus*, ce *play* (le chapelet sémantique de ce mot est extraordinaire) fut toujours pour moi une question non seulement quant à l'aspect conceptuel mais aussi quant au côté technique dans la pratique bénévole des loisirs. De toutes façons, les livres de ces deux maîtres me sont devenus un bréviaire dans la messe, dans la grande fête de cet Essai. Il est sûr, et je le sens maintenant, que Fink et Axelos ont dû plomber par leurs solides démonstrations la verrière fragile de mes premières idées. Enfin, je crois.

Dans le mandarinat de l'Être, l'étant-jeu se «marre» dans l'essence du monde et se travaille dans et par l'étant-homme une liberté. C'est ce qu'on peut appeler l'Être-jeu. Ensuite le Jeu d'être. Par le premier on est dans l'essence, par le second, dans l'existence.

Le *ludum* qu'avec une intention tiraillante (est-ce le démon de Socrate?) je veux intégrer dans la classe des propriétés de l'être, près d'un nouveau venu, maintenant admis par Lévinas, l'Étant, partage avec ces transcendentaux ou ces attributs nécessaires, la qualification d'abord d'objet formel, ensuite, celle de pouvoir se manifester non seulement à l'intelligence mais de chevaucher dans l'existence. C'est dire qu'u départ il serait comme un étant nouménal; après, par son implication dans l'existence, comme un étant phénoménal. À faire le nouvel enlignement des transcendentaux ou propriétés de l'être, nous avons l'*unum* dont le contraire est le néant, néant de la multitude; le *verum* avec le contraire de l'erreur; le *bonum*, en face, le mal; le *pulchrum* dont l'inverse est le laid; *l'étant* s'opposant au non existant de l'individu et le *ludum* (jeu) s'ouvrant au non-jeu, donc, en un sens à la néantisation du monde, à la «déludification» de l'univers.

Le jeu (*ludum*) s'actionne bien à l'intérieur de ces trois sens lavelliens de l'existence, en un : l'être en tant que manifesté; en deux: le fait d'être posé par soi-même ou par autrui par le tout de l'être; en trois: l'acte même par lequel je me détache de l'être pur pour trouver en lui mon essence. Posé sur la nappe ontologique et la margelle de l'existence, le jeu devient ainsi le locataire de l'Être. Pour être radical, il est, en quelque sorte, son propriétaire, dans le sens qu'il est l'être lui-même, aussi hors de l'être et par lui (le jeu) l'être surgit, éclate, s'actionne. Enlevez le jeu dans l'univers, la Création entière n'existe plus, même pas Dieu. Le plus grand joueur et le plus beau jeu. Voir en partie b) du deuxième chapitre. Et par un renversement total, le jeu dépasserait, dans mon opinion, les apanages mêmes de l'être, nommées aussi attributs, c'est-à-dire l'*unum*, le *verum*, le *bonum*, l'*étant* pour devenir dans une pureté conceptuelle, le *Ludum*. Le jeu un, vrai, beau et bien. On cherchait un nom pour Dieu, en voilà un: le *JEU*. J comme dans *Je*; E comme dans *Éternité*; U comme dans *Unité*, qui traduit excellement: *Je suis celui qui suis.*

Cette prise de position, ici très nette et un peu précoce, je l'admets, reflète tout à fait ma pensée. Il m'a fallu, et c'est là le discours parfois oblique de l'essai, ménager le lecteur, ne point subitement déplacer son ancrage spirituel, ni froisser le voile de son temple.

Il nous reste à savoir comment le jeu se tient avec l'être et comment, pour nous, dans son être et son apparaître, il joue entre la réalité et l'irréalité. Par ce dernier aspect, il se rattache à l'être dans ses attributs nécessaires; par le premier, il manifeste l'existence dans, par et à travers l'homme. Il n'y a pas contradiction entre cette dernière phrase et l'autre précédente. C'est un jeu de position. Première position, deuxième position.

Il nous faudra affronter l'ancienne métaphysique et expliquer cette sorte d'interdit, de sort que lui a jeté Platon aussi bien sur le *Ludum* que sur les poètes. Le logocentrisme ici est évident. La position du disciple de Socrate est bien connue quant à la poésie. C'est à partir du fils d'Ariston, du descendant de Codrus, dernier roi d'Athénée que la poésie aussi bien que le jeu ont subi, pour des millénaires durant, un large discrédit.

C'est en ré-examinant le livre de Eugen Fink que j'ai pris plus conscience de la réelle difficulté encourue par ce ludologue pour sauver l'*homo ludens* et l'*homo scribens* de l'emprise rationnelle, rigoureuse du divin Platon. Ce n'est, il faut l'avouer immédiatement, qu'en sortant de l'ontologie platonicienne que l'on peut se libérer, pour ainsi dire, de ses chaînes métaphysiques.

Fink se pose la question à savoir d'abord si le jeu est une question philosophique, si elle peut avoir une incidence métaphysique et, à la fin, si le jeu n'est qu'une imitation, qu'une copie, qu'un miroir!

Sans développer ici un discours, ni tomber dans le «dissertationnel», j'étalerai brièvement la thèse finkienne et autre que j'assaisonnerai ou agrémenterai souvent de quelques prises de position personnelles. Il s'agira pour moi en tout temps de sauvegarder ma liberté de pensée et d'écriture en ingérant-digérant les deux démarches. Peut-on parler d'un discours et d'un style diptères chez l'homme?

C'est un discours à côté, près de celui que je vais tenir. Mais avec, au centre, le Je olympien. C'est l'écriture de l'essai, face à l'écriture scientifique. Ma conduite, avec les nombreux auteurs avec qui j'ai eu et j'aurai commerce, vient de subir un virage littéraire. Habitué à la «discipularité» qui convient aux ouvrages sérieux, aux thèses académiques, j'ai fort à me défendre (il s'agit bien encore d'un exercice académique) contre cette manie de ne jamais faire un pas ou avancer un mot, sans l'aide d'un auteur, d'un tuteur hautement choisi. C'est la façon allemande. Même celui qui est devenu maître quelque peu de sa pensée et de son écriture sent toujours le besoin de se rattacher à un cordon ombilical. Le retour à l'origine. Lisez les ouvrages de fond européens dans une discipline donnée et vous verrez avec quelle précaution, quel artifice on joue avec la référence et la révérence. Conduite du «logocentré».

Il me faut me débarrasser de cette scientificité de «l'escrituraire», pour opérer ce nouveau virage technique de l'écriture essayiste et prendre une attitude, je dirais, péripatéticienne de l'écriture, par laquelle je viens, je vais librement avec les grands maîtres de la pensée et du style. Je les interroge, je recueille des réponses et à la fin, par une sorte d'osmose intellectuelle proche de l'impudence et près de l'imprudence, «j'institue» mon discours et je monte à la tribune. Je dois aussi donner figure aimable au sérieux du discours scientifique, le rendre presque gai, parfois «vagabondaire», mais toujours dans les normes de l'honnêteté de la parole. J'irai jusqu'à rappeler ici ce que disait Descartes en son poêle en Hollande: «Il n'y a pas tant de perfection dans les ouvrages (maison, ville, constitution...) faits de la main de divers maîtres qu'en ceux auxquels un seul a travaillé». Poursuivons.

Il a toujours été dans le mode de dire que le Jeu est une action sérieuse et non-sérieuse, que ce «faire comme ci» est seulement un paraître, une réalité, un mélange, pour ainsi dire, d'être et de paraître, un être paraissant (paressant) et un par-être étant. Ceci a amené chez les philosophes la troublante question de savoir ce qu'est le Jeu en soi, d'identifier son rang ontologique, de le différencier des autres étants dans la relation au monde, dans sa position mondaine de l'homme. C'est dans le difficultueux fragment trente-deuxième d'Héraclite le silencieux que Fink cherche une réponse. Je trouve très beau, au début, ce rapport qu'Héraclite fait entre les hommes et les dieux, rapport établi sur le feu mondain toujours vivant par lequel l'homme à son tour, à l'instar des dieux, s'éclaire, mûrit, produit en jouant et tend par une sorte de théurgie, à devenir à son tour le feu qui s'élève, dévoile la parole dans le rôle d'écrivain, de poète. On sent déjà toute l'activité cosmique que signifie en arrière le feu, la lumière, le temps, le jeu et la raison. «L'Univers qui porte l'or, la lumière de l'Être...»

Mais avant ce regard dans la voilière de l'Univers où se tient la «cosmicité» divine (peut-être Dieu, après tout!», on ne peut, certes, oublier l'homme qui partage, en un sens fonde cet Univers dans une sorte de totalité, je ne dirai pas misérable, mais particulière, intra-mondaine. Il y a donc ici un face-à-face, deux plans noétiques: la totalité cosmique et la totalité intra-mondaine. L'une, un vase clos dans une position d'équilibre insta-ble; l'autre une océanité sans borne, infinie dont la coupe déborde l'in-commensurable.

Je reviens à Eugen Fink. Je résume les cinquante premières pages de son livre.

> 1. Toutes les choses en général sont intra-mondaines, ou encore: l'être de tous les étants est nécessairement saisi comme être-dans-le-monde.
> 2. L'homme est une chose intra-mondaine qui existe dans un rapport extatique avec tout le monde qui, concerné par l'univers, se tourne vers celui-ci en le comprenant; c'est pourquoi il faut comprendre qu'il «est-dans-le-monde» sur un mode particulier (6).

La métaphysique a toujours eu pour effet chez l'homme de l'amener à regarder le ciel, à mesurer l'ascension des astres, à lui demander toujours de se surpasser, de se tirer hors de soi, au-dessus de soi et, par le fait même, d'être hors du monde. C'est l'effet extatique, extasiant, disons, exténuant. Viser Dieu, se dépasser, se transcender continuellement, n'est-ce pas un peu trop demander à l'homme? Peut-on suivre tous les jours la trace de Zarathoustra? L'expression heideggerienne «être-dans-le-monde» fait comme pendant à ce surpassement, à cette transcendance. C'est pourquoi ce même philosophe, lequel fondera son ontologie fon-damentale sur cette insertion dans le monde, ce concept existentiel de monde, parlera du fondé de l'homme par le dévoilement de l'étant, de son étant. Plus l'homme est étant, plus il se temporalise, «s'historialise».

Eugen Fink trouve cependant que Heidegger, enfin son option très riche d'ailleurs et très nouée, celle de situer l'homme dans le monde, est par trop extatique et demeure encore un concept d'existence, «transcenden-talo-philosophiquement» abstrait. La critique de Fink vis-à-vis Heidegger se résume dans cette question. «Comment sommes-nous com-munautairement ouverts à la profondeur mondaine de toutes les choses?»

---

6. Fink, Eugen. *Ibid.*, p. 47-48.

Mais Heidegger, dans sa deuxième manière (dans le retournement de sa pensée: la Khère), insiste maintenant pour que l'homme ne soit point pris comme le point fixe et que la compréhension ontologique de l'homme soit vue à partir de l'horizon de l'ouverture de l'homme, à l'être lui-même. C'est dire que les existentiaux comme la vérité, le monde, la temporalisation ne doivent pas trouver leur «lieu» dans l'homme mais «que l'homme doit déterminer son «lieu» dans le dévoilement et dans la temporalisation» (7).

Sommes-nous loin du Jeu? Au contraire, on y rentre, on y est toujours. Bien que le Jeu soit antérieur à l'homme, fort loin déjà dans un *illo tempore* spatial et divin, il nous faut poser l'homme, qui seul peut le circonscrire dans sa connaissance et le manifester dans son activité. «L'être-dans (de toutes les choses dans l'Univers) et l'être-dans-le-monde (marqué par un rapport cosmique de compréhension)» c'est l'homme, le rapporteur, celui qui est situé entre le fini et l'infini. Selon la belle métaphore de Fink, l'homme est un centaure, une espèce d'animal juxté entre le *mundus sensibilis* et le *mundus intelligibilis*, entre deux mondes, l'un mi-bestial, l'autre mi-divin. C'est là que je vois la déchirure, l'*in-post-ure* de l'homme. L'emboîture ne signifie-t-elle pas ici, ce coup de l'Ange porté contre la nature animale de l'homme pour immobiliser, tuer en lui ce côté centaurique qui, avant les temps de la Grâce, proliférait dans le monde. Les Centaures, les Silènes, dieux mineurs de la Terre (comme les Satyres, de nature hommes-chèvres) étaient mi-hommes, mi-chevaux. Ils représentent la bête en l'homme. Le mal inscrit dans l'homme, dans l'Univers. Un côté consolant cependant, c'est que l'hypomorphisme possède heureusement un visage solaire, diurne et qu'aussi parmi les Centaures, fils de Philyra et de Chronos, il y eut ce bon Chiron, «le plus sage et le plus savant des Centaures». Pré-figuration mythique possible de Jacob devant sa destinée future. Nous reprendrons plus tard ce visage «géryonique».

Connaître l'homme, c'est aussi apprendre le jeu, et l'auteur ci-nommé, avance ouvertement que «le jeu représente l'homme, qu'il est un phénomène-clé d'un rang vraiment universel» (8). Le jeu a figure de divinité. Sa «cosmicité», son illimitation, son «inépuisabilité» le placent comme un étant extra-mondain et intra-mondain. Le plan extra-mondain est plutôt conceptuel et par le fait même nous égare. Conceptuel et métaphorique. Si on a vu en lui une des propriétés de l'être, on peut adopter, faire sienne la pensée primitive qui appelait la course du monde (l'*aïon*) «un enfant qui joue», - «le royaume de l'enfant». Ceci comprend le temps, l'espace, les choses qui s'épuisent à la longue par manque d'énergie. Le plan intra-mondain nous fait mieux comprendre l'action

7. Fink, Eugen. *Ibid.*, p. 53-54.
8. Fink, Eugen. *Ibid.*, p. 54.

du jeu dans l'homme et l'action de l'homme dans le jeu. La course de six-jours ou le voyage autour du monde n'a pas la même sidéralité que la course du monde dans l'Univers. Il apparaît que le jeu de l'homme, celui de la quotidienneté serait une esquisse très pâle, banale même, à côté de celle du grand jeu des êtres, des mondes et des choses. C'est nous, et nous seuls, qui pouvons l'identifier quelque peu, l'authentifier et même vouloir se le ré-approprier. À ce moment-là, il y a lieu de parler d'une sorte d'anthropomorphisation du jeu, d'une «ludologie», «ludo-cratie», etc. L'homme actuel est même «ludivore». L'idée directrice de Fink se ramène à celle-ci que «pour comprendre le jeu, il nous faut connaître le monde, il nous faut accéder à une intention du monde» (9).

Mais ce qui embarasse fort les philosophes, c'est que le Jeu existe en soi, qu'il est existé par l'homme, l'animal, le végétal, le minéral, bref, la nature entière, qu'il a donc d'abord une existence logique (existentiale) puis une existence expérimentale (existentielle), mais surtout, qu'il est à la fois réel (l'enfant qui joue aux billes) et irréel (le jeu idée, abstraction est *logos*, être de raison)... Ceci relève de la haute métaphysique. L'Être-jeu et le Jeu d'être...

Le caractère d'irréalité du jeu met en branle un bataillon de raisonnements devant un des grands problèmes fondamentaux de la philosophie: le problème de la connaissance. Inutile d'exposer ces théories, qui depuis la dialectique de Platon jusqu'à la dictée (*sage*) quaternaire de l'être-à-quatre (terre, ciel, divins, mortels) chez Heidegger, ont hanté profondé-ment la conscience des penseurs. Rappelons-nous seulement, par exem-ple, ces bouts de phrases qui révolutionnent le monde et la pensée au sujet de la connaissance Chez Parménide («car il est impossible de dire ou de penser comment l'être pourrait n'être pas»); chez Platon («applique maintenant à ces quatre divisions les quatre opérations de l'âme: l'intel-ligence à la plus haute, la connaissance discursive à la seconde, à la troisième la foi, à la dernière l'imagination»;) (*République*, VI, 509d-511c); chez Plotin («De plus tous les êtres arrivés à l'état de perfection engen-drent; donc l'être toujours parfait engendre toujours; il engendre un objet éternel; et il engendre un être moindre que lui») (*Ennéades*); chez saint Thomas («la vérité est l'adéquation de la chose et de l'intelligence») (Somme théologique); chez Bacon («Il faut se garder de permettre à l'entendement de sauter, de voler, pour ainsi dire des faits particuliers aux axiomes...») (*Novum organum*, 1); chez Locke («un mot, l'expérience, c'est le fondement de toutes nos connaissances») (*Essai concernant l'en-tendement humain*); chez Hume («Alors l'accoutumance est le grand guide de la vie humaine») (*Enquête sur l'entendement humain*, sections IV et V); chez Descartes («Prenons par exemple ce morceau de cire»)

9. Fink, Eugen. *Ibid.*, p. 63.

(*Méditations* II); chez Pascal («c'est le coeur qui sent Dieu et non la raison. Voilà ce que c'est que la foi: Dieu sensible au coeur») (*Pensées*); chez Malebranche («Il n'y a que Dieu que l'on connaisse par lui-même») (*Recherche de la Vérité*, III); Chez Spinoza («Il est de la nature de la Raison de percevoir les choses comme possédant une certaine sorte d'éternité») (*Éthique*, II, 44); chez Kant («En effet, l'expérience elle-même est un mode de connaissance qui exige le concours de l'entendement») (*Critique de la Raison pure*); Chez Hegel («le concept se développe à partir de lui-même, progresse et produit ses déterminations d'une manière immanente») (*Principes de la philosophie du droit*); chez Marx («Pour moi au contraire, le mouvement de la pensée n'est que la réflexion du mouvement réel, transporté et transposé dans le cerveau de l'homme») (*Le Capital*, 1); chez Sartre («L'homme se définit par son projet») (*Questions de méthode*); chez A. Comte («chacune de nos conceptions principales, chaque branche de nos connaissances, passe successivement par trois états théoriques différents: l'état théologique ou fictif; l'état métaphysique, ou abstrait; l'état scientifique, ou positif») (*Cours de philosophie positive*, I); chez W. James («le «vrai» consiste tout simplement dans ce qui est avantageux pour notre pensée...») (*Le Pragmatisme*, leçon VI); chez Lagneau («Or, le chaos n'est rien. Être ou ne pas être, soi et toutes choses, il faut choisir») (*Célèbres leçons*); chez Poincaré («En résumé, la seule réalité objective, ce sont les rapports des choses d'où résulte l'harmonie universelle») (*La valeur de la science*); chez Dilthey («il (l'homme) ne trouve que toutes les valeurs, tous les buts de la vie sont enclos dans ce monde spirituel...») (*Introduction à l'étude des sciences humaines*); chez Bergson («l'intelligence est l'attention que l'esprit porte à la matière») (*La pensée et le mouvant*); chez Bachelard («la connaissance du réel est une lumière qui projette toujours quelque part des ombres») (*La formation de l'esprit scientifique*); chez Piaget («Le propre de la connaissance scientifique est donc de parvenir à une objectivité de plus en plus poussée...») (*Logique et connaissance scientifique*); et enfin chez Foucault («Ce n'est pas en enfermant son voisin qu'on se convainc de son propre bon sens») (*Histoire de la folie*),*et caetera, et caetera.*

Non, je ne succomberai pas, même si ce feu de la raison et de la connaissance est attirant comme ce volcan d'Empédocle ou «ce désir insurmontable de se baigner», dans le rêve de Novalis. Non, je ne ferai pas le tour de monde du problème de la Connaissance, ni irai comme Orphée chercher Eurydice aux enfers. *Puerte*, comme dit Galilée, cette irréalité est là..! Et je ne peux nier qu'elle ne soit rien puisqu'elle est quelque chose. Elle est «un trait essentiel du jeu humain». Le jeu serait, comme la poésie, *mimésis*, copie. Mais de quelque façon le jeu et la poésie sont-ils une copie?

Dire que le jeu et la poésie est une irréalité, que cette irréalité est une image, ça va. Pour le moment... Mais expliquer cette irréalité à la manière de Platon, c'est-à-dire à la manière d'un reflet, d'une copie dans l'eau, c'est dévaluer passablement le jeu et la poésie. Chez Platon, ce fameux problème du miroir, du jeu de l'enfant, c'est dans *Les Lois* qu'on trouve l'explication physique du jeu dans ses grandes lignes; (voir aussi*République*, *Gorgias*, *Politiques*); c'est dans ces textes qu'il est posé comme un jouet en plastique, un *Tunken*, qui fait que sur un présentoir, un camion re-présente un camion et réfléchit bien ce camion. Donc, le camion comme le jeu est une image réfléchie. Une copie. La copie du camion renvoie à un camion. Mais le jeu renvoie-t-il à l'homme? Il «co-respond» à l'homme. Et cette correspondance essentielle n'est point un reflet. L'image est passive dans son exemplarité. Elle copie seulement. Le jeu est *actif*, il appartient au monde de l'essence, de plus, il sert de symbole. La structure est à peu près la même. Par exemple, si je choisis un masque, il peut être, à n'en point douter, une représentation de ce que je veux être, de ce que je suis dans mes phantasmes. Alors une image réfléchissante de moi, de mon inconscient n'est pas la totalité du moi. Elle serait un aspect, un moment de moi, en un moment donné d'une enfance chaleureuse ou sclérosée, par exemple. Il pourrait, ce masque, s'envelopper ou représenter même tout le contraire de moi, de ce que je veux signifier d'horreur ou de beauté que je véhicule par lui, hors de moi.

Dans le langage classique, cet ajout serait soit une protection, soit une manifestation, soit un signe. Il y a ici une existence assez particulière du moi, du non-moi. Le masque, on le sait, sculpté par l'inconscient est comme le jeu, un faire paraître et disparaître. Un par-être, un par être à deux dans le disparaître. La théorie du double. Le jeu du miroir chez Platon, Derrira, Piaget. Le *mimicry* chez Caillois.

Il n'y a pas à se demander si l'homme est jeu et le jeu est homme. L'homme et le jeu (comme réalité) est une modalité d'être de l'étant; le jeu (comme réel et irréel) est une copie devenue symbole, aussi une modalité d'être, une des facettes de l'être qui joue à et avec l'étant. On joue parce que et par ce que l'on est homme. Je joue le jeu, mais le jeu me joue. Il m'habite, prend ma figure, mes gestes et je ne fais qu'un avec lui. À la fin, qui n'est que la fin d'un jeu, le Jeu continue et me révèle à moi, en révélant le monde et son dessein. Le jeu auquel on a attaché le beau, donc apparence de l'être au côté de l'Être (Idea, le Bien) ne serait dans le système platonique qu'un prodrome. Une manifestation qui indique et/ou qui dissimule.

Platon ne rejette pas la poésie mais ce qu'elle prétend être, il n'abandonne pas le jeu, mais ne lui donne pas sa place dans l'essence et ne l'accepte qu'en tant qu'intermédiaire. Il refuse aux poètes «la prétention de dire le vrai sous l'inspiration des Muses et d'Apollon». Premièrement, le peintre, le poète ne produisent pas; deuxièmement, ils ne font que de la répétition comme un miroir et, comme lui, sont totalement improductifs. Ainsi le jeu, comme le miroir, n'est qu'une copie, une impuissance; celle de n'être qu'une image. Si l'on connaît un peu le système de Platon, l'on saisit mieux pourquoi et comment la poésie, la peinture, l'art et le jeu ne sont, dans sa métaphysique, que des copies dévaluées. Son Cosmos est ainsi fait. En haut, le Bien (l'*agathon*, le *Nous*, la raison cosmique) où n'accède que la seule pensée; en dessous, les idées particulières, les images originelles de ce qui est identique ou différent (repos, mouvement, etc.); encore en-dessous, le Cosmos en tant que copie de l'idée de bien. Ce Cosmos a été assemblé par le *Nous*-artisan. (Le *Démiurgos*). Situé entre les idées éternelles et les choses sensibles qui naissent et disparaissent, le Cosmos jouit de l'impérissabilité. Puis en bas complètement, le tout ce qui est étranger à l'esprit, c'est-à-dire la *Chora*, la sombre matière qui fournit l'étoffe à l'activité formatrice de la raison-architecte-du-monde.

Alors, on vit dans un monde de raison (un *Logos-Raison*, un *logos-physis*) d'une haute *technè* cosmogonique dans lequel l'art, le jeu, la guerre ne sont point des moments cosmiques fondamentaux. Le point de vue de Platon sur le Jeu, vu comme un dérivé, est vrai, en partie, mais à cause justement de la représentation de son modèle idéel et idéal logocentrique, à son «mauvais regard de désenchanté», il dénonce chez lui, peut-être, une espèce de crainte de voir renversé et incohérent son système rationnel de la hiérarchie universelle. Un «Logocentrisme» Génial. Intouchable.

Si Platon avait, comme tentent de le faire certains philosophes, sociologues, psychologues actuels, remplacé l'idée de bien, de l'Idée tout court, par celle de Jeu comme étant le tout du monde, le monde du Tout, j'imagine que toute la pensée occidentale aurait subi une transformation profonde dans le penser et l'agir humain.

Le jeu se prête au miroir. À la longue, il le dépasse, le devient. Il n'est plus la copie, le reflet, l'image. Il a la figure solaire du symbole. Il n'est plus un inférieur, un déchet, un en attendant du sérieux, d'être sérieux, mais une propriété de l'être appartenant à l'essence de l'Être. À remarquer que je suis toujours en position première du problème. En venant illuminer l'intra-mondain en tant que mouvance créatrice et spirituelle, il se met en jeu dans et devant l'extra-mondain et fait comme un lien entre lui et les hommes, entre les hommes et les dieux. Comment? Par l'attitude de la foi, de l'extraordinaire, du fabuleux, de la magie et du miraculeux. Le premier jeu joué par l'homme primitif ne fut-il pas le cultuel, la Fête où se révélait la transe, l'extase et la foi jeune de la tribalité, de toute la «clanicité?»

Le symbole qui n'est point un signe artificiel, peut-être à ses débuts, (enfin un symbole fait toujours des signes) était bien un objet coupé en deux. Donc, deux morceaux, deux fragments d'un même objet. Ou si vous voulez, un fragment qui attend son complément. Si l'on se réfère au mythe de l'Amour dans *Le Banquet* de Platon, on peut considérer que tout être fini cherche ou aspire à un autre être fini pour le compléter (disons, achever sa finitude). Ici, la première moitié serait l'être morcelé, l'homme qui trouve sa «co-respondance» dans son complément ou le Jeu. Le symbole (*symballein*) permet la concordance, la rencontre d'un fragment avec son complément. Ce dernier, il ne faut pas ici prendre le Jeu comme un étant inachevé, un être d'incomplétude que complèterait l'homme, le monde en s'achevant; ce dernier, dis-je, (avec l'allure d'ina-chèvement) vient faire irruption dans le monde comme le soleil, vient achever la profondeur de l'homme, de l'intra-mondain en donnant à l'homme force, lumière, chaleur et transparence.

Je vois bien que toute métaphore est nécessairement boîteuse. Combien le symbole «toujours expression de l'inexprimable», dit Janet, prend sa dynamique émotive quand il représente chez l'enfant et l'homme primitif les naissances naturelles sous le jeu des êtres susceptibles de les repré-senter (danseur, sorcier, acteur, prêtre) dans le jeu cultuel. Dans ce rapport cosmique avec les forces de l'au-delà, le jeu perd sa figure d'irréalité, de copie pour devenir la réalité tremblante, extatique, troublante et pour donner sens, angoisse et enchantement dans la nouvelle vision du monde (*Weltangschauung*).

Combien aussi l'homme actuel, l'*homo ludens, scribens, rationalis, homo faber, economicus, technicus, domesticus, ethicus, religiosus* se voit en-core confronté aux symboles non plus les puissances des bois et des sources (images d'Épinal), mais devant encore la respiration profonde, cachée et présente des mystères, des symboles, des mythes qui nous entourent; devant l'effroyable tragédie de l'existence, le drame de l'homme; devant l'incertitude de l'avenir humain, la présence continuelle de l'isolement, de la maladie et de la mort; devant l'irrespirable et l'in-nommable face du Destin, de l'Histoire, l'insinueuse et déchirante trace de Dieu.

3. Tout est jeu ou Rien n'est jeu

Tout est jeu comme tout est *logos*. C'est lui qui par les trois forces élémentaires axelosiennes, aussi les quatre puissances médiatrices fon-damentales fait accéder l'homme au jeu, fait surgir le jeu dans l'extra-mon-dain, fait sortir de l'Être, l'Idée de la totalité du Monde d'où le Jeu est venu, le changement, le mouvement, le Devenir; c'est lui (*logos*, raison divine) qui non seulement est responsable du jeu, en fixe les règles mais fait tout jouer, tout participer à cette vaste motion ludique et qui nous convainc de dire que *Tout est Jeu.*

Ce tout est Jeu nous enveloppe maintenant dans cette pensée fondamentale que notre existence s'identifie au jeu, que raisonner, c'est jouer et que nous pourrions affirmer hautement, paraphraser résolument Descartes et dire: «*Ludo ergo sum*». Et même plus globalement: *Sum ergo ludo.* Soutenir l'autre face de l'aporie que *Rien n'est jeu*, me paraît le plus bel acte de foi fait au néant. C'est le jeu de la destruction, du nihilisme. L'hommage à l'absence, à la vacuité. Le coup de pied à la lune du réel. Le sens de l'être, du sacré, du devenir du monde chute dans le vertige du non-être.

C'est le jeu du *Tout ou Rien*. En réponse philosophique, on peut appuyer immédiatement le dire de E. LeRoy, (*Revue des Deux Mondes*) que le rien, synonyme de néant, ne peut être pensé qu'en référence à quelque chose, de sorte que «littéralement la pensée d'un néant ne serait que le néant de la pensée». On peut aussi souscrire à la pensée de Paul Valéry (*Variété*, 25) «que l'idée de néant est néant; ou qu'elle est déjà quelque chose: c'est une feinte de l'esprit qui se donne une comédie de silence et de ténèbres parfaites»; ou encore, on peut s'associer à la réflexion de Jean-Paul Sartre (10) «qu'il n'y a de non-être qu'à la surface de l'être». Kant dans la *Critique de la raison pure* a formulé une quadruple définition du rien: 1º - Le rien est un «concept vide sans objet», il n'implique pas de possibilité; 2º - le rien est un «objet vide d'un concept», il marque le manque, comme le froid; 3º - le rien est une «intuition vide sans objet», l'espace ou le temps pur; 4º - le rien est un «objet vide sans concept», il contredit la possibilité.

La réponse négative se tient plutôt du côté social, pédagogique, dans un monde où le jeu a été renié, minituarisé, «néantisé» dans les structures sociales et scolaires «sérieuses». Et aussi tout l'appareil psychologique qui proclamait que le jeu est le fait de l'enfant, qu'il est un moment récréationnel entre des heures d'études sérieuses. L'aporie ne surgit pas d'elle-même en soi, mais vient plutôt d'une perception ancienne, d'une mentalité vétuste d'un monde organisé en vue de tuer l'enfant pour le faire devenir adulte, le rendre un «homme sérieux». À ce compte, l'aporie, si elle pouvait exister, ne tiendrait que dans ce jeu d'être et de non-être, c'est-à-dire dans le paraître et le dis-paraître qui caractérise la forme évanescente du jeu de l'homme et de l'Univers. La thèse du *Rien n'est jeu* (exigence dialectique henriotienne) ne fait que mieux promouvoir la thèse d'en face du *Tout est jeu.*

---

10. Sartre, Jean-Paul. *L'être et le néant.* Paris, Gallimard, 1953. p. 52.

4. La pensée axélosienne

Avant de procéder à la prochaine étape de ce présent chapitre ou la protohistoire et l'histoire du Jeu dans la création mythologique et biblique, il s'impose de faire connaître les trois forces élémentaires et les quatre grandes puissances fondamentales qui actionnent le jeu du monde. Les premières Forces élémentaires s'appellent le langage et la pensée; le travail et la lutte; l'amour et la mort; le jeu. Les secondes, les quatre grandes puissances se nomment la magie, les mythes et la religion; la poésie et l'art; la politique; la philosophie, les sciences et la technique.

D'où Kostas Axelos puise-t-il ses catégories ou sériations? Dans un simple adjectif démonstratif, le *ce* de la définition de l'essence ou de la quiddité: *ce* qu'est une chose ou *ce* par quoi on répond à la question *quid est?* Ce fameux *ce* qui traduit ce qu'on veut définir et qui mène à tout ou à rien, veut dire chez le penseur le *est*. Le *ce* qui est. Le *Cela*. Le Cela *est*. On pourra mieux saisir aussi le schéma du Jeu en devenir de la totalité du Monde. Tableau d'ailleurs que je me fais un devoir de présenter dans son intégrité, quitte à le refacturer en fonction, non pas d'une idéologie basiquement différente, mais d'un renversement, disons d'un retour des choses à l'Être-jeu. Ici se fera peut-être mieux comprendre l'action divine dans l'Univers et l'action humaine sur le monde.

SCHÉMA NON SCHÉMATIQUE ET CERCLE PROBLÉMATIQUE-MENT CIRCULAIRE DU JEU DE L'ERRANCE, DE «CELA», SAISI À TRAVERS SES CONSTELLATIONS ET SON ITINÉRANCE, NOS ITINÉRAIRES ET NOS RÉITÉRATIONS

SCHÉMA DES FORCES ÉLÉMENTAIRES ET DES GRANDES PUISSANCES DU MONDE

dans le jeu du logos-praxis

LANGAGE ET PENSÉE.
TRAVAIL (animant l'économie) et LUTTE (pour le pouvoir).
AMOUR (s'institutionalisant en Famille) et MORT.
JEU

MAGIE, MYTHES, RELIGION (s'institutionalisant en Église).
POÉSIE ET ART.
POLITIQUE (s'institutionalisant en État).
PHILOSOPHIE (s'institutionalisant en Université), SCIENCES ET TECHNIQUE.

SCHÉMA DE L'HISTOIRE MONDIALE
le devenir-monde du logos-praxis

PRÉHISTOIRE.
[HORS DE L'HISTOIRE: Sauvages, primitifs, archaïques.]
ORIENT: Mésopotamie. Égypte. Inde. Iran. Palestine.
[PARAHISTOIRE: Barbares. Amérique. Afrique.]

OCCIDENT: Antiquité grecque et romaine. Judéo-christianisme [et Islam] oriental - byzantin - et occidental (Moyen Âge).
ÈRE PLANÉTAIRE.

CHEMIN DE LA PENSÉE HISTORICO-MONDIALE
le devenir-logos du monde et de la praxis

HÉRACLITE et PARMÉNIDE.
PLATON et ARISTOTE.
[AUGUSTIN et THOMAS.]
DESCARTES, [SPINOZA, LEIBNIZ,] KANT, HEGEL.
MARX et NIETZSCHE.

Le cela se traduit également chez Kostas Axelos, par diverses valeurs primales, disons premières: l'être, le néant, le devenir, l'espace-temps, la nature, Dieu, la totalité, le monde et le Jeu. Tout le jeu du *Cela* s'érige comme un beau mariage qui tourne, paraît, disparaît dans lequel nous faisons des jeux sur un horizon illimité, enchaîné dans la réalité de l'irréalité ou de l'innommable. L'Être qui est la totalité du monde; le néant, cet «invisible qui frappe à nos portes»; l'espace, jeu où le temps est en jeu; le temps, un mouvement de l'espace; le monde, l'énorme interrogation, «le berceau et tombeau» de tout ce qui est. Et l'homme par les forces élémentaires et les grandes puissances fondamentales va déployer à son insu ou non, des jeux divers dans le jeu du Cela. Un Cela en jeu de bielle.

		Approche spéculative et techno-théorique	Aproche techno-scientifique
(LE JEU DE) L'ÊTRE EN DEVENIR DE LA TOTALITÉ DU MONDE — Philosophie première et générale; métaphysique; ontologie	LOGOS	Grammaire, Rhétorique. Théorie du langage. Sémiologie. Logique; dialectique. Théorie de la connaissance et de la science; méthodologie; épistémologie.	Linguistique. Mathématique. Logistique. Cybernétique. Théorie des jeux
	DIEU	Mythologie. Théologie.	
	PHYSIS	Mythologie et religions cosmogoniques. Philosophie de la nature et de la vie	Mécanique. Astronomie. Physique. Chimie Géologie. Minéralogie. Botanique. Zoologie. Physiologie. Biologie.
	HOMME	Anthropologie philosophique. Éthique. Pédagogie.	Psychologie. Psychothérapie. Médecine psycho-somatique.
	HISTOIRE	Philosophie de l'histoire. Philosophie sociale et politique.	Ethnologie. Histoire. Géographie humaine. Démographie. Économie. Droit. Sciences politiques. Sociologie.
	POÉSIE ET ART	Poétique. Esthétique. Théorie des arts particuliers.	Philologie. Histoire littéraire. Archéologie. Histoire et technique des arts.

Dans une giration modèle, Axelos réunit dans l'axe du monde dont le centre est le Jeu, l'histoire de l'Univers (11).

11. Axelos, Kostas, *op. cit.*, p. 218.

Passer du cercle axelosien à un triangle de facture personnelle, toujours sur le Jeu du Monde, ne peut admettre comme raison l'idée de faire différent de, ou l'effet d'une figuration capricieuse. Le triangle dont la symbolique plurielle a révélé autrefois un champ sacré, architectural, logique, social, mathématique énorme n'a pas la perfection abstraite du cercle. Sa densité et son angulosité triangulaire démontre plus d'éléments par les six sécantes et débouche vers un infini entrecoupé qui vient cerner mieux, à l'examen, une situation, un problème, sans l'enfermer. Cette figure permet toujours la reprise du problème, sans l'enfermer. Dans le cercle pas de division. Le serpent qui se mord la queue; l'image cyclique, infinie de l'époque grecque. C'est la figure du temps, du ciel, de la mystique, du destin, de l'harmonie, de l'intelligence, etc. K. Axelos à propos du Jeu du Monde a bien raison d'illustrer cette fonction basique par ce symbole fondamental. Le monde est rond. Tout est «bombéiste», non triangulaire ou carré.

J'ai accepté d'utiliser le triangle, symbole de la fécondité. Cette figure, clef de la géométrie prend sa référence dans la concrétude. Visage: le delta du Nil. Ce qui permet le renversement et le déménagement du point central. Dans la giration d'Axelos, le Jeu du Monde, sous l'empire des forces élémentaires et des grandes puissances du monde, part de l'homme; dans le triangle, le jeu part de Dieu, de son jeu puisqu'il est le seul et premier grand Joueur qui fait jouer tout le reste. Ceci ne risque-t-il pas de sacraliser à fond le Jeu, d'en faire l'activité unique et véritable, de titulariser Dieu comme Jeu et Joueur lui-même et de l'investir dans le rôle d'arbitre souverain et maître à la fois du souverain Bien? En effet. C'est la seconde position. Elle manifeste ouvertement que non seulement tout est jeu, mais que le Jeu est tout, que le Tout est Dieu et que Dieu est Jeu. Ce discours ne manque pas de se soutenir en tout temps. Même si le Coran avoue que la vie n'est «qu'un jeu et qu'un passe-temps», supposant ainsi un ciel après, sérieux, immuable, éternel; que pour plusieurs penseurs chrétiens «la vie n'est qu'une vallée de larmes»; pour d'autres, que la «Création est le premier acte de sabotage»; que pour beaucoup d'intellectuels, il y a à la base du christianisme comme «un sentiment tragique», bref, que toute la formule ne ressemble vraiment en rien à un jeu (jeu peut-être du don quichotisme et de l'espoir), je continue à croire qu'en dépit de toute destitution, même celle de Dieu (les 3 morts de Dieu), tout est Logos et que le Logos est en soi Jeu. Parce que tout mouvement, toute parole engage et dégage le jeu qui est Logos. Détresse du Logos. Ivresse du Logos.

«J'ai souvent joué avec l'homme, dit Dieu. Mais quel jeu, c'est un jeu dont je tremble encore. J'ai souvent joué avec l'homme, mais Dieu c'était pour le sauver et j'ai assez tremblé de ne pas pouvoir le sauver», parole d'un poète chrétien et mineur, rapporté par Axelos. Plus loin: «Je joue souvent contre l'homme, dit Dieu, mais c'est lui qui veut perdre, l'imbécile, et c'est moi qui veut qu'il gagne. Et je réussis quelquefois à ce qu'il gagne!» - «Je suis son partenaire et son adversaire».

On a reconnu le style de Charles Péguy. Si c'est le fondateur des *Cahiers de la Quinzaine*, le soldat tué à la bataille de Marne, il peut être chrétien d'accord, mais non mineur... comme le pense Kostas Axelos.

Cette perspective entrevue dans le triangle, page suivante, offre un modèle quelque peu différent, (c'est un *upsidedown*) mais non contradictoire avec notre auteur. Quelle différence voyez-vous entre le haut ou le bas d'un escalier? Question d'observateur et de point d'observation. Autour de la sphère axelosienne gravite la nature, le *logos*, l'homme, l'histoire, Dieu et l'Être en devenir du monde et, sous ces grandes classifications, l'on y rencontre diverses sciences et savoirs pratiques. Au centre du grand cercle, apparaît le noyau, lequel inscrit ces mots, titre d'ailleurs de son magnifique essai, *Le Jeu du Monde*. La lunule situe le Jeu au centre du monde et les flèches rayonnant du disque minuscule, nous renvoient à leur tour à l'exercice du jeu dans le monde, dans le *logos*, l'histoire, Dieu, etc. C'est le déploiement du jeu à travers les grandes puissances et leur mise en mouvement de celles-ci par les forces élémentaires. Il dira par exemple: «Ce n'est pas le monde qui est un jeu divin. C'est Dieu qui est un jeu mondain».

Cette dernière pensée d'Axelos se rapproche passablement de la mienne et en même temps, du premier coup d'oeil, s'en sépare considérablement. Est-ce une question de représentation graphique qui viendrait comme obnubiler la pensée de l'auteur ou si c'est le point de départ idéologique de l'écrivain qui n'arriverait point à s'installer dans la figuration? Aussi, je me mets en cause, est-ce que mon dessin correspond à mon dessein?

Si l'on examine de nouveau la sphère d'Axelos, on s'aperçoit que *Le Jeu du Monde* explose et produit Dieu, le *logos*, la nature, etc. Donc, que le jeu du monde part du monde pour reproduire l'au-delà du monde et du Jeu. Si maintenant on regarde le triangle, le Jeu prend sa racine dans Dieu, s'identifie à Dieu, jette pour ainsi dire Dieu dans l'Univers, dans le plus grand jeu d'artifice au monde qu'on appelle la Création. Bien avant, Dieu avait déjà fait quelques coups de théâtre, derrière le rideau. Quand ce dernier se leva sur l'immense scène, l'homme s'aperçut que la pièce était commencée et qu'il fallait à son tour jouer le drame le plus horrible de tous les temps: celui d'avoir été éjecté de Dieu (effet de sa plus grande gloire) (!) et d'avoir, après ce traumatisme de la naissance et le long jeu cosmique et dramatique de son existence, à revenir à Dieu. Donc, le jeu part de Dieu, fait jouer Dieu en produisant l'Univers qui à son tour joue le jeu du Monde dans le jeu de Dieu.

On peut y voir deux avents: Dieu en devenir de l'homme et l'homme en devenir de Dieu. À reprendre la phrase de Kostas Axelos: «C'est Dieu qui est un jeu mondain...», je ne vois rien maintenant qui me sépare de ce maître, si ce n'est le point de départ qui, le sien, s'exprime dans le monde (le Jeu du Monde) et révèle Dieu; qui, le mien, énonce Dieu (le Jeu de Dieu) et démontre le Monde.

Travail redondant, inutile! Je ne crois pas. C'est l'explication d'un même jeu. Le jeu de l'échelle (échelle de Jacob, par exemple), où un ange monte, tandis que l'autre descend. Axelos explique la dynamique des forces du Jeu; mon herméneutique se ramène à montrer l'état d'un être-dans-le-ciel qui est devenu un être-dans-le-monde.

En conclusion, qu'on parte du Monde (cercle) ou qu'on parte de Dieu (triangle), il faut se rappeler que ces deux jeux opposent continuellement deux joueurs (toujours adversaires, en un sens), dans une partie peut-être historiquement finale, certainement à finir, dans laquelle, les jeux *presque* faits.

Dieu a toujours le huit de carreau...

Et la liberté!

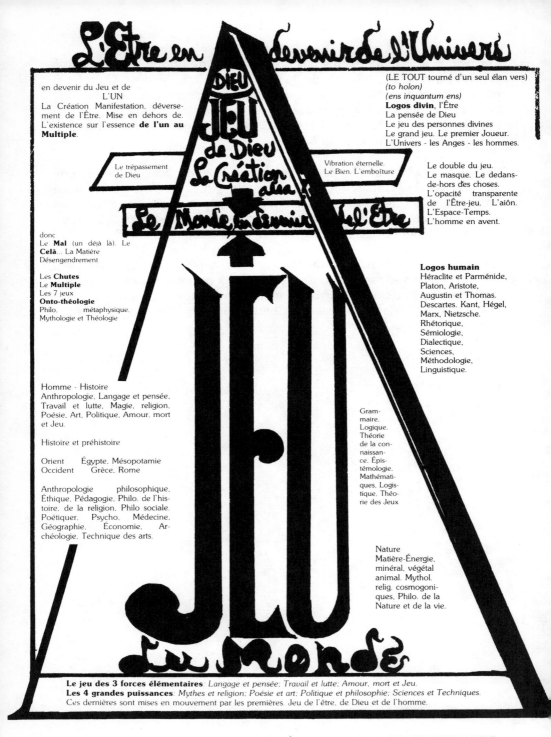

L'Être en devenir de l'Univers

DIEU JEU de Dieu La Création alla

en devenir du Jeu et de
L'UN
La Création Manifestation. déversement de l'Être. Mise en dehors de. L'existence sur l'essence **de l'un au Multiple**.

(LE TOUT tourné d'un seul élan vers)
(to holon)
(ens inquantum ens)
Logos divin, l'Être
La pensée de Dieu
Le jeu des personnes divines
Le grand jeu. Le premier Joueur.
L'Univers - les Anges - les hommes.

Le trépassement de Dieu

Vibration éternelle.
Le Bien. L'emboîture

Le double du jeu.
Le masque. Le dedans-de-hors des choses.
L'opacité transparente de l'Être-jeu. L'aiôn.
L'Espace-Temps.
L'homme en avent.

Le Monde en devenir de l'Être

donc
Le **Mal** (un déjà là). Le **Celà**... La Matière
Désengendrement

Les **Chutes**
Le **Multiple**
Les 7 jeux
Onto-théologie
Philo. métaphysique.
Mythologie et Théologie

Logos humain
Héraclite et Parménide,
Platon, Aristote,
Augustin et Thomas.
Descartes. Kant, Hégel,
Marx, Nietzsche.
Rhétorique,
Sémiologie,
Dialectique,
Sciences,
Méthodologie,
Linguistique.

Homme - Histoire
Anthropologie. Langage et pensée.
Travail et lutte. Magie, religion,
Poésie. Art. Politique. Amour, mort
et Jeu.

Histoire et préhistoire

Orient   Égypte, Mésopotamie
Occident   Grèce, Rome

Anthropologie   philosophique.
Éthique. Pédagogie. Philo. de l'histoire, de la religion. Philo sociale.
Poétiquer. Psycho. Médecine.
Géographie.   Économie.   Archéologie. Technique des arts.

Grammaire.
Logique.
Théorie de la connaissance. Épistémologie.
Mathématiques. Logistique. Théorie des Jeux

JEU

Nature
Matière-Énergie,
minéral, végétal
animal. Mythol.
relig. cosmogoniques, Philo. de la
Nature et de la vie.

Le Monde

Le jeu des 3 forces élémentaires: *Langage et pensée; Travail et lutte; Amour, mort et Jeu.*
Les 4 grandes puissances: *Mythes et religion; Poésie et art; Politique et philosophie; Sciences et Techniques.*
Ces dernières sont mises en mouvement par les premières. Jeu de l'être, de Dieu et de l'homme.

L'UNIVERS EST UN PARC IMMENSE ET SILENCIEUX OÙ LE MONDE DANS UN COIN JOUE BRUYAMMENT
AU POINT QUE L'ON N'ENTEND PLUS RETENTIR LE BRUIT DES DÉS DIVINS.

Partie B

Protohistoire du jeu

1. Nous vivons dans les mythes

Parler de mythologie (*muthos*), c'est en un après-midi, où le ciel tient la terre par des rames de pluie, que nous montons dans le refuge de temps pour y chercher les odeurs secrètes, séchées du grenier; pour y trouver la poussière dense du déjà vécu, dans de vieux tiroirs sombres de chêne massif ou de vieilles commodes défraîchies où meurt en estampes rigides un passé toujours prêt à ressusciter sous la lampe défaillante de notre mémoire usée.

Une maison où je vais seul en appelant
Un nom que le silence et les murs me renvoient
Une étrange maison qui se tient dans ma voix
Et qu'habite le vent.
Je t'invente, mes mains dessinent un nuage
Un bateau de grand ciel au-dessus des forêts
Une brume qui se dissipe et disparaît
Comme au jeu des images.

Pierre Seghers (*Le Domaine public*, p. 70)

Dans quelques coins
du grenier j'ai trouvé
des ombres vivantes
qui remuent.

Pierre Reverdy (*Plupart du Temps*, p. 88)

91

Cette cave ou ce grenier à la dimension des astres fait partie de la maison de l'Univers. Qu'allons-nous y rencontrer? De vieilles histoires, d'anciens mythes, la première écriture, le Jeu divin du Monde. C'est, en un sens, le mythe, une sorte d'histoire sainte des dieux quand, dans le temps qui s'est mis à avoir un «commencement», il y eut un départ, une création. «Les mythes décrivent, dit Mircea Eliade, l'irruption du sur-naturel dans le Monde... C'est à la suite des interventions des Êtres Surnaturels que l'homme... est un être mortel, sexué et culturel».

La mythologie pour la théologie et la philosophie a toujours paru suspecte, surtout de nos jours, parce qu'elle a ses religions à soi, ses idoles, ses histoires, sa généalogie et qu'elle pourrait, comme elle l'a fait de nombreux millénaires durant, les remplacer. Et pour peu qu'on soit très ignorant ou assez savant, le fabuleux, le miraculeux plaît. Dans un temps de haute science, (les trois siècles derniers), se tenir attaché aux récits anciens, aux dieux d'Homère et de Virgile, quand les Grecs eux-mêmes, les plus avancés, suspectaient le bien-fondé de l'Olympe, peut démontrer deux choses: une ignorance invincible ou une culture humaniste, produit du luxe des civilisations de loisir. Il y a aussi un troisième, celle où, lorsque la science est à bout d'expliquer, l'on s'accomode de la mythologie pour faire le reste.

Cependant, il y a une chose qui m'étonne, dans l'approche du millésime, dans la profusion des institutions de haut savoir, dans la géhenne des polyvalentes, des mass media fort répandus, des bibliothèques dépassant de beaucoup la taille de celle d'Alexandrie, des inventions se moquant de «l'ustensilisme» primaire, c'est la persistance, encore vigoureuse parmi les populations mondiales, de la mythologie. Non pas celle d'Ouranos mangeant ses enfants, ni celle des nécessaires sacrifices humains à des idoles à satisfaire, ni celle de la guerre des Titans (et encore!), mais celle qui s'étale sous nos yeux et dans une bonne partie de la littérature écrite, évidemment aussi dans nos jeux. Il n'y a qu'à regarder autour de nous pour nous en convaincre. Sur le plan seul commercial, industriel, nommez-moi un nom qui ne se véhicule pas devant nous, qui ne se machine point, ne se vend point, ne s'annonce point sous un nom d'établissement quelconque, ou commercial ou industriel toujours, qui n'a pas son pendant nominal dans le bréviaire de la mythologie? Surtout grecque et latine. Je vois rouler des «Mercury», avec des pneus «Atlas», ainsi que des camions «Macht» ou «Mack»; j'ai vu des avions militaires américains géants, des «Hercule», des avions des plus modernes, le «Concorde», une compagnie «Zeus-New England Inc.», une boutique «Vulcain» et pas loin de chez moi, on montait une «éolienne». Par plaisir, j'ai pris de l'annuaire de Montréal, «Pages jaunes», quelques «pages blanches» seulement, même pas dix pages sans rencontrer le nom soit de Jupiter, Junon, Vénus, Tartare, Érèbe, Aphrodite, Métis, Esculape, Apollon, Hercule,

Saturne ou la nomination des attributs des dieux ou des divinités allégoriques ou des arènes de leurs jeux.

Nous vivons en pleine mythologie grecque, nous respirons des mythes, «nous sommes dévorés par les mythes», écrira Balzac dans *La vieille fille*. Nous pensons souvent d'une façon mythique. Nous sommes malgré nous des mythomanes.

À part ceux relevant de l'économique, il ne faut pas oublier le domaine du langage (chaos, dédale, furie, génie, mentor, pénates, sphinx, terminus, érotisme, morphine, musée, panique, orphisme, volcan, sortir de la cuisse de Jupiter, tomber de Charybde en Scylla, un narcisse); de la toponomie, de la graphie des noms (Diane); de l'art (le nombre incalculable de Parthénon dans le Monde); de la littérature mythique où s'attachent les noms de Jean LeMaire Belgeois (*Les Épîtres de l'Amant vert*), d'André Chénier (*L'Enlèvement d'Europe*), de Chateaubriand (*Le Génie du christianisme*), Hugo (*La Fin de Satan*), Maurice de Guérin (*Centaure*), Leconte de Lisle (*La Phalange*), Claudel (*Tête d'Or*), Apollinaire (*Merlin*). Gérard de Nerval (*Aurélia*), Aragon (*Le Paysan de Paris*), Cocteau (*Orphée*), Sartre (*Huis-Clos*), Robbe-Grillet (*Les Gommes*), etc. Cette mince nomenclature démontre la présence de mythe parmi nous. Le lexème *muthos* signifiait d'abord la pensée, le projet et ne ressemblait en rien à une affabulation. Il signifiait ceci «qu'est-ce que tu en dis?... tu en penses? tu médites en réalité *Iliade* (8, 209), *Odyssée* (11,511), *Empédocle* (frag. 24). (1, 322 Diels 5), Platon (*Banquet*, 177a). Il pouvait supposer une parole secréte, un quelque chose de non-extirpé. À la longue, le mythe a pris un sens péjoratif, la tenue d'une parole qui traverse plus difficilement le sens. Je soutiens qu'au côté de la raison, surtout celle justificative théologique, le mythe n'a pas à baisser la tête et à paraître parole légère. La raison a décanté le mythe, la pensée première et l'on ne peut pas plus se passer de mythe, de sagesse au premier degré que de théologie au dernier degré. Alors comme le dit Gaboriau, le vocable *muthos* désignait au début une idée juste, ensuite, une idée plus intéressée en vue sans doute non de pervertir mais d'enseigner aux gens.

Le mythe de la création se pose comme une intervention très périlleuse dans l'Olympe. Les interprétations sont foisonnantes. Celle que l'on choisit défend sa crédibilité, plus sur le plan de la zone d'influence de l'historien que sur la véracité du mythe véhiculé. Il devrait y avoir conjugaison. Nous sommes donc en pleine probabilité. Un discours sur un *incertum tempus* par lequel on commence habituellement par: «On dit que...», et pour paraître plus scientifique, on évoque la tradition hésiodique ou hérodotienne. Il n'y a pas en soi, dans ce discours, cette binarité qui permettrait le jeu de la dialectique. Si l'on accepte que le monde, par exemple, est né de la larme d'un dieu, dans le récit de l'ancienne Égypte, il faut le recevoir comme tel. C'est une facture, une représentation, non un fait comme H_2O. Même si cette formule de l'eau demeure un modèle, tout le tableau de Mendeliev, est aussi représentation de... Il y a ici, j'admets, un décalage entre la nature et la représentation scientifique; mais là, c'est un fort décapage ou découpage. Le mythe lève l'interdit de la parole. Il occulte la raison, la rend occusive; mais, en revanche, l'ouvre à la dissémination. Lui aussi offre des modèles, un bassin énorme de figures mythiques qui a bien servi la science, entre autre la psychanalytique. Voir Freud, Adler, Jung. Tuer le mythe comme le voudrait l'esprit scientifique, c'est mettre à mort toute la symbolique, génocider notre enfance, anéantir toute l'histoire d'avant l'histoire, la proto-histoire. La démythisation ou / et la démystification me paraît une entreprise de démolition valable de nos jours chez un être ignorantin, comme disait Napoléon, être qu'il faudrait, il faut s'entendre, acculturer, «acclimatiser» sans pourtant compromettre l'âge de son enfance, son instinct d'étonnement et de merveilleux. C'est, chez ce même être, le rendre digne ou en capabilité à la pensée actuelle ou élever le mythe comme dirait P. Ricoeur, «à la dignité du symbole».

2. Les dieux en jeu. Les hommes enjeu

Un jour dans l'Olympe... il y avait...
non, il n'y avait rien. Même pas un soir, même pas un matin.

Les hommes ont-ils créé les dieux ou ceux-ci les hommes? À suivre *Critias*, dans son discours avec Socrate, il semble bien que l'invention des dieux remonte aux législateurs.

> Au commencement, dit-il, les hommes vivaient sans lois et sans ordre comme les animaux. On établit des lois pénales; mais comme ces lois n'attaquaient que les crimes commis au grand jour, il est survenu un homme habile et généreux qui, voulant prévenir les délits cachés, se mit à parler des dieux immortels et à leur assigner le ciel pour demeure.

> (Sextus empiricus, *Adversus Mathématicos*, IX, 54)

Dans *Critias* ou de l'*Atlantide*, dans le *Timée*, dans *Epinomis*, dans le *Cratyle* et dans combien d'autres endroits, Platon nous entretient des dieux, des héros, des astres, des *gesta*, de théologie astrale, et même des démons. Ouvrir un chapitre sur ces *illo tempore*, c'est apprendre que «quand à des hommes, on parle des Dieux, il est plus facile en effet, Timée, de donner l'impression d'en parler comme il faut, que lorsque c'est à nous qu'on parle des mortels» (*Critias*, 107, p.5). Ainsi dans ce même sentiment, il me faut reprendre une histoire dans le pullulement des histoires qu'on appelle les mythes de l'origine, le récit de la Création, les mythes cosmogoniques. Oh! combien timidement d'ailleurs, et avec toute la crainte qu'inspire la vue amoncelée de livres devant moi! À moins de créer tout cru, *ex nihilo*, un mythe nouveau des commencements comme celui du Mythe de Cthulhu de Lovecraft où les hommes actuels, nous, enfants en couche, êtres dégénérés, ont oublié les «Grands Anciens», ceux de la «Grande Race»! Ce serait, pour sûr, une belle activité ludique, comme ce fut le cas d'ailleurs pour cet américain, né en 1890, en Nouvelle Angleterre, à Providence, mort névrosé, aboulique, désespéré.

Ouvrir un livre sur la Mythologie, c'est ouvrir la boîte de Pandore. Mille fables, histoires, légendes, contes fantastiques en sortent. On peut difficilement fermer le couvercle. Il ne me reste au milieu de cette mauvaise diaspora, de cette dissémination, dans ma sotte convoitise, que l'Espérance. Un peu comme cet étourdi d'Épiméthée (frère de Prométhée), je me vois choisir dans le vouloir d'un non-choix.

Le jeu divin dans l'écriture du Jeu est impénétrable. Ses règles sont d'aucune mesure. On ne peut le circonscrire comme le jeu humain; c'est un jeu dont le principe (*logos*) nous échappe et le seul moment où l'on pourrait croire à une saisie, c'est dans l'extase du jeu. Dans cet instant extatique, l'on voit la déchirure, et selon le terme réitéré, l'emboîture.

Il y eut d'abord le Chaos (cahot). Plus tôt, il y eut Gaia qui sortit du Chaos et qui forma avec son fils Ouranos, le premier couple divin. Cette légende qui fait de la femme le dieu premier. («*Là où Dieu était femme*»). Matrilinéarité qui, il faut le dire, était basée non pas sur le sexe en soi, mais sur celui ou celle qui tenait la domination. Alors vint Kronos et Okeanos Japhet de la famille des Ouranides. Dans une autre interprétation, Apollodorienne et Hésiodique, Héméra (le Jour) serait la mère d'Ouranos. Alors s'affrontent ici diverses théogonies et titanomachies, cosmogonies et théomachies qui tiraillent dans leurs forges nombre d'historiens de la geste des dieux et qui nous jettent dans une étincelante confusion. Il y a, c'est connu, Homère, Hésiode, Hérodote, mais il y eut aussi, du poète(s) de l'*Iliade* jusqu'aux byzantins du XIIe siècle, des déchiffreurs et des enjoliveurs de mythes; par exemple, Strabon, Hécatée, Acousilaos, Phérécyde, Hellanicos de Mytilène, Héraclée du Pont, Evhéméras, Diodore de Sicile, Eratosthène de Cyrène, Apollodore, Tzetzès, Nicandre, Conon, Hygin, etc. De quoi mettre en berne la meilleure volonté du monde. Depuis près de quatre jours, sans peloton de fil, ni même l'amour d'Ariane, j'erre dans ce labyrinthe obscur où règne le premier et le plus beau divertissement théogonique du monde. Le but n'est heureusement pas de dresser ici, dans ce premier chapitre, des cosmogonies et des théomachies, mais d'essayer à travers des filiations officielles de faire voir quelques jeux des dieux entre eux et la manipulation favorable ou funeste de leurs jouets: les hommes. Acceptons donc les versions de Pierre Grimal (12) ainsi que la présentation de quelques autres livres officiels, comme celui de E. Hamilton, de Maurice Rat, de Félix Guiraud, etc.

3. La création mythologique grecque

Dans Homère vient en tête le *Chaos* (vide sans nom, primordial) qui engendre Érèbe (ténèbres infernales), la Nuit (Nyx), le Jour (Héméra) et l'Aether (ciel supérieur, lumière astrale). Ensuite commence l'engeance divine avec *Ouranos* (Ciel fécondateur) qui avec Gaia (la matrice divine), la Terre aux larges flancs, mirent sur terre douze jolis poupons, les *Titans*: Océan (père de tous les fleuves); Coéos; Hypérion (père du soleil); Crios, Japet (il aura parmi ses enfants une espèce de Louis Cyr, Atlas et le sauveur du genre humain, Prométhée); Cronos (le fils à maman qui, fatiguée de la continuelle étreinte paternelle, prit la faucille présentée par Gaia et «détesticula» son père, prit sa place sur le trône paternel) et les six «géantesques» *Titanides*: *Theia*, mère d'Hélios (le Soleil), d'Eos, (l'Aurore) et de Séléné (la Lune); *Rhéa*, maîtresse de Cronos avec qui elle eut Hestia (foyer), Déméter (blé, terre cultivée), Héra (protectrice des épouses), Hadès (morts), Poséidon (mer), Zeus (lumière, ciel clair, foudre, ordre et justice, roi des hommes et des dieux, le remplaçant royal de Cronos); *Thémis* (justice); *Mnémosyne* (mémoire); *Phoebé* et *Thétys* (mer féconde, la benjamine comme Cronos, trois mille enfants par naissance). Même sauvagement châtré (on pense toujours à Abélard), la mer reçut les «génitales» d'Ouranos qui perpétuèrent la mémoire de ce grand dévoreur d'enfants. Du *sang d'Ouranos* naquirent les *Erinyes* (Alecto, Tisiphoné et Mégère, les vengeresses du crime qui, comme les Parques (les 3 Fées), les Moires ou le Destin et leurs tristes soeurs, les Kères) défient Zeus même. Il ne faut point oublier les autres *frères des Titans*, les trois *Hécatonchires*, (Briarée, Gygès, Cottos) trois beaux Casanova avec cent bras et cinquante têtes et les non moins gracieux *Cyclopes*, (Argès, Stéropès, Brontès), avec plus tard, mais *petit-fils*, *Polyphème* qu'on verra aux prises avec le rusé Ulysse. Mentionnons aussi ce *départ parthénogénétique de Gaia*, qui sans élément mâle, enfanta *Ouranos*, les *Montagnes* et *Pontos*, élément mâle marin. De ce dernier, elle eut *Nérée* (les *Néréides*, divinités marines, dont les plus marquantes parmi les soixante-dix sept noms, selon les traditions, furent Amphritite, Galatée, Thétis); *Thaumas*, duquel sortiront les ravisseuses d'enfants et d'âmes ou les Harpyes qui selon un chème freudien seraient restées au stade anal, «excrémentant» tout ce qu'elles ne pouvaient ravir; *Phorcys; Céto* (baleine) qui unie à son frère *Phorcys* donna de fort vilaines «choses», les *Grées*, nées vieilles (Enyo, Péphrédo, Dino) qui avaient en commun un oeil, une dent qu'elles se prêtaient mutuellement et gardaient leurs trois épouvantables soeurs: Sthéno, Euryalé et Méduse, bien connues

---

12. Grimal, Pierre. *Dictionnaire de la mythologie grecque et romaine*, 3ᵉ édition, PUF, Paris 1963.

sous le nom qu'on ne prononce qu'avec le gosier, les *Gorgones* que Persée aveugla avec sa ruse du miroir; enfin un *Serpent* à la suite des Gorgones. Les enfants de Méduse et de Poséidon, première génération de Phorcys et de Céto, se nommèrent Callirrohoé (le beau ruisseau), Chrysaor (l'homme à l'Épée d'Or) et un être étrange, démon de l'eau, porteur de la foudre de Jupiter, Pégase. Ces deux derniers, dit-on, sortirent selon la tradition la plus admise, du cou de la Gorgone. Pégase, figure hippomorphique chère aux Parnassiens (H. de Régnier), aux Romantiques (V. Hugo), aux Symbolistes (P. Claudel) rend bien cette idée de fécondité, d'élévation, d'imagination créatrice, sublimée, de créativité spirituelle.

De *Chrysaor et de Callirrhoé* apparurent, après cette belle figure symbolique de Pégase, un géant à trois têtes, au corps triple jusqu'aux hanches, *Géryon*, gardien d'un troupeau de boeufs que vola Héraclès; une autre création monstrueuse, *Thyphon*, né de deux oeufs enduits de la semence de Chronos à la suite d'une calomnie de Gaia. Plus grand que les montagnes, sa tête touchait aux étoiles, ses bras étendus atteignaient à la fois l'Orient et l'Occident. Ce géant incroyable battit une fois Zeus et lui coupa même les tendons des jambes et des bras. Il maria sa soeur Échidna dont le bas se terminait par une queue de serpent. Bref, une vipère. Et devinez la progéniture de ce couple idéal! Ils engendreront *Orthros*, le chien de Géryon, multicéphale; *Cerbère*, un autre chien qui garde l'empire des morts, un toutou à trois têtes, avec une queue formée par un serpent et, sur le dos, une multitude de têtes de serpents; l'*Hydre de Lerne* ou serpent à plusieurs têtes (de cinq à cent) avec une haleine mortelle, têtes qui repoussaient aussitôt coupées dont Héraclès n'eut raison que par le feu; la *Chimère*, moitié chèvre, moitié lion avec un quelque chose de serpent. Grâce à Bellérophon et à son cheval Pégase, il tua d'un seul coup la Chimère. Non contente de son illustre descendance, Echnidna obtint avec son chien Orthros, *Phix* (selon Hésiode, Sphinx de Thèbes) qui à l'ouest de la même ville, ravage le pays et dévore ceux qui ne peuvent répondre à ses questions. Oedipe seul parvient à résoudre l'énigme. Ajoutons encore le *lion de Némée*, élevé par Héra; Héraclès le tua et s'en revêtit, puis le *dragon de Colchide*, gardien des pommes des Hespérides et de la Toison d'or. Gaia et Tartare (fondation de l'Univers avec l'Hadès et lieu carcéral où les divinités envoient ou enterrent leurs ennemis), tout à coup amoureux, ne pouvaient en rester avec ce garçon gênant, Typhon dont on a parlé ci-haut. Ils eurent une vilaine fille qui devint mère de tout une kyrielle de monstres. Poséidon, aîné de Zeus, s'unit à Gaia, la Terre aux larges flancs et obtint évidemment un géant qui, s'il ne lâchait point sa mère, était invulnérable. On a reconnu Antée. Héraclès lui fit lever les pieds. Dernière union connue de Gaia fut sa rencontre avec Océan qui mirent au monde un type assez obscur nommé Triptolème.

Nous en sommes restés jusqu'ici aux premiers berceaux théogoniques de l'Univers. L'on a vu quelques jeux dans le ciel et sur la terre. Les jeux de l'amour et du hasard. Dans ces lubriques lucidités, un autre grand jeu se dessine dans la trilogie du pouvoir sur l'Olympe éternel; jeu de force, de ruse qui s'est joué à partir d'Ouranos, fut continué par Cronos et se termina par le dieu prééminent, Zeus. On connaît le sort du premier. Le second comme le premier, dévora ses nombreux enfants. Un grand secret était au coeur de Cronos: «Un de mes enfants me renversera, me remplacera sur le trône! Lequel?» Rhéa substitua Zeus à une pierre enveloppée de langes et la fit avaler à Cronos, et plus tard, une drogue fit restituer tous les enfants dévorés. Alors Zeus avec ses frères et des alliés détrônèrent Cronos. Ruse de Gaia. Caillois appellerait cela dans sa classification, le simulacre. Il n'est pas inutile de retenir déjà cette situation de vomissement, de rejet causé par cette drogue (*pharmakon*) que l'on examinera au chapitre quatrième. Drogue présentée par Métis (la Prudence ou la Perfidie), deux facettes du remède.

Un petit fait pour notre intérêt, côté mythologique de la descendance de l'homme peut-être, c'est la très grande promiscuité des dieux, des déesses et des mortels; jeu volage qui enrichira ou diminuera le potentiel divin et humain. Ainsi ce fameux Chiron, le centaure qui était un sage, un professeur et qui pratiquait la médecine (il l'avait enseignée à Jason), était le produit séminal de Cronos et de sa maîtresse Philyra qui, pour ne point rendre jalouse Rhéa, la légitime, se changea en jument. Lui (Cronos), par un subterfuge qui n'appartenait qu'aux immortels, prit la forme d'un cheval. Le centaure, en dépit de la bonne réputation de Chiron et de Pholos, était un être monstrueux. Il commençait en homme, finissait en homme. Entre les deux, la partie arrière, à partir du buste, c'était un cheval avec quatre pattes de cheval et deux bras d'homme. Le *curriculum vitae* de Chiron et de Pholos défiait tout jugement, à comparer aux autres centaures ou centauresses de la théogonie. Pholos, il faut le dire, était né des amours d'Ixion et d'une nuée (visage d'Héra) façonnée par Zeus pour tenter ce dernier. À part de ces deux «bons» centaures, le reste était des monstres violents, des violeurs (Eurythion essaya d'enlever Mnésimaché, Nessos tenta de violer Déjanire, Hylaeos et Rhoecos coururent après la vierge Atalante). Le visage des Centaures marque toujours la sensualité triste, la concupiscence charnelle. C'est, on l'a déjà dit, l'instinct, l'inconscient de l'homme, la bête. On compte, c'est plus rare, des Ichtyocentaures. Ici, c'est du darwinisme à rebrousse-poil.

Si nous allions voir plus loin ce jeu des dieux et des hommes qui, ces derniers, sont les joués et non les joueurs, on pourrait assister à toutes sortes de jeux, aussi bien de compétition, de chance, de simulacre que de vertige. Commençons par l'adultère de Néère avec Promédon; de Procris avec Ptéléon. Il y a aussi le jeu statique de l'amour invincible de

Rhodopé; l'anthropophagie en ces temps protohistoriques était courante. Voyez Tydée ouvrir la tête sanglante de Mélanippos et lui manger la cervelle; Lycaon servir à Zeus un beau plat composé des membres du petit Arcos; Atrée faire bouillir trois enfants et les présenter comme mets à leur père Thyeste. Lardanos, roi de Lydie et magicien, n'avait-il pas poussé le roi Camblès à manger sa femme? Et Pélops, fils de Tantale, ne fut-il pas servi en ragoût? On peut compter dans les thèmes légendaires près d'une vingtaine de cas d'anthropophagie. Souvent, il est écrit, pour sonder la clairvoyance divine. *Ilinx*. Que d'amours repoussées! Nicaea qui tue d'une flèche le pauvre berger Hymnos pour l'avoir simplement courtisée; elle repoussa même Dionysos qui arriva à son désir en changeant en vin l'eau de la source où elle buvait. Également, une vingtaine d'amours refusées ont désespéré le dieu Eros. Ajoutez la rivalité de la beauté entre déesses, entre déesses et mortelles. Ces concours rentrent dans la classe des jeux de l'*agôn*. On se rappelle la fameuse guerre de Troie basée sur un *agôn* terrible, celui de juger laquelle des trois déesses est la plus belle: Athéna, Héra, Aphrodite. Fait remarquable, un mortel jugeait les dieux... Combien de cas de calomnies! (près de vingt-cinq); de châtiments divins causant la cécité: le pilote Palinure (endormi par le dieu du sommeil); l'oncle d'Andromède, Phinée (transformé en pierre par la Méduse); Rhoecos (aveuglé par les abeilles); Tirésias, le devin célèbre qui avait assuré devant Zeus et devant Héra que la femme dans l'amour avait neuf dixième plus de plaisir que l'homme. Héra le rendit aveugle. «Oh! combien de marins, combiens de capitaines...» dirait Victor Hugo. Combien de marins abandonnés en mer, de jeux de métamorphose en cygnes, de concours de chars, de danses, d'êtres doublés, dédoublés, triplés, d'enjeu de luttes, d'épreuves diverses, de filles enlevées, séduites! Combien de vengeances, de cas de folie (plus de ving-cinq), d'amis, d'ennemis, de guerres, aussi de guérisons, d'immortalités accordées aux hommes! Combien d'incestes de pères avec leurs filles, de mères avec leurs garçons, de frères avec leurs soeurs, de malédictions, de parjures, de poursuites, de renaissances, de royaumes partagés! Combien de ruses (près de vingt), de sacrifices humains (plus de soixante), d'épidémies (plus de vingt), d'exils à la suite d'un meurtre (près de soixante-dix), de purifications d'un meurtre, de pédérasties (au-dessus de vingt-cinq), de transformations en serpent et d'histoires de serpent (pas moins de cinquante-cinq)! Combien de suicides (près de cinquante), de viols et de vols illustrant le jeu plus vilain que noble entre les dieux dans ce grand Olympe où nous devrions voir se loger l'ordre, la justice, la paix, à la place de la trahison, de forfaits continuels! Entre dieux, ça va. On les connaît. C'est plutôt un Hadès renversé vers le haut. L'enfer de Zeus. Mais entre les dieux et les hommes où il n'y a vraiment aucune mesure commune. Que devient l'homme? Un jouet qui ne peut résister comme la pierre sous la ferrée et qui est très souvent le résultat d'un caprice. L'homme ne sert pas habituellement dans une économie divine où il n'est pas un agent nécessaire comme le serait une terre, un pays, une mer. Il est strictement une marionnette, un fichu dans la main d'un enfant. Il y a donc une espèce de licence, de mépris nés de la démesure divine. Cet abus de pouvoir entraîne chez les immortels un jeu sans règle, démontre un agir divin hautement tyrannique. Même sous Jupiter ou Zeus, figure éminente de l'ordre, de la justice dans les ciels et sur les terres, la mythologie grecque et romaine, qui raconte son règne, renvoie à des exemples, à des conditions antérieures égales aux sacrilèges d'Ouranos et de Cronos. Jupiter aussi a avalé ses enfants. Il y avait ce fameux secret... Et pas loin, la figure de Prométhée...

PARTIE C

RETOUR AUX GROTTES COSMOGONIQUES

1. Visite de divers panthéons outre-atlantiques
(celtique, germain, persique, indou, chinois, japonais)

Le panthéon celtique, germanique, persique, indou, chinois, africain offre-t-il plus de mesure et d'honorabilité? Dans une comparaison rapide, il semble que oui. On dirait que les dieux ou déesses antérieurs à ceux grecs et romains n'avaient point autant de lubricité, d'appétits déréglés. Il est vrai de dire que la mythologie grecque et romaine plus près de nous, ont été cultivées soigneusement au point d'y voir dans cette immense broderie céleste, des variations sans nombre d'un même dessin. Aussi l'institution religieuse s'élevait au niveau d'une conscience individuelle et collective plus affirmée, même magique, devant le sens du sacré. Si l'on s'en tient au thème de la création, les dieux anthropomorphiques *gallo-romains*, donc parallèles aux divinités romaines, ne sont pas sans quelque cousinage entre eux. Également leur histoire. Jupiter s'appellera chez les Gaulois Taran (tonnerre), ou Teutalè; le père commun aura pour nom, Dis pater, la Déesse-mère, Dé mèter, génératrice de tous les hommes, des animaux et des plantes. À quitter vivement les dieux, on rejoint les héros, les cycles héroïques, les invasions et les alignements néolithiques toujours surprenants de la Grande et de la petite Bretagne; ceux d'Irlande, aussi ces admirables sages à la Chiron que furent les Daru-vid (Druides). Mais là, nous sommes en pleine terre.

Du côté *germanique* Ymir, né de la glace fondante est le père de tous les géants. Il s'abreuvait à une vague. Il naquit de la sueur; un homme, sous son bras gauche, une femme, sous son bras droit. La vache, issue de la glace, mit au monde un être, Buri qui eut comme enfant Bor qui avec Bestla, eut trois fils: Odin, Vili et Vé. À ce moment-là, de l'*illo tempore* germanique et scandinave ou autre, tout commencement se fait dans le sang. Le corps d'Ymir tué par Odin devenait le corps de la terre; ses os les montagnes; les cheveux les arbres; la chair le sol; le sang la mer et son crâne la voûte du ciel. Des larves formées du corps décomposé d'Ymir, Odin fit des nains. Les hommes sortirent du végétal par le souffle d'Odin (auparavant Wodan-Odin). Le premier couple avait nom Ask, le mari; Embla, la femme. La tradition acitienne est nettement différente. De toutes manières, on y remarque une similitude assez éloignée de la mythologie grecque. Celle germanique a un enfer Hel), un chien aussi féroce qui garde les enfers (Garm), Odin a son Pégase (8 pattes) et le dieu des dieux disserte fort éloquemment, prend la forme qu'il désire et rend sourds, impuissants, aveugles les ennemis qui l'approchent. Dans son vaste palais, cinq cent quarante portes, chaque entrée permet à huit cents cavaliers de passer de front. Les héros morts jouent comme ceux de l'Olympe (Wodan-Odin). Deux corbeaux, fait intéressant, partent chaque matin de l'épaule d'Odin, font la pige à travers le monde et au petit déjeuner, Hugin (pensée) et Munin (mémoire) rapportent toutes les nouvelles à leur maître. S'il y avait un fondement mythologique de la radio et de la télévision moderne, c'est bien ces deux journalistes ailés et fort productifs qu'il faudrait évoquer. Les Walkyries qui vivent près de lui (Valhale, comme on dit, au palais Buckingham) font office, comme Hébé aux belles jambes et son remplaçant le séduisant Ganymède, de grands échansons. Elles sont aussi des guerrières, et c'est elles qui décident, comme les Parques ou les Moires, si tel ou tel guerrier doit ou non mourir. Odin qu'on a comparé au Christ accepte de mourir et de renaître au bout de neuf jours. Arrive Thor, Donar-Thor (*Donnerstag*), figure qu'on voit couramment dans les différents jouets, dans les bandes dessinées et à la télévision; c'est une sorte de Jupiter non pas avec sa foudre mais avec un marteau, des gants de fer et une ceinture. Marteau qui revenait dans la main comme un boomerang et se «minituarisait» à volonté. Était-il le fils d'Odin? Qui sait? De toutes façons, comparé à Odin, Thor, très valeureux guerrier, était plus frustre. Ses aventures avec Odin, Hymir, Skrymir consacrent un peu sa lourdeur d'esprit. Loki serait une sorte d'Ulysse, de Prométhée, mais avec quelque chose de malfaisant, de diabolique. Le portrait de Heimdall ressemble à celui de Charon quant à sa fonction, sauf que le premier est beau, noble; le second, laid, grossier et que la direction du voyage n'est pas de la terre aux enfers, mais de la terre à la demeure des dieux, le Asgard. Pour terminer avec la mythologie allemande, la tradition atteste que les dieux germains sont mortels comme les hommes et qu'ils ne font pas, tant homme que femme, des colères jalouses comme celles de Gaia, de Rhéa et de bien d'autres immortels.

La fin du monde s'annonce avec la mort de Balder, dieu de la lumière.

Dans ce crépuscule des dieux, tous meurent, tout disparaît... et tout recommence. Un déluge, comme celui de Deucalion dans le temps de l'âge de bronze. Chez les *Slaves*, on assiste à un petit manichéisme au départ, un dieu noir, Tchernobog; un dieu blanc, Bielobog. Le Ciel est un dieu (Svarog), le père de tous les dieux. Ses deux enfants: Djabog, le Soleil et Svarogitch, le Feu. Chez les *Lithaniens*, n'ayant pas connu Dieu, tout était dieu. Aussi avec cette attitude sacrée devant la nature, le peuple s'interdisait de labourer, de couper les bois, de prendre le poisson, croyant qu'en taillant un arbre, le sang coulerait. Alors pas de bois de pulpe, mais des sanctuaires en forêts et des forêts de sanctuaires.

La magie et le chamanisme habitent l'âme des *Ouralo-Altaïques*. C'est dans le *Kalevala*, que le Suédois Castrén nous apprend, que le dieu suprême se nomme Jumala (le tonnerre), une sorte d'être demi abstrait qui loge dans un chêne sacré. Ukko le remplaça avec Akka, son épouse; avec Paiva, le Soleil; Kuu, la Lune; Otava, la Grande Ourse et Ilma, la divinité de l'air. Luonnotar, sa fille, mère de Väinämöinen se laissa tomber dans la mer, lasse de virginité et de solitude. Fécondée par «le souffle du vent qui vint caresser son sein», elle vogua sept siècles, cherchant un lieu de repos. Un jour, un aigle - il est dit aussi un canard - voyant le genou de Luonnotar dépassant l'eau comme une petite île, vint bâtir son nid qu'il couva trois jours durant. Repliant son genou sous cette chaleur ardente de la couvaison, les oeufs tombèrent dans la mer et les débris formèrent ou se changèrent «en belles et excellentes choses». La terre sortit de la partie inférieure des oeufs; le ciel de la partie supérieure; le jaune fit le soleil; les parties blanches, la lune; les débris tachetés, les étoiles; les débris noirs, les nuages de l'air. Luonnotar fit le reste en rivages, promontoires.

«La terre *née d'une parole*, déploie sa masse solide». Voilà pour le principe de la création dans la mythologie *ougro-finnoise*. Chose remarquable chez ces peuples, l'enfer, séjour peut-être plus sombre, n'est pas un lieu de punition et l'âme meurt avec le corps. Il n'y a pas tant de dieux chez les Finnois que d'âmes, que d'esprits des choses. On assiste à une sorte de polydémonisme qui place ces peuples dans une incessante quête et mise en garde. Petit fait exotique. Lorsqu'on tue un ours (fête de l'ours), on met ses os dans la tombe avec des skis, un couteau et autres choses. Comme chez les Romains, la nature est entourée de dieux, (n'en avait-il pas 10,000 dieux à Rome un certain temps?); ici, ce sont des esprits, les haltia. Au point que ces Ougro-Finnois avant de plonger dans l'eau, criaient: «Nakki, sors de l'eau, c'est moi qui suis dans l'eau».

Le rameau *iranien* de la branche aryenne qui comprend au-dessus des subtilités historiques, les *Assyro-Babyloniens*, prend son évangile dans l'Avesta. D'abord (et très souvent dans les mythologies archaïques), le

Feu. Parmi les dieux hittites Mitra et Varuna, Indra et les Nâsatyas. Chez les Achéménides, c'est Mazdâ (ivresse et illumination). Zoroastre (Zarathoustra) concilia la religion des Mages et celle des rois perses par sa réforme qui n'apparut que vers 600 et 583. La vocation zoroastrienne se rapproche passablement de la destinée de Bouddha. Chez les Sassanides (224-729), apparaissent les deux principes contraires: Ormazd et Ahriman. Ce dernier, c'est le Mal, le premier, le Bien. «J'ai créé un univers là où rien n'existait, dit Ahura Mazdâ au saint Zarathoustra, si je ne l'avais fait, le monde entier serait allé vers l'Airjana-Vaeja». Ahura Mazdâ ou Ormazd avec son armée du bien, les Amchaspends et Angra Mainyu avec son armée du mal (les Daêvas) s'affrontent continuellement dans des luttes qui font apparaître plus manifestement cette sorte de manichéisme qui donne à la cosmogonie persique ce jeu de balancier héraclitéen («tout vient des contraires») et qui se révèlera dans tous le mythe de la création. La durée du monde se divise en trois millénaires, en tout, douze mille ans. Ormazd, créateur incréé, crée le monde par la pensée. On voit déjà, ce qui correspond bien à la pensée iranienne, une purification des origines par le zèle ardent pour la pureté morale et le culte de la lumière. Et non plus de ces nativités visqueuses par des mers ou des nuages. Arrivent les ténèbres, principe opposé mais nécessaire, Ahriman. Pas de paix possible entre les deux. Alors une autre guerre qui va durer neuf autres millénaires. La lumière à la longue vaincra. Voilà pour la première période. Par la seconde, ci-haut mentionnée, nous entrons dans le mythe de la création. La troisième raconte, dans les hymnes védiques ou les mantras hindous, l'histoire difficultueuse des hommes depuis le premier homme jusqu'à Zoroastre. Cette dernière amènera la victoire décisive d'Ormazd ou de la Lumière.

Le premier couple humain, couple humain-animal fut non pas un mâle et une femelle, mais un homme (Gâyômart) et un taureau (Gôch). arihman tua les deux. De la semence de Gâyômart, enfouie quarante ans dans la terre, naquit cette fois le premier couple humain, pour nous, normal, Machya et Machyoî. Encore du Darwin. La longue marche de l'homme dans les pas de l'animalité. D'abord, ils marchèrent, puis mangèrent. «Vous êtes hommes, maîtres du monde; je vous ai créés les premiers des êtres dans la perfection de la pensée, dit Ormazd, pensez le bien, dites le bien, faites le bien; n'adorez point les Daêvas». Un jours, une pensée leur vint: «C'est Andra Maiju qui a créé l'eau... fruit et racine». Le couple humain comme pour notre Adam et Ève fut la victime du mensonge. Le serpent possède, comme on voit, une généalogie fort longue et très lointaine d'ailleurs. Ici daêva; là, tentateur, âme, libido. Il (cet ophidien) représente, selon Bachelard, «la dialectique matérielle de la vie, de la mort, la mort qui sort de la vie et la vie qui sort de la mort».

Pour moi, avant toutes ses malices «serpentatoires», il est l'image du *Cela*, du Mal qui était déjà là avec la Matière; il est, à tout dire et à ne rien comprendre, l'indifférencié primordial.

Cependant, ils ne furent pas chassés du paradis terrestre comme nos illustres Parents, parce que, initialement purs, la faute revenait plus à l'esprit du mal, selon Ormazd, qu'à leur propre initiative. Le fameux mythe adamique n'a pas fini de faire mésintelligence ou intelligence avec les théologiens et les exégètes chrétiens. Ce qui amène à dire que de ce seul péché originel, tous les hommes partagent une nature pécheresse et que cette situation initiale commande absolument un racheteur, un Rédempteur. Sans cela c'est à n'y rien comprendre du fondement même de la religion chrétienne.

Chez les *Perses*, c'est le Mal qui est responsable, chez les *Chrétiens*, c'est l'homme... (I Cor. 15.21 et Rom. 5,12). Ce *felix culpa* fondera le geste de Dieu... Mais l'homme! N'aura-t-il pas, quelque peu, joué innocemment le jeu du divin?

La Mythologie *indienne* ne peut se résoudre à quelques réflexions tant les peuples, les cultes, les incarnations, les religions, les avatars nous promènent dans des labyrinthes millénaires; tant aussi la richesse mythologique de ce bassin est profonde. Je n'en resterai qu'à la surface, c'est-à-dire à ce qui, en partie, peut concurrencer ou recréer les mythes de la Création.

Indra, dans la mythologie du Dharma brahmanique, fait figure d'Hercule. Il est fils du Ciel et de la Terre, frère jumeau d'Agni (feu) et réside sur les hauteurs du mont Mérou dans les Hymmâlaya. Sa femme Indaânî est son reflet. Les Dieux de la souveraineté universelle Mitra et Varouna régissent l'ensemble de notre monde planétaire. Les Indiens ont développé une conception assez rare quant aux Démons, les Dévas qui, en un sens, sont des dieux auxquels s'opposeraient les Assouras ou les Titans. Il y a ce Jalandhara qui rappelle ces épopées célestes dans sa rencontre dernière avec Çiva, aussi ces trois incarnations de Râvana. Brahmâ, troisième personne de la Trinité hindoue, dans une mythologie déjà religieuse et métaphysique, est essentiellement le père des dieux et le créateur du monde. Tout commence dans l'obscurité. C'est le long sommeil des temps incommencés. «Cet auguste Être existant par lui-même, lui qui n'est pas développé, développant cet (univers) sous la forme des grands éléments et autres, ayant déployé son énergie, parut pour dissiper les ténèbres». Il produisit en premier, par la pensée, les eaux pour y déposer sa semence. Cet Être éternel tenant en lui tous les mondes à venir, naquit de cette semence. D'un oeuf brillant comme le soleil. «De cette cause (première), indistincte, éternelle, renfermant en soi l'être et le non-être, est issu ce Mâle, connu dans le monde entier sous le nom de Brahmâ. L'oeuf divisé en deux par sa seule pensée devint le Ciel et la Terre, puis entre les deux, l'atmosphère et le séjour des eaux. «De lui-même, il tira l'Esprit, renfermant en soi l'être et le non-être, et, de l'Esprit, il tira le sentiment du moi qui a conscience de la personnalité et qui est maître». Âtman, le souffle, est précisément cette conscience pensante. Sa femme Saravasti, mère des Védas, représente la sagesse, la musique, la science. Elle a quatre bras comme Brahmâ, quatre visages.

Ces derniers, nés de Brahmâ lui-même, ne sont en effet que la création d'une seule femme sous quatre épithètes différentes et donnent lieu ainsi à la profusion des créatures dans le monde. La Mythologie se rapproche ici fermement de la philosophie par la spiritualité de la conception et des commencements de l'Univers. La vie de Bouddha, l'Illuminé, foisonne de faits extrêmement intéressants et témoigne de cet aspect mortel de cet immortel Vichnou, cet être qui sommeille sur les eaux cosmiques, couché sur le serpent à sept têtes, Çecha, qui lui sert d'éventail. Pour terminer, les dix avatars (descentes) de Vichnou correspondent à des cycles de création, dans les fameux sept jours de notre création biblique. Chaque avatar est un moment d'activité où le dieu descend régulièrement ou se descend (donne de sa pensée) entre deux repos. Temps: des milliards de siècles. Une figure orientale saisissante s'appelle le «*barattement de la mer*» où Vichnou se transforme en une immense tortue sur laquelle repose le mont Mandara qui sert de bâton et le serpent Vasouki, de corde. Les dieux (Dévas) et les démons (Asouras) tirent chacun de leur côté pour baratter la mer de lait dans le but d'en extraire l'«*Amrita*», sorte d'ambroisie. Ainsi la mer endort la terre dans son berceau.

En *Chine*, trois religions coexistent, le bouddhisme, le taoïsme et le confucianisme. Le Ciel est partagé en neuf étages (33?) sur lequel règne, entouré de sa cour, l'Auguste de Jade ou le Suprême Empereur Auguste de Jade (Yu-hoang-chang-ti) et la Reine mère Wang (Wang-mou-niang-niang). Second dans la trilogie divine, il a, avec et au-dessus de lui, le Vénérable Céleste de l'origine première et, avec lui, le Vénérable Céleste de l'Aurore de Jade de la Porte d'or. En créant les humains, l'Auguste de Jade qui les avait moulés dans l'argile, les avait exposés (statuettes) au soleil pour les faire sécher. Ceux qui furent abîmés par l'eau devinrent dans le monde des infirmes. Le Ciel chinois semble une copie du royaume de Chine. Tout est organisé, fonctionnarisé dans une hiérarchie méticuleuse. L'activité céleste ressemblerait à cette activité humaine qui fait, par exemple, que dans la catégorie des agents comme l'esclave, le prolétaire, le fonctionnaire, le caractère de leur oeuvre serait une chose à conserver, à faire marcher, bref, une oeuvre jalouse. La loi de l'action de ces agents deviendrait, à la longue, une sorte d'aliénation. De même pour le joueur, le caractère de son oeuvre serait la feinte, la ruse et sa loi «actionnelle», la gratuité.

Parmi les dieux de la nature (soleil, lune, pluie, tonnerre et vent), les quatre Rois-Dragons, se rangent les dieux sidéraux (littérature, examens, bonheur, le Grand Empereur du Pic de l'Est, murs, fossés, lieux, foyers, portes), d'ailleurs, aussi compartimentés que les dieux populaires (richesse, les huit Immortels, professions, sol et moissons). Nous assistons ici dans cette mythologie à un renversement de la terre sur le ciel. Ce dieu de la Littérature et des Examens (Wen T'chang et K'oei-sing) peut paraître surprenant dans une cosmogonie. Cependant rien ne doit surprendre en mythologie; une bonne partie de sa facture est le produit de phantasmes.

Ne parle-t-on pas en effet chez les Grecs d'un fils de Dieu (Hermès) et de nymphe (Telpousa), Evandre qui enseignait l'écriture, la musique près du Palatin? Et que dire de Corinnos, poète légendaire qui aurait écrit l'Iliade bien avant Homère et qui l'aurait inspiré! Ce Palamède, fils Nauplios, petit-fils de Catrés et arrière-petit-fils du couple divin Minos et Phasiphaé, eux-mêmes issus d'Europe et de Zeus, ce Palamède, tête de turc d'Ulysse et de Diomède, n'est-il pas reconnu comme non pas le dieu de la Littérature mais comme l'inventeur de l'écriture? C'est lui qui aurait placé en ordre les lettres de l'alphabet grec, aurait inventé les nombres (Prométhée également), le calcul des mois, des astres et le jeu de dames, des dés, des osselets. Son Y fut inspiré, dit-on, d'un vol de grues.

Faut-il rappeler celui qui se tient devant Ré, le dieu des dieux, ce Thot, le demi dieu, l'exécutant, le *pharmakon*, aussi dieu de l'écriture, de la parole créatrice, de la médecine; Hermès Trismégiste(auteur de 20 à 36 000 livres); Nabû, également fils de Marduk, seigneur du calame, puis Nébo biblique, tous inventeurs et dieux de l'écriture. Nous aurons en chapitre quatrième, *partie C*, l'occasion de disséquer ou de rendre significant avec Jacques Derrida le lexème *pharmakon*, mot aussi vaste qu'une chaîne de pharmacie où sur les comptoirs règnent des idées-objets tels que l'écriture, la parole, la drogue, la ruse de l'écriture, le remède du *logos* et le jeu.

Alors ce Grand Empereur de la Littérature investi par l'Auguste de Jade est assisté du dieu des Examens et de l'Habit rouge. K'oei-sing (Examens), dieux fort laid (peut-on dire plus laid que Socrate?), se tient sur une jambe, celle-ci sur une tortue, l'autre levée. Très peu estimé des étudiants, cet assistant, tient en main gauche un boisseau, en main droite un pinceau; il ne porte qu'un pagne ou une écharpe. Son rôle consiste à désigner le premier reçu dans la liste des candidats au doctorat et à déposer son nom devant l'Auguste de Jade. Le pinceau pour marquer l'heureux élu, son boisseau pour mesurer les talents des candidats. Quand il était sur terre, il avait été reçu premier au doctorat, mais avait été refusé par l'Empereur parce que trop laid. Il voulut se noyer mais une tortue le ramena à la surface de la terre. L'Habit rouge joue un rôle de protecteur pour les candidats mal préparés. Ainsi en est-il du dieu de la Littérature qui ne manque pas de bienveillance, mais ne laisse jamais un candidat qui a mérité.

Comme intérêt dernier, ajoutons que l'Enfer chinois au nombre de dix-huit, répartis entre dix tribunaux, (toujours le fonctionnarisme) est dirigé par Yen-Wang-yé (le Seigneur Roi-Yama), mais sous le regard toujours du Suprême Empereur Auguste de Jade.

Pour continuer dans le merveilleux et s'en tenir surtout au jeu des origines, la mythologie *japonaise* mentionne que les trois divinités qui ouvrirent l'Univers, le monde des dieux, nées d'elles-mêmes, se cachèrent. De la terre, immense méduse flottante, naquirent deux autres dieux qui également se cachèrent. Enfin, après sept générations divines, un couple vint: Izanagi et Izanami. Ces derniers, sur le «pont flottant du ciel», formèrent du bout de leur lance l'île Onokoro, premier enfant du couple céleste.

Plus loin, un récit nous apprend comment Izanagi fait entendre ses droits de mâle sur Izanami. De leur union naquirent de nombreuses îles (le Japon actuel et ses myriades d'îles). On peut supposer que Izanami ayant pris le premier la parole, pour s'exprimer devant son mari, commettait la faute initiale d'avoir tenté le premier dieu. Le premier enfant issu d'Izanami fut un enfant sangsue qui fut jeté à la dérive. Adam que tente Ève et qui donne une race de sangsues. Izanami mourut. Tout ce qui sortit d'elle, sang, vagissement, urine, excréments devinrent des dieux. Izanagi fit une descente aux Enfers, tel Orphée pour aller chercher son Eurydice aux enfers, moins les chants du poète. Il déclencha la colère de Izanami lorsqu'il la vit, malgré sa défense, en décomposition. Suivent la déesse Amatesaru et son intriguant frère Susanoo; la première née du lavage de son oeil gauche, le second, du lavage de son nez. Ensuite les exploits de chacun, puis la multitude des dieux japonais (les huit cents myriades) rendent la mythologie japonaise hautement colorée, élevante, peut-être pas aussi spirituelle, métaphysique que celle chinoise, mais pleine de hauteur et de noblesse.

2. Les panthéons mythologiques inter-muros les deux Amériques (esquimau, indien, aztèque, maya, guatémala)

La prochaine, plus près de nous et remplie des dieux sylvestres et rupestres, s'intitule mythologie des *deux Amériques*. La caractéristique de ces dernières se fonde sur le totémisme. Le fond de la vie de ces tribus est la lutte sans répit contre les éléments; elles sentent ce besoin de multiplier les totems, figures de leurs protecteurs. Chez les *Esquimaux*, la nature est remplie d'*Innuas* ou de forces invisibles qui peuvent devenir les gardiens de l'homme. Ces derniers s'individualisent dans le totem et s'appellent Torngak. Celui qu'on nomme sorcier est celui en qui s'est logé l'esprit d'un animal, d'une pierre ou d'une chose et qui vit maintenant sous ce Tornga. Il a maintenant pour nom Angakok ou sorcier. Le premier des Torngaks, le plus puissant (Torngaksoak), les Esquimaux le croient un être bon. Il prendra, selon les régions, une forme assez différente. La légende de Sedna, devenue déesse, ne manque pas de grandeur et vaut, en un sens, le récit des grandes divinités. Quant à la cosmologie esquimaude, le monde inférieur ressemble au nôtre mais «avec un ciel et un soleil plus pâles» formé de quatre cavernes. Au-delà de la voûte des cieux, le monde supérieur tourne autour d'une montagne, «demeure des Innuas, des corps célestes qui étaient autrefois des hommes et qui furent transportés au ciel et transformés en étoiles». Les légendes esquimaudes mentionnent aussi l'histoire d'un déluge.

La cosmogonie *algonquine*, un peu plus dessinée, place ke Kitski Manitou comme Grand Esprit. Le soleil et la lune sont frère et soeur, parfois mari et femme. Leur monde quaternaire se compose de quatre étages supérieurs et inférieurs. Le lien est assuré vers le haut par les oiseaux, vers le bas, par les serpents et animaux aquatiques. Quatre génies bienfaisants aux quatre points cardinaux répartissent la Carte du Monde géomorphologique et climatérique. Au Nord, glace et neige; au Sud, citrouilles, maïs, tabac; à l'Ouest, pluie; l'Est, lumière, soleil. Les dieux, pour ces hommes des lacs et des forêts, s'appellent le Tonnerre, le Vent et l'Écho. On compte aussi des géants. Ceux qui déracinent les arbres sont évidemment les forces incalculables du Vent. Près du premier de ces géants, Ga-oh, se tient le gardien du ciel, Hino ayant pour épouse l'Arc-en-ciel. Leur garçon Gunnodoyak, dévoré par le Grand Serpent des Eaux, fut à son tour dévoré par Hino qui demeure dans le ciel de l'Ouest et porte sur son dos un lac de rosée.

Le mythe de la création chez les *Iroquois* et les *Hurons* situe un au-delà où la douleur n'existe pas. Elle accrédite cette légende que lorsque le père d'Ataentsic mourut (un être céleste qui meurt... c'est une première), sa fille, Ataentsic, après mille et une épreuves, épousa le «Chef qui détient la terre». La jalousie injustifiée de son mari (elle est enceinte) la fait rejeter sur la terre inexistante, mais que construisirent tous les animaux aquatiques, surtout le rat musqué. Elle est reçue sur terre, portée par les ailes des oiseaux. Entre temps, «Souffle du Vent» arrive au monde. Plus tard, cette dernière met à son tour au monde deux jumeaux, Ioskeha et Tawiscara, représentant pour les Iroquois, le dernier, les puissances du mal; le premier, les forces du bien.

Chez les *Sioux* (Indiens des Plaines) l'Être suprême s'appelle aussi le «Grand Esprit», le «Maître de la Vie», enfin, le «Grand Mystère» ou dans leurs mots, *Wakonda*. Le Soleil, la Terre, la Lune, l'Étoile du Matin, le Vent, etc. font figures de dieux. Quelque chose ici d'indien, c'est que «l'Étoile du Matin» est un homme peint en rouge, «chaussé de mocassins et enveloppé dans une ample robe». Une plume d'aigle duveteuse flotte sur sa tête.

Les *Aztèques* adoraient, c'est rare, les dieux des vaincus. Le panthéon mexicain développe une vague de dieux, de déesses au noms plutôt exotiques: Huitzilopochtli, Tezcatlipoca, Querzalcoalt, Tlaloc, Chalchiuhtlicue et Tzinteotl. La première devint enceinte après la chute sur elle d'une couronne de plumes. Le deuxième (miroir fumant) tient le rôle de soleil; un rôdeur de nuit à qui les Aztèques préparaient annuellement une victime (le plus jeune des captifsj), dont on arrachait le coeur encore palpitant. Le troisième présidant aux arts, aux inventions; il affectait la forme d'un serpent-oiseau qui dut s'exiler. Montezuma, un moment leur empereur, avait vu dans les cruels Espagnols le retour tant attendu de Querzalcoalt (peau blanche et cuirasse étincelante de soleil). *Ilinx*. Le dernier, Tlaloc, dieu des montagnes, ipossédait 4 cruches, comme Jupiter 2 jarres à la porte du palais. Au moment des fêtes à son honneur, les prêtres achetaient pour Tlaloc des bébés et les mangeaient. Plus les enfants pleuraient, plus on croyait à l'abondance des pluies prochaines. La déesse des origines s'appelait Tzinteolt. Nous vivons actuellement, selon eux, sous le cinquième soleil. Sous le premier soleil (Chalchiuhtonatiuh, soleil de pierres précieuses), se place le déluge; sous le second (Tletonatiuh, soleil de feu), il y eut destruction des hommes et métamorphoses de ceux-ci en poules, chiens, etc.; sous le troisième (soleil d'obscurité, Yohualtonatiuh) les hommes furent engloutis et dévorés; sous le dernier (soleil du vent et de l'air, Ehecatonatiuh), les hommes devinrent des singes. Les légendes aztèquiennes affirment l'existence d'un déluge, d'une sorte de Noé dans l'arche. En passant, les Aztèques avaient parmi leurs divinités, Xolotl, dieu du jeu de la balle et en même temps, protecteur des jumeaux.

Quant aux *Mayas*, peuple du Yucatan, ils affichent comme dieu unique, Hunab Ku et son épouse (l'eau) Ixazaluoh, créatrice du tissage. Leur fils Itzamna devint un héros bienfaisant, un genre de Prométhée, inventeur du dessin et des lettres. De plus en plus, fait à remarquer, les mythes des commencements développent davantage cette conception d'un dieu du Bien et d'un dieu du Mal.

Les légendes du *Guatemala* (le soleil qui meurt et revit); du *Honduras* (la Femme-Blanche); du *Nicaragua* (les dieux «Niquirans»: Tamagostad et Zipaltonal); d'*Haïti* (joca-huva et Atabei); de la *Colombie* (Bochica,

Chia, Gundinamarca); de l'*Équateur* (les deux aras); du *Pérou* (la cour divine des Incas autour du culte des Soleils, Viracocha, le culte des vestales, le soleil se baignant la nuit et se rajeunissant pour le lendemain); du *Chili* (pas d'Être supérieur, corporéité des dieux, cas de vampirisme); du *Brésil* (Monan, Maire-Monan, Tupan, le paradis (nommé Terre-sans-Mal), le déluge universel), toutes ces mythologies et légendes démontrent dans leurs manières originales des croyances nées dans le sang, la haine, la vigueur, la lutte des dieux entre eux et plus souvent leurs vengeances sur les hommes.

Plus on se rapproche - bien que ces mythes dans la ligne historique apparaissent quelquefois avant, souvent pendant et après notre mythe adamique - plus ils affirment une certaine orientation continue en ce qui concerne la tendance vers le monothéisme, la vraisemblance des déluges, la filiation divine, le naturisme sacré, l'anthropomorphisme céleste, le matriarcat assez net et le prométhéisme, toujours à l'affût, qui sauve les hommes de la justice, plus vraisemblablement de l'injustice et du désordre des dieux.

Remarque: Les peuples anciens s'ornent d'une mythologie qui exprime leur visage culturel. Le peuple canadien ne possède point de mythologie, parce que non primitif, parce que issu de trois ou quatre peuples qui avaient déjà la leur. Notre racine récente (transplantation et manque de durée) ne nous permet que des légendes (loup-garou, etc.), des fêtes anciennes, mais elles-mêmes puisées à des sources au-delà de notre enracinement. À se demander, et c'est une question que je me suis posée et à laquelle je réfléchis encore, s'il existe même ethniquement et enthropologiquement parlant, un type canadien, au-delà et à travers du canadien-français et du canadien-anglais!

> Innombrables, écrit Roland Barthes, sont les récits du monde... De plus sous ces formes presque infinies, le récit est présent dans tous les temps, dans tous les lieux, dans toutes les sociétés; le récit, ajoute-t-il, commence avec l'histoire même de l'humanité...

Ces légendes, mythes, récits des temps anciens et merveilleux trouvent leurs assises culturelles ci-évoquées, dans les sources d'inspirations suivantes dont voici quelques sources:

> Pierre Grimald, *Dictionnaire de la Mythologie grecque et romaine*, PUF, 1963; Larousse, en coll., *Mythologie générale*, Paris, 1935; Maurice Rat, *Mythologies*, Plon, 1950; Mircea Eliade, *Le Mythee de l'Éternel Retour*, 1949, *Mythes, rêves et mystères*, 1957, *Naissance Mystique*, 1959, *Aspect du Mythe*, 1963, *Traité d'Histoire des Religions*, 1949, Paul Diel, *Le symbolisme dans la mythologie grecque*, Payot, 1966; *La divinité*, PUF, 1971; George Dumézil, *Mythe et épopée*, Gallimard, 1968; Edith Hamilton, *La Mythologie*, Marabout Université, 1962; Pierre Albouy, *Mythes et Mythologies dans la littérature française*, A. Colin, 1969; C.G. Jung, Ch. Kérényi, *Introduction à l'essence de la Mythologie*,

Payot, 1951; Jean Pierre Vernant, *Mythe et pensée chez les Grecs*, 2 t., Maspéro, 1965; La Collection *Mythes et Religions*, dirigée par G. Dumézil, en coll. *Le mythe de la Peine*, Aubier, Montaigne, 1967; Jean Louis Bédouin, *Les Masques*, PUF, 1967; David Maclagan, *La Création et ses mythes*, Seuil, 1977; G. Durand, *Les structures anthropologiques de l'imaginaire*, Bordas, 1969; Lucien Lévy-Bruhl, *La Mythologie primitive*, PUF, 1963; les ouvrages de Gaston Bachelard, etc.

Qu'on mette en évidence le panthéon océanien, africain ou gréco-romain, ce *récit-mère* couvre une superficie spatiale et temporelle incroyable; c'est le plus grand récit au monde du monde et des dieux. Comme le récit dont parle Michel Butor (*Le roman comme recherche*) est en principe vérifiable, le Récit de l'Univers, en dépit des littératures universelles, des artefacts et des lieux, demeure un continuel invérifiable, mais qui ne se lasse pas de se donner une profonde crédibilité dans la projection de l'homme vis-à-vis l'en-delà et l'au-delà, tout en restant, bien sûr, ce récit, une raisonnable incroyance. Comme le dit si bellement Heidegger, répétant Hölderlin: «l'homme sur cette terre habite en poète...»

Dans la plupart de ces récits, disons, de ces vastes génèses sacrées, même bien avant les dieux grecs et romains, l'homme est soumis à de grands Jeux célestes dans lesquels il ne peut tenir le jeu. Il est un joueur joué. Il naît d'abord après. Il meurt avant. Sa naissance très souvent vient de gouttelettes, de morceau, de quelque chose après que le principal s'est accompli. Il a beau avoir la ruse d'Antiloque, la métis d'Ulysse, il est toujours devant le dieu celui qui perd, qui va tôt ou tard, être éloigné de la partie. Il ressemble à cet Acca Larentia, le gardien du temple d'Hercule, qui invite le dieu à une partie de dés et qui à la fin non seulement perd la partie mais doit se rendre à ses conditions et payer tribut.

Il reste à dire avec R.M. Rilke, dans ses *Premiers Poèmes*,

Voici la nostalgie: élire sa demeure dans le flux et le reflux et n'avoir point de patrie dans le temps. Et voici les voeux: des dialogues silencieux d'heures quotidiennes avec l'éternité.

CHAPITRE DEUX

LA GESTE DE DIEU ET DE L'HOMME

Partie A

La Création Biblique

1. Dieu et la création biblique

Nous entrons maintenant dans un jeu puissant, dans une autre joute dont les acteurs si près de nous, semble-t-il, nous invitent comme à une nouvelle mise au jeu: celle de la création biblique, de l'approche plus intime de la divinité, d'un en dehors vers un en-dedans, de l'invitation à la créature d'entrer dans le cercle et d'accepter de toucher ce doigt tendu de Dieu vers l'homme comme l'a si bien imaginé Michel-Ange, ou d'accepter cette main accueillante, ouverte et effrayante du Commandeur, dans le *Don Juan* de Molière.

Même s'il faut mettre un début, un «Au commencement»... et re-refaire les départs toujours nouveaux et anciens de: «...Il y avait une fois...», souvenons-nous d'abord que c'est un *Jeu*. Rappelons-nous qu'il s'agit, avant tout, du Jeu de Dieu et de sa manifestation divine, de ce trop plein de l'Être et qu'également, les règles de ce jeu nous dépassent; aussi, enfin, que c'est un jeu joué dans lequel l'homme va devenir un être jouant dans une scène historique universelle où va se déployer depuis la tête des temps fumeux et sans nom, la force prodigieuse, muette du *Logos*, le visage magnifique, éblouissant de l'Éternel!

Une fois encore avant de poursuivre ma route!
Et de porter plus loin mes regards,
En exergue, inscrits profondément,
Brûlent ces mots: Au dieu inconnu.

Zarathoustra

Le concept de création, à part celle que nous favoriserons plus loin, la création littéraire, défait ses preuves à mesure des arguments, des démonstrations accumulées par telle ou telle science. Nous naviguons sans carte au-dessus des mers à rejoindre et pourtant, les plans sont là, dans un coffre quelque part enfoui sous, je ne sais, combien de monts sans fond, sous quelque Etna ou quelque Olympe à l'abri de la convoitise de la race de fer ou de bronze. Ce trésor ne me paraît point si abyssal lorsqu'on songe que pour comprendre la création du Monde et de l'Univers, ce qui implique, vraisemblablement, la notion d'un Créateur, il faut plus de présence intérieure que d'arguments extérieurs. Hans Küng, dernièrement à *Second Regard* (émission télévisée, à Radio-Canada, dimanche, 5, 12 février 1984), avouait devant les questions «éperonnantes» de l'interviewer, que Dieu n'est pas, plutôt, ne devrait pas être objet de raison mais objet de protection, de sentiment intérieur, d'attirance vers. En ceci, l'aimable théologien, expulsé par Rome, comme on le sait, de la Faculté de Théologie de son Université, rappelle la position de Karl Jaspers, qu'on ne peut connaître Dieu et qu'on one peut avoir que le sentiment de. Vouloir prouver l'infiniment grand par l'infiniment petit me paraît plus que de la démesure. C'est de la folie. Et c'est sans rappel. La raison humaine est insuffisante, il n'y a pas à manipuler de nouveaux syllogismes, il ne reste qu'à se situer dans une attitude «humilitaire», (non humiliée) d'attente et d'accueil. Le défaut n'est pas de chercher Dieu (raisonner), c'est de croire qu'on l'a trouvé définitivement et qu'en somme, il ne reste qu'à le démontrer, et qu'à y croire. L'enfant qui joue ses jours, court les soleils et chante le soir en revenant de la rivière (résonne) est sans doute plus près de Dieu que tous les grands docteurs de l'Église. Ce beau passage dans *Feldweg* où ce brave paysan souabe qui, le soir de retour de sa terre, avance vers sa maison avec la route en avant, «les étoiles qui brillent au-dessus de sa tête et ses cochons qui suivent par derrière» marque bien cette grosse foi qui, sur le plan sensible, prouve Dieu par le *Feldweg* (le Chemin des Champs) et le rapproche de la foi hautement rationaliste de l'*Ereignis* du Pays du Matin. Maître Eckhart écrivait que «ceux qui agissent à cause d'un pourquoi ne sont que des valets et des domestiques». Aussi ce mot quelque part d'André Gide: «Croyez ceux qui cherchent la vérité. Doutez de ceux qui la trouvent».

Lorsque se pose la question, et cela revient si souvent dans les conversations: Qu'est-ce que la Création et comment devons-nous, dans celle biblique, ajuster ce terme aux oeuvres de Dieu?, c'est se jeter à pleine épouvante dans le gouffre des commencements; des: «tout d'abord il n'y avait rien si ce n'est Dieu»; du: «mais un jour, Dieu décide de...». Je suis devant un Dieu qui joue. Le Joueur par excellence. Un jeu qui pour l'homme est joué d'avance et qui va amener ce dernier, toute sa vie, à défaire les règles ou à s'y conformer. Un Joueur jaloux de ses normes. C'est Lui, le premier joueur. Il a inventé le jeu, placé les pièces, invité les participants à jouer. Peut-on parler ici d'un *Fair play*? Selon les règles du jeu, rappelons-nous que chez les Hommes, le jeu remplit un espace d'équité, de forces à peu près égales où deux adversaires répondant à une similitude de critères, à un parallélisme de composantes s'affrontent dans «l'innocence» du résultat, dans l'égale chance, de part et d'autre, de la victoire.

Nous sommes loin maintenant des dieux d'Homère où l'on a vu Aphrodite blessée par un mortel, Diomède: Héra essayant de submerger l'Argo où s'est embarqué Héraclès; Zeus jaloux foudroyant Jason, l'amant choisi par Déméter elle-même ou encore, ce même Zeus puisant dans les deux jarres à l'entrée de son palais olympien, soit dans l'une les biens, dans l'autre les maux, décide du sort d'Ulysse, de Ménélas, d'Hector, et même se dissimule derrière un nuage «parfumé» (*Iliade*, XVII, 554; XV, 153). Nous sommes d'abord en face d'un Dieu unique, sévère qui va nous proposer le plus grand jeu du monde, la Création; aussi le jeu très difficile à jouer! le jeu de la foi et de la liberté. C'est un jeu, on l'a dit, arrangé, les dés sont même pipés. C'est un grand honneur sans doute que Dieu nous fait de nous inviter à jouer la vie dans notre existence. C'est difficile de refuser, même gênant. Pareil à ce joueur d'échecs, le film passé encore dernièrement, qui s'intitulait L'*Automate*, dans lequel aucun adversaire ne pouvait gagner. La fin de ce film nous montre un individu qui sort du robot sous la chaise de l'automate. Il y avait trucage, un *homo ex machina*. Un peu comme dans cette grande épopée de la Création où s'insère également un *deus ex machina*. Dieu pouvait-il deviner combien sa créature compromettrait son bel ouvrage, jouerait une sale partie? «Dieu a créé l'homme à son image et à sa ressemblance, l'homme, lui a bien rendu», a dit Bernard Shaw.

2. Similitude anthropologique culturelle entre Dieu et les dieux.

Il serait sans doute impie d'avancer que j'ai cru rencontrer chez Dieu ce que j'ai vu chez les dieux. «Anthropomorphisons!» Chez les deux, Dieu et dieux, il y a d'abord une puissance ultra-humaine, illimitée chez Dieu, limitée chez les dieux: (la pensée de Dieu créant l'Univers) Somme *théologique*, 1; (Hermès court plus vite que le vent avec ses sandales divines) *Iliades*, XXIV, 340-342, *Odyssée*, V, 44-46. Exemples qui déboutent toute incrédulité, ou appellent l'ineffable crédibilité... Ils ressemblent et souvent veulent ressembler aux humains: (Or Yahvé descendit pour voir la ville et la tour) *Gen.* II, 5; (Arès crie deux cents fois plus fort que Stentor) *Iliade*, V, 876-860; XIV, 148-151; ils créent de rien: (le Père et le Fils produisent la procession (en théol.); (le fameux simulacre d'Apollon où Énée protégé par une nuée contre Diomède et hors du champ de bataille, continue dans un double (le fantôme), à se battre devant les Troyens et les Achéens) *Iliade*, V, 514-517; ils se contredisent ou retournent, regrettent leur acte, leur parole: (Je ne maudirai plus jamais la terre à cause de l'homme, parce que les desseins du coeur de fl'homme sont mauvais dès son enfance; plus jamais je ne frapperai tous les vivants comme je l'ai fait) *Gen.* 8, 21; aussi (un autre fait) *Gen.* 20, 1-7; (Vénus contrariait un destin par un autre) *Énéide*, ch. I, 339; ils se métamorphosent: (Dieu avec deux anges se présentent à Abraham au chêne de Mambré sous la forme de trois hommes) *Gen.* 18, 2-3; (Athéna rentre dans la chambre de Nausica par le trou de la serrure en prenant la forme d'un souffle de vent) *Odyssée*, VI, 20; ils entrent en contact avec les mortels par des signes: (le bâton de Moïse qui devient un serpent et qui mange les autres serpents) *Exode*, 4, 3-4; (Zeus envoie une rosée de sang pour signifier que Patrocle vient de tuer son fils Sarpédon) *Iliade*, IV, 75-76; XI, 27-28; XVII, 547; XI, 53-55; XVI, 459; d'une façon directe: (tout le long de fla Bible, Ancien Testament, Yahvé se sert de messagers); (Athéna prenant trois rôles) *Odyssée*, VII, 143-194, XX, 30-31; XIII, 288-289, XVI, 157-158. Quant au contact intime; (la rencontre mystérieuse de la Vierge Marie et de l'Esprit Saint) *Luc*, 1, 35, est l'exemple, (quoique suspicieux pour beaucoup) le plus éclatant. Chez les dieux, les exemples pullulent: (Chez Zeus on compte huit unions divines et quinze unions avec les humains); on peut même parler d'aversions, de préférence, de protégés: (le rusé Jacob et le rôle connivent de sa maman lors de la bénédiction d'Isaac, signifie bien au-delà de la légitimité d'Esaü, le choix, la iprotection de Yahvé vis-à-vis l'un des fils d'Isaac) *Gen.* 27, 1 à 45; puis, l'élection et la sélection du peuple juif? N'est-ce pas une prise en charge sans réponse, du destin politique, religieux, éthique de tout un peuple? Chez les dieux, on a des répugnances, des coquetteries pour les hommes comme pour les cités et les peuples: (Héra, Athéna, Poseidon, Hermès, Hephaestos prennent pour les Achéens; Artémis, Arès, Apollon, Léta, Xanthos et Aphrodite pour les Troyens). Dieu et les dieux sont partout. Je dirai même comme le titre de livre d'un certain Didier Decoin: *Il fait Dieu* (1).

Alors, cette question de similitude de gestes, de paroles, de récit, ces vraisemblances presque inquiétantes entre Dieu et les dieux n'ont pas de quoi nous étonner et nous demeurons très en marge du ton blasphématoire puisque c'est toujours l'homme qui dit l'Au-delà, perçoit, déforme, «charrie» Dieu. Mais au-dessus de ce vain bavardage, il reste que le parallèle entre Dieu et les dieux (mené dans les premiers siècles

1. Decoin, Didier. *Il fait Dieu*. Éd. Julliard, Paris, 1975, Coll. Livre de poche, p. 1.

de l'Église) peut dans le seul crédit apologétique ouvrir plusieurs recherches, mener à quelques thèses.

La question reste toujours posée: qu'est-ce que la Création en Dieu, quel serait le but de cette gigantesque entreprise? Qu'entendons-nous, après l'avoir quelque peu répertorié dans les mythologies diverses, par cet acte de création dans le temps de la Bible, dans l'éternité de Dieu?

Je viens de relire ma dernière phrase et le premier geste qui me vient comme par automatisme, issu de l'instinct de conservation, c'est de me pincer. Pour savoir si je suis d'abord en vie et quelle folie me traverse pour supputer une question semblable... La seule consolation qui me reste, c'est de savoir que les théologiens, les Pères de l'Église et tout l'ensemble des hommes en sont arrivés à se la poser. Poser Dieu (sa création), c'est le dire, le rendre présent; le nommer, c'est, en un sens, le posséder. Ce que Didier Decoin appelle «l'enfer de Dieu», c'est la position de ceux qui croient en Dieu, qui ont la Foi (grosse ou méritée) et qui vivent d'elle dans un confort presque indécent, dans ce fond de pension éternel, dans une retraite spirituelle bercée. Avoir la foi est aussi inconfortable que de ne point l'avoir. Avoir «le sentiment de Dieu» n'exige-t-il pas un engagement, une hypothèque à renouveler, comme aux banques, chaque année? Dans une autre explication, «l'enfer de Dieu» ne serait-il pas aussi pour Dieu, la terreur. Passons.

«Au commencement, Dieu créa le ciel et la terre...» Il y a chez l'homme cet espèce de désir de mettre tout en histoire, de chiffrer le temps et de lui donner un avant, un pendant, un après. Un jeu en pièces. Cela ressemble à vouloir se marquer dans le temps, de laisser sa trace, à faire éclater l'instant, à se rendre au-delà de, de conjuguer d'abord le temps présent, puis de s'infuser dans l'infini. Cette occlusion vers soi de tout ce qui est en-dehors, en-dedans, vient bien de ce sentiment occulte de possession dans l'impossession de mon être, de ce regard vers ma précarité, de ma déchirure, de mon «être cassé», dirait Gabriel Marcel. C'est, dans les mots du grand fabuliste français, la grenouille qui veut se rendre aussi grosse que le boeuf. Cette labilité crée chez moi cette maladie que Jean-Paul Sartre a bien diagnostiquée dans sa gangue: l'angoisse.

> Quelque chose m'est arrivé, je ne peux plus en douter. C'est venu à la façon d'une maladie, pas comme une certitude ordinaire, pas comme évidence. Ça s'est installé sournoisement, peu à peu; je me sentis un peu gêné, voilà tout. Une fois dans la place, ça n'a plus bougé, c'est resté coi et j'ai pu me persuader que je n'avais rien, que c'était une fausse alerte. Et voilà qu'à présent, cela s'épanouit (2).

2. Sartre, Jean-Paul. *La Nausée*. Éd. Gallimard, Paris, 1938, p. 15.

Cette angoisse d'exister qui peut nous faire dire avec Sartre (3) que «nous sommes angoissés» et qui explique tout le fond du jeu humain, du jeu de la condition humaine est la même que celle de dire, d'écrire, de lire, de dialectiser, de poser des questions. Même si le jeu reflète ma médiocrité comme joueur, développe mon «en-deça du jeu» (Henriot), va me briser, comme le «jugement de Dieu» au Moyen Âge, je demeure toujours un aspirant. Même si l'homme n'a pas demandé de jouer, dès qu'on l'a mis à la table, il doit répondre. Il est par essence, par existence, un candidat dans l'équipe humaine. Quand il prend conscience du Jeu, de son jeu et de celui de son partenaire d'en face, il éprouve l'horreur de l'angoisse, dans la démesure de son jeu. Une chose à faire: *ou* entrer dans le jeu avec intelligence, foi, accepter son rôle de joueur tout en connaissant d'avance les résultats, *ou* briser les règles du Jeu, faire de nouvelles lois, éliminer son adversaire, du moins le mettre dans notre jeu, à notre main, essayer de le surprendre, éviter l'emboîture de la défaite *ou*, troisième solution, sortir tout simplement du Jeu. Ces trois attitudes se ramènent à: *1°* assumer l'existence, accepter l'exigence de vivre (jouer le jeu honnêtement, lucidement); *2°* se révolter, vouloir vivre selon ses exigences (briser le jeu ou faire son jeu); *3°* se refuser à jouer, se retirer de la table (éliminer le jeu, s'extirper comme joueur). Il y a aussi une quatrième position, disons l'escamotage ou celle de se laisser jouer, de feindre de ne pas jouer, de ne pas vouloir jouer, tout en jouant au loin son petit jeu dans la fausse impuissance et dans la mauvaise conscience, c'est, *4°* (laisser jouer le jeu, jouer au côté du Jeu). Cette quaternité s'ouvre sur quatre visions globales du monde du jeu et du jeu du monde. La première, serait appelée le *Fair Play*; la seconde, la Révolte sous toutes ses formes; la troisième, le Suicide et la quatrième, le *Unfair Play*.

3. L'interrogation sans réponse

Toute cette digression pour dire qu'avant de poser le problème de la création, du Créateur, il nous faut mener le questionnement; même si le jeu se passe au-dessus de nos têtes, que ce ne fut pas d'abord notre jeu, mais plutôt celui de la «guerre des étoiles»; même si nous éprouvons en face de cette question l'horreur du vide. Le vide de nos connaissances, celui de nos réponses!

Donc, «Au commencement, Dieu créa le ciel et la terre...»

Phrase qui, selon Sertillanges, est la plus belle image d'Épinal qui soit. Elle sent le folklore et même elle serait athéologique pour ne point dire profanatrice. «Tout ce qui est hors de Dieu n'est point Dieu», répète-t-il souvent, «l'action de Dieu, c'est Dieu» (p. 78), «tout ce qui n'est pas dieu

---

3. Sartre, Jean-Paul. *L'Être et le Néant.* Éd. Gallimard, Paris, 1943, p. 81.

est créature de Dieu» (4). Il va jusqu'à soutenir que le monde a toujours existé *ab aeterno* (p. 12), comme les anges, mais avec ce pré-avis augustinien, que Dieu précède le monde et les anges dans une éternité fixe; ces derniers étant changeants, successifs. Aristote, Avicenne posent carrément un monde éternel. Que le monde soit arrivé à un moment donné dans sa réalité, dison matérielle, et l'Univers, bien sûr, il ne pouvait ne pas exister dans la pensée de Dieu. Aussi, ce désir d'éternité n'est-ce pas en nous un fond de l'Éternel? Une projection divine en nous de ce qui est toujours? Une nécessité anthropologique de Dieu? donc, l'Univers, la Matière, le Monde seraient éternels. Il n'y a pas de passage d'un non-monde à un monde, d'un néant à l'être, d'intermédiaire entre Dieu et les êtres. Le Monde n'est pas arrivé, *il était là*. Dieu crée éternellement. L'éternité n'a pas de temps, pas d'horloge. Mais pourtant il y eut création! Un commencement! Oui, apparemment, mais non dans le sens de la durée! «Nous sentons et nous expérimentons que nous sommes éternels» écrit Spinoza. Non par l'être au fond, mais par le fond de l'être. «Nous sommes éternels, en attendant, nous mourons...» (5). Ne pourrions-nous pas admettre, à la longue, une vision énergétique, divine, animiste, participante, presque panthéistique du monde? «Si Dieu a voulu le monde éternel, la raison du monde, rétorque le Père Sertillanges, a toujours existé, et le monde a pu toujours exister, se trouvant de soi prêt à l'existence à tout moment de la durée éternelle». Aristote (6) et Platon (*Timée*, 38b) ont fortement appuyé l'éternité du monde, mais ne l'ont pas prouvé, ajoute son sage adversaire Maïmonide. Nous vivrions donc dans l'infinie durée du monde, dans un monde à durée infinie. Teilhard de Chardin y a cru. Dans cette perspective d'un infini actuel, le mot création s'efface dans un en-dehors effarant de la raison, dans un non-départ qui entraîne la disparition d'un *ex nihilo*, d'un «Au commencement Dieu...», sans pour cela brimer la transcendance de Dieu. Les premières paroles de la Genèse devraient se placer dans une traduction Maïmonidienne: «Dans le principe Dieu créa le haut et le bas», qui a fait valoir la différence entre le premier et le principe par le mot hébreu: Bré'sit (dans) et Ré'sit (principe). (Rambam Maïmonide (Môreh ha-nbukiym, *Guide des égarés*, rapporté dans le livre de Sylvain Zac (7). Le rapport entre Dieu et la création, maintenant une créature, se tient dans une certaine relation (*relatio quaedam*), une relation prédicamentale. La création, comment part-elle? s'arrange-t-elle? Elle n'est pas un arrangement parti, comme dans plusieurs mythologies, d'un chaos primitif, ne suppose pas absolument un commencement, n'est pas un vide, ni l'éternité de Dieu, ni une action divine succédant à une non-action. *Elle est là*. Et, en un sens, c'est peut-être nous qui

4. Sertillanges, A.D. *L'Idée de Création*. Éd. Aubier, Paris, 1948, p. 99.
5. Deleuze, Gilles, *Spinoza*. Éthique V, prop. 23, Scholie, éd. PUF, Paris, 1970, coll. Philosophes, p. 122-123.
6. Aristote. *Physique* (d'Aristote). 2 vol. éd. Les Belles Lettres, Paris, 1969, trad. Tricot, I, III, ch. 1, 251h-252a; *Du Ciel*, 1, 1, ch. X, 25-35.
7. Zac. Sylvain. *Maïmonide*, Coll. «Philosophes de tous les temps». Paris, éd. Seghers, 1965. no 20.

sommes arrivés à la Création, non la Création à nous. L'être venant de l'Être. La créature venant avant la Création. «Pour que la créature soit en rapport avec Dieu, Il faut d'abord qu'elle existe. Si c'est ce rapport dit Sertillanges, qui est la création, la création vient donc dans l'ordre de l'être après la créature» (8).

Il y a aussi la création continue chez Bergson (accroissement de la substance cosmique) et continuée chez Descartes, Malebranches (conservation des êtres) qui amène la notion de Providence. C'est le *follow up* divin. Mais sait-on que si l'on favorise l'infini actuel ou l'éternité du Monde, on est anathème! Oui, d'après les Conciles de Latran et du Vatican, il faut absolument qu'il y ait un: «Au commencement tout a été fait... *ab initio tempore*...» Était-ce pour protéger Dieu de sa créature? Le *ex nihilo* reprend alors, chrétiennement, toute sa rigueur.

«L'universalité des créatures a-t-elle toujours existé? Non», dit saint Thomas, dans sa *Somme théologique* (9). «Quoique son éternité eût été possible», reprend le docteur angélique. «Est-ce un article de foi que le monde a commencé? Oui. C'est par révélation». «La création du monde a-t-elle eu lieu au commencement du temps? Oui.»

Il nous reste qu'à nous demander ce pourquoi de la Création. Je ne puis dire en partant avec Jean-Paul Sartre pour qui la création ne fait pas problème...» bien sûr il n'y avait aucune raison pour qu'elle éxitât cette larve coulante, mais il n'était pas possible qu'elle n'existât pas...» (10), ou avec Camus pour qui l'Univers, le Monde «est déraisonnable et n'est que cela» (11) ou dans *Fin de Partie*, avouer désespérément avec Ham, Nagg et Nell, personnages de Samuel Beckett (12): «Toute la maison pue le cadavre. Tout l'univers...», «au-delà, c'est l'autre enfer...»

Il me faut suivre la filière et re-tisser l'opinion commune quant au but donné de la Création. La démarche doctrinale semble développer une histoire théophanique, ensuite théocratique dont le peuple juif sera le peuple élu, les prophètes, les témoins et les Lévites, les apologistes et les détenteurs du pouvoir spirituel et temporel autour de la geste triomphale de Yahvé, Dieu d'Abraham, d'Isaac et de Jacob. Et cela jusqu'à la victoire du cosmos, du Royaume de Dieu. La vocation d'Israël. Le terme «bara» signifie à la fois la création (créa) et l'action salvatrice de Dieu sur son peuple, d'où la notion de Providence, de création continue.

8. Sertillanges, A.D., *op. cit.* p. 46-47.
9. Lyons, Chanoine. *Somme théologique de saint Thomas d'Aquin en tableaux synoptiques*. Éd. Apostolicum, Montréal, 1957, 1ère partie, 46.
10. Sartre, Jean-Paul, *La Nausée*, p. 175.
11. Camus, Albert. *Le Mythe de Sisyphe*, Paris, éd. Gallimard, 1942. p. 70.
12. Beckett, Samuel. *Fin de Partie*, éd de Minuit, 1957. p. 65.

Et là aussi, cette préférence de Yahvé pour la nation juive, comment la saisir, la comprendre, envelopper cette économie divine, à part, dans le budget de la Raison humaine?

Le but de la Création, quel est-il dans la pensée officielle de l'Église? Cette question répondue dans le sens d'un chemin divin et répondant clairement à tout homme sensé, un peu comme devant nous l'apparence des choses, il n'y aurait plus de dégoût, d'absurde, d'inutilité, de frivolité, donc d'athéisme, de perversion, de mauvaise conscience, de conscience malheureuse. La Création aurait un sens. Sisyphe, enfin, se ferait une autre raison. Le mystère de la Création est intimement lié à celui de la Rédemption. Ce qui sauve le tout. Mais le tout demeure un Jeu terrible, un Jeu joué, un Jeu même horrible. Un *déjà là*. Voici quelques directives romaines, cadenas pour la raison et contre la dissémination, dit-on, interprétation des esprits forts. «le monde est totalement distinct de Dieu son créateur (De foi); «Les réalités matérielles et les réalités spirituelles ont été et sont produites de rien par Dieu selon la totalité de leur être (De foi)»; «Le monde est l'oeuvre bonne d'un créateur inexprimablement sage et bon, qui produit toutes choses ar sa toute-puissance et avec une volonté absolumnet libre (De foi)»; «Tout subsiste dans le Fils» (Col. 1, 17), mais dépend de la Trinité comme d'un seul principe créateur (De foi)»; «Dieu, le Maître de l'Univers garde et gouverne toutes choses par sa providence (De Foi): elles ne sont pas éternelles, mais elles ont commencé (Proche de la foi)»; «La fin de tout l'univers est la gloire du Créateur, c'est-à-dire la communication de sa bonté, ce qui se réalise, et se réalisera plus merveilleusement à la fin des temps, par le Christ, Notre-Seigneur (De foi)». Pour ce qui a trait à la Création, il faut aller aux preuves suivantes: (Concile du Vatican I, Session 3, ch. 1 et can. 3 et 4, infra, p. 49-50, -D.B. 1782, 1801, 1803, 1804; Session 3, ch. 1 et can. 5, infra p. 49-50, -D.B. 1783, 1805; Session 3, ch. 1 et can. 5, infra, p. 49-50, -D.B. 1783, 1805; Session 3, ch. 1, infra, ip. 49, -D.B. 1784; Session 3, ch. 1 et can. 5, infra, p. 49-50, -D.B. 1783-1805; Concile du Latran IV, infra, ip. 48, -D.B. 428). Autres preuves: Les symboles: (des Apôtres, D.B. 1, 2, 6, 9,; de Nicée (321), D.B. 54,; de Constantinople (381), D.B. 86; les autres textes conciliaires: le deuxième concile de Constantinople (Vième oecuménique((1215), D.B. 428; le concile de Florence (XVIIème oecuménique) (1438-1445) pour les Jacobites (1442), D.B. 706 et 707; le premier concile du Vatican (XXème oecuménique) (1870), D.B. 1782 à 1784; Canon: D.B. 1801 à 1805,; l'Encyclique Humani generis (1950).

Partie B

Les sept grands Jeux de l'épopée divine et humaine

Comment en dehors des barricades traditionnelles et du penser commun, peut-on illustrer, dans un récit leste, le drame de la Création, la vision tragique de cette ténébreuse épopée qui pour nous est hors mesure et dans laquelle nous baignons, dans l'immense lessive universelle, notre petit linge quotidien? Le *vulgus* ne se pose pas la question. Le philosophe s'y perd, le théologien ne se retrouve pas et le scientifique dépose les armes. Le poète, le voyant aveugle, l'imaginatif irrationnel, l'enfant terriblement simple, peut seul donner sens à ce récit, au moins une image significative, un rêve où l'infini imprime sur le visage de l'invisible, la silhouette vaporeuse des grands éclats d'antan. Un peu comme Victor Hugo pour qui les comètes sont

> Des étoiles dont le sang coule,
> Faisant des mares de clarté
> > *Toute la Lyre* (Les Contemplations).

comme Yvan Gogol parlant du regard

> L'univers tourne autour de toi
> Oeil à facettes qui chasse les yeux des étoiles
> Et les implique dans ton système giratoire
> Emportant des nébuleuses d'yeux dans ta démence.
> > (*Les cercles magiques*)

Dans cette longue anabase de la Création où se joue le jeu divin dans l'écriture du Jeu cosmique, où également se donne le jeu humain-divin dans le Jeu de l'écriture éternelle (première parole orale: «*Yahwe dit...*», parole première écrite dans le bruit et le sang de la pierre: «Tu n'auras pas d'autres dieux devant ma face», Ex. 20:25), je vois là un long, long récit multichronologique s'étager sur d'immenses claviers d'orgues sidérales, où l'Artiste divin joue la plus étrange des symphonies célestes et terrestres, la plus grande des Iliades meurtrières, la plus aventureuse des Odyssées, la plus violente des Énéides et la plus religieuse des Divines Comédies. Le Jeu de Dieu. Le *OM* bramé sur l'Univers.

Le long jeu qui raconte l'alpha et l'omega de cet *Opus Dei* se diviserait en sept partitions dont voici, dans une vision éthico-historique globale, les grands titres.

> Premier jeu: *Le Jeu des Personnes divines*,
> > (La concertation du jeu «trinal»),

| Deuxième jeu: | Le «surgissement» de la Création, |
| | (La mise au jeu), |

| Troisième jeu: | La chute des Mauvais Anges, |
| | (Le jeu en berne), |

| Quatrième jeu: | La chute de l'homme, |
| | (Le jeu en chute), |

Cinquième jeu:	Le rachat de l'homme.
	L'Homme substitut de l'homme,
	(La caution et la reprise du jeu),

| Sixième jeu: | L'homme contre l'homme, |
| | (La remise en échec), |

| Septième jeu: | La révélation du vrai jeu et fin de partie, |
| | (Le dernier jeu et son retour éternel). |

1. Le Jeu des Personnes divines (La concertation du jeu «trinal»)

C'est à la vision théologique que l'on doit de connaître ce jeu. Impossible d'en connaître les règles. C'est un jeu divin. Et sans cesser d'être éminemment dépassé, dans notre langage on dira: «C'est un jeu de Pro!» Mais comment Dieu peut-il jouer en lui-même, avec lui-même, se faire un jeu dans lequel la dernière partie semble s'allonger encore dans les siècles actuels? Cette question ne devrait-elle pas tomber sous le coup de la censure, de l'interdit, de la raison? Et pourtant, il s'est trouvé des gens qui, par je ne sais quelle manie de vouloir tout expliquer, auraient vraisemblablement fourni quelques réponses et fait rejaillir plusieurs questions.

> Un être, avance un théologien, peut-être produit par un autre par procession, par émanation, par transformation, par création. Il y a procession lorsque, sans division de substance, une nature immuable est communiquée à plusieurs personnes; ainsi les personnes de la sainte Trinité; émanation lorsqu'on tire de sa propre substance, comme une réalité séparée, une transformation, si quelque agent externe détermine dans un autre un changement d'état; création, si, par un pouvoir absolu, cet agent amène en dehors de lui quelque chose qui ne préexistait en aucune façon (13).

Il s'agit ici du jeu *trinal*.

La procession concerne la vie intime en Dieu, le mystère de sa Pensée. On sait que dans le dogme chrétien le Verbe et l'Esprit procèdent (*pro-*

---

13. Pinard de la B., H. «Création», art. in *Dictionnaire de théologie catholique*, éd Beauchesne, Paris, 1913, p. 2034-2035.

cedere, aller en avant) du Père. Tout le reste est création. En théologie, il est avancé couramment que les Personnes divines «jouent», «procession-nent» devant le Père. Sans vouloir expliquer le mécanisme d'un jeu «métaolympien» dont les règlements du jeu n'ont jamais été donnés à aucun mortel, sauf, peut-être par les Écritures saintes proposées à la raison, ratifiées par la foi, ce jeu, en un seul monologue, est un jeu sans joueur, auquel n'était convié que le *Logos* divin, déployant son intelligence et son Amour. Avec l'appui de la théologie, sorte de raison de la foi et de foi souvent sans raison, on va tenter brièvement de rassembler les morceaux de ce géant casse-tête et de trouver en quoi peut-il y avoir un jeu dans les Personnes divines. Dieu connaît sa perfection, et ce connaître de Lui-même produit une pensée que les théologiens appellent le Verbe et qui est comme Dieu, une personne divine. Il y a donc ici un jeu intérieur, une génération, d'où une origine, une filiation appelée le Fils de Dieu. Donc toujours là, subsistant, co-éternel, sans partie, sans division, dans un rapport de paternité et de filiation. Opposé dans ce rapport et pourtant un seul Dieu. Le jeu est subtil. Il est connu, bien mal connu. Toute conscience chrétienne doit, comme l'Église, lui donner un sens progressiste, opératoire. Mais tout le monde ignore ce que c'est. Un jouet trop sophistiqué. Ce mécanisme qui raconte l'origine nous échappe. Cela s'appelle la procession. La seconde procession, c'est la rencontre de Dieu le Père et de Dieu le Fils, c'est le connaître et l'aimer mutuel qui produit la troisième personne de la sainte Trinité ou le saint Esprit qui représente cet Amour. Et cet Esprit, ce souffle vital est retransmis au Père et au Fils. Comment ces processions produisent-elles des relations subsistantes qui constituent des personnes entre le Père, le Fils et le Saint-Esprit? Toute réponse ici est en faute de question. Donc pas de question, pas de réponse. C'est une des faces du mystère.

Là, le jeu est confondant, infondable et pourtant fécondant. C'est un jeu de relation, de relation parfaite qui amalgame, plutôt unit sans qu'il y ait séparation, le *unus ex pluribus* dans une copie conforme. Si l'on dit que ces aspects en Dieu sont des attributs, nous n'y sommes pas du tout. Un attribut ne serait que le montage artificiel de notre raison voulant examiner Dieu; tandis que la relation entre Dieu admet une opposition entre les trois personnes divines qui affichent réellement (l'adverbe est impropre) une distinction trinale. Si on fait le compte, il y a donc quatre relations, deux pour chaque Procession: Paternité et Filiation pour la procession de l'intelligence. Spiration et Procession pour la procession de la volonté. Quatre relations et trois personnes. «Le mot personne ici voulant dire, selon de Boèce, une substance particulière de nature raisonnable», et incommunicable. Le symbole de saint Athanase l'a dit: «*Ut unum Deum in Trinitate, et Trinatatem in unitae veneremur; neque confundentes Personas, neque Substantiam separantes*». Il ne faut pas oublier aussi les Notions des Personnes divines, sortes de caractères propres à chacune des Personnes divines. Du Père, se dit la notion d'Inascibilité, de Paternité et de Spiration commune; du Fils, la notion de Filiation et de Spiration avec le Père; du Saint-Esprit, la notion de Procession. En tout cinq notions. Trois, des notions personnelles; deux, des notions de Personnes. Ajouter en plus les missions des Personnes divines, et vous avez le Père qui jette en dehors de lui la Création, le Fils qui la rachète et le Saint-Esprit qui l'enseigne.

Nous assistons là à un jeu sacré, hautement somptuaire qui va, chez les hommes, se répéter dans les rituels les plus divers et qui va aussi comme imprimer le caractère fondamental de toute institution «groupale» ou communautaire. Ce jeu de Dieu, fondé sur une sorte de généalogie immanente, raconte la perfection, l'abondance de la relation trinitaire dans le sanctuaire de l'Intelligence, dans le temple de l'amour du Dieu de la Révélation. C'est le Soi magnifique posé sur soi, dans ce regard qui se saisit dans sa riche splendeur. C'est le jeu du *Logos*, de la facturation du Verbe. C'est le jeu du miroir concave, c'est-à-dire le reflet de celui qui se regarde. C'est le moment (ici tout mot est impropre pour dire l'Infini) où se préparent dans «le silence de l'Éternel», les grands Jeux à venir, les sept anneaux que forgeront Dieu et les hommes dans le spasme de la Création, de la chute du rachat et de la fin.

2. Le «surgissement» de la Création (la mise au jeu)

Abandonner le monde des Essences pour celui de l'*ek-sistence*, être jeté vivant dans la Création, quitter le giron divin et s'aider à en sortir avec de pauvres outils (l'instinct, l'intelligence) dont on ignore presque les lois, puis apprendre, comme dit Anatole France, que la vie se ramène à trois choses: «naître, souffrir et mourir», ou, comme le dit Heidegger, que «l'homme-est-un-être-fait-pour-la-mort», *voilà*, et quelques gens pensent comme moi, le grand drame de la Création. On dira, c'est une boutade. Je ne suis pas si sûr que Cioran a eu tort, quand il intitula un de ses livres: *De l'inconvénient d'être né*. Pessimisme, dépression! Non. Angoisse. Seulement ça.

Il ne s'agit pas dans ce deuxième jeu de refaire ou de repasser l'oeuvre de la Création. J'aimerais cependant ne pas dépasser les six prochains jours pour donner les lignes de fond de ce même jeu. Écoutons ce poème...

> Au commencement était le Chaos. «La terre informe et vide»
> (Qui avait créé le Chaos?)
>
> Et l'esprit de Dieu se mouvait sur l'abîme»
> ... se mouvait...
> Dieu se mouvait

> Dieu dansait.
> Dieu, dans sa joie de Dieu, dansait.
>
> Au commencement fut cette joie de Dieu, cet Amour, cette Danse, ce rythme.
>
> Et ce rythme était si fort que le Chaos s'ébranla, l'informe chercha figure, les atomes se prirent à danser aussi.
>
> > Entrez dans la danse,
> > Voyez comme on danse.
>
> Et selon le branle de Dieu, obéissant à l'ordre ardent de sa musique, ils se sont rangés, assemblés, composés, mis en ordre, en harmonie; ils ont construit des figures, des formes, des êtres; ils sont devenus lumière, astres, terres, animaux, homme...
>
> Ainsi Dieu créa le ciel et la terre.
>
> Dieu danse.
>
> Et toujours se perpétue, se propage, se déploie le grand Rythme du commencement qui ordonne, compose et s'appelle Vie éternelle.
>
> L'Ennemi est celui qui brise le rythme (et toute faute est un faux mouvement, un faux pas), l'Ennemi est celui qui divise, dés-accorde, dés-assemble, dé-forme, dé-compose, qui défait et détruit les corps et les mondes et les rejette au dés-ordre du Chaos.
>
> Son nom dans l'abîme est HAINE.
>
> Marie Noël (14)

On peut constater, dans cette présentation poétique de la Création, l'élément jeu qui vient corroborer la parole des *Proverbes* VIII, 30-31 et les Saintes Écritures dans lesquelles la Sagesse de Dieu est Jeu. Signifient-elles que nous pouvons jouer avec Dieu et qu'Il peut jouer avec nous? De nous? Le rapprochement entre cet «ébattement» biblique, qui est aussi ordre, lutte, harmonie et *L'Âme et la danse* (15), est intéressant.

> Socrate
>
> suspens ....
> .... On ne doit voir son corps qu'en mouvement.
> Eryximaque
> Toute, elle devient danse, et toute se consacre au mouvement total,
> Phèdre
> Elle trace des roses, des entrelacs, des étoiles de mouvement et de magiques enceintes... Elle bondit hors des cercles à peine fermés... Elle bondit et court après des fantômes... Elle cueille une fleur qui n'est qu'un sourire! Oh! comme elle proteste de son inexistence par une légèreté inépuisable!...

14. Noël, Marie. *Notes intimes*. Éd. Stock, Paris, 1959, p. 191.
15. Valéry, Paul. *L'Âme et la danse*. Éd. Gallimard, Paris, 1957, Coll. de la Pléiade, p. 159 et suiv.

Toute révélation sur l'origine radicale des mondes me paraît une inflation de langage; la seule façon d'y approcher proprement c'est le mythe, la poésie ou la musique. C'est de l'impalpable, du «presque-rien», dirait Jankélévitch, mais combien chargé de «pur et d'impur», même de zone neutre, de *no man's land* où le Mal nécessaire devient le bien et échappe presque à toute priorité. Dans toute notre innocence, on est toujours coupable. Même «l'enfant n'est pas innocent», écrira saint Augustin. Et le mythe du commencement joue d'abord dans la pureté des premières lueurs, du *Fiat* lumineux cosmogonique où le *Logos* s'en vient jouer avec le Monde, pour que le monde se mette à son tour à jouer. Et l'événement redoutable qui s'en vient... la fin du paradis sur terre! Et ce serpent! Pourquoi? Nous y reviendrons. En toute innocence.

Le mythe, selon une des cinq caractéristiques d'Eliade, «se rapporte toujours à la création» (16). À ce moment-là, il met toujours en évidence des Êtres surnaturels dans leur histoire vraie et sacrée et remonte forcément aux origines, lesquelles sous la réactualisation constante des hommes par leur angoisse, sont constamment vécues soit dans la pensée, soit dans les événements du quotidien. La définition de Mircea Eliade, fort classique et communément admise, pourrait se ramener en une phrase, si l'on éloigne l'aspect didactique: Le mythe est l'histoire des dieux. De toutes façons, il ramène la notion générale du mythe, quelques pages auparavant, à celle-ci: «le mythe raconte une histoire sacrée», (p.15). Doit-on ajouter, avec Eliane Amado Lévy-Valenzi, que si l'on ne parle point de dieux, (et cela s'est vu dans quelques cosmogonies) il y a forcément, une cosmogonie (17).

Les grands récits de la création, la Genèse des Hébreux, l'Enuma Elish de Babylone ou le Popol-Vuh des Mayas offrent le récit d'une écriture claire, d'un sens, toutefois, moins éclairant. Il s'agit, comme la plupart des autres, d'un germe, d'une émergence cosmogonique, ensuite ontogénique. Dès que nous touchons à la Création, nous sommes immédiatement en face de la conjonction des contraires: Dieu-création, Dieu-homme, esprit-matière, etc. Ceci paraît une La Palissade, mais il faut garder en vue, eu égard à la totalité, à l'infini divin dont parle dans son dernier livre Jean Nabert, *Le Désir de Dieu*, (avec ce style hélium pur), que dans l'acte d'éclatement de ce *big bang* divin, il y a forcément dégradation, déshéritement; bref, que le *Ce* qui est créé s'en va vers une diminution, sinon une dispersion, une chute d'énergie. Et là nous avons à recueillir brièvement le témoignage scientifique. La notion d'entropie et ses trois approches «thermodynamicielles», nous apprennent l'existence de trois théories: *1º théorie thermodynamique*: Mayer, Joule, Carnot, Claudius, 1865; *2º théorie statistique*: Maxwell, Gibbs, Boltzmann, 1875;

16. Eliade, Mircea. *Aspect du Mythe.* Éd. Gallimard, Paris, 1962, p. 30.
17. Lévy-Valenzi, Eliane Amado. *Les Niveaux de l'être.* PUF, Paris, 1962, p. 453.

3⁰ théorie de l'information, la néguentropie: Szilard, Gabord, Rothstein, Brillouin (1940-1960). Cette notion d'entropie (*entropê*: retour en arrière, honte) définit que notre Univers reste constant (principe de la conservation de l'énergie; le «rien ne se perd, rien ne se crée» de Lavoisier); elle stipule aussi que ce même Univers (un système, une enceinte fermée) tend à se dégrader d'une manière irréversible. Et l'on parle fermement de la mort de notre univers comme d'un soleil jaune, presque blanc, autrefois d'un bleu vif. La fameuse dérive bergsonnienne et chardinienne de l'Univers... Cela vient de l'observation (1850) de lord Kelvin, de Carnot et de Claudius sur la hiérarchie entre les diverses formes d'énergie et la dissymétrie quant à la transformation de l'énergie qui fait, qu'il reste un «déchet», une indisponibilité, une inefficacité de l'énergie. De là, ce désordre *entropê*. Comment concilier ces contraires, (Einstein dit que «l'univers est fini et illimité») d'ordre et de désordre? Joël de Rosnay répond par «la loi des statistiques» (18). Son petit tableau veut illustrer cette notion d'ordre et de probabilité.

Énergie potentielle	- entropie
Énergie ordonnée	- énergie désordonnée (chaleur)
Énergie noble	- chaleur (énergie dégradée)
Improbabilité	- probabilité.

Avec Léon Brillouin, on peut se poser cette irréfutable question: «Comment est-il possible de comprendre la vie quand le monde entier est dirigé par une loi (le deuxième principe de la thermodynamique) qui le pointe vers la mort et l'annihilation? Imaginons, si possible, un Univers, depuis l'explosion fracassante, vieux maintenant de 20 milliards d'années, (inférieur à cela, dit Weinberg), une terre (la nôtre) avec une vénérabilité de 5 milliards d'années (4,6 milliards, avance Weinberg) et une créature, l'homme, le petit dernier (encore au berceau et qui provient d'un ver, selon Robert Jastrow, Ph. D. physique nucléaire) (19) qui accuse déjà quelques millions d'années sur «notre» planète. On croirait à des statistiques de centre d'accueil! Si nous sommes voués à mourir (c'est inévitable), comment tout cela est né? Que s'est-il passé lors des «trois premières minutes de l'univers»? C'est au «commencement» de l'univers, (dans le premier centième de seconde) que se joue la particule et l'organisation cosmologique de cette particule. Dans cet univers bouillant, 1000 fois plus petit que de nos jours, la cuisson cosmique, avance Weinberg (p. 108), se fit de 100 millions à 3000 degrés Kelvin, moment de transparence de l'univers. Le réchaud de ce dernier se refroidit, dit-il, en 700 000 années. Et le professeur de Harvard, prix Nobel de physique, 1979, nous donne «la recette du commencement de l'univers avec tous ses ingré-

---

18. Rosnay, Joël de. *Le macrocosme*. Éd. Seuil, Paris, 1975, p. 137.
19. Jastrow, Robert. «L'évaluation future de l'humanité» in *Revue Penthouse*, oct. 1978, p. 125-126, 136 et 178.

dients: Prenez, dit-il,

> ... une charge par photon égale à zéro, un nombre baryonique par photon égal à un pour un milliard et un nombre leptonique par photon indéterminé mais petit. Réglez la température pour qu'elle soit à tout instant supérieure à la température du fond de rayonnement actuel dans le rapport de la taille de l'univers actuel à sa taille à l'instant considéré. Bien agiter afin que les distributions détaillées des particules des différents types soient déterminées par les conditions de l'équilibre thermique. Mettez le tout dans un univers en expansion, la vitesse de celle-ci étant commandée par le champ de gravitation produit par le milieu. Après une durée suffisante, cette mixture devrait donner notre univers actuel (20).

Le premier centième de seconde après la «détonation», sous le bénéfice toujours de Steven Weinberg, la température de l'univers était en 10^{43} de seconde à 10^{32} degrés K. À ce moment-là pas de molécules, d'atomes, de rayons atomiques possibles, seulement des «particules élémentaires» (électrons, positrons, neutrinos); assez, pour parler déjà de ce premier *Fiat* de la lumière. Le tout, un grand potage qui, après les trois premières minutes, était prêt à être servi avec les ingrédients chimiques ci-nommés. On vit actuellement et depuis toujours, selon les savants, sur un modèle standard, un *steady state*. Ce qui amène à dire, par conséquent, que l'univers a toujours été tel qu'il est actuellement et qu'il on'y a pas eu d'origine de l'univers. (Bondi, Gold, Hoyle et probablement Weinberg). Avec mon ignorance scientifique, je souscris au dire de ces Messieurs. Mais, cent cinquante pages plus loin, Gamow, Alpher et Herman avec leur découverte finale en 1955 (la théorie cosmologique du *big bang*: le fond de rayonnement à 3 degrés Kelvin), convainquirent nombre de savants dont Weinberg, à croire en un commencement de l'univers. Dans mon ignorance philosophique, je m'inscris encore dans le dire de ces derniers Messieurs. Qui croire? «La chose du monde la moins compréhensible, disait Einstein, rapporté p. 243, par Maurice Merleau-Ponty dans *Signes*, c'est que le monde soit compréhensible».

Du côté de la vie, non plus de l'Univers, mais de l'être vivant, Christian Laurier nous conduit quelque peu. Si je résume très brièvement le livre, l'auteur se demande en vertu de quelles lois les molécules s'assemblent-elles pour fournir des structures dynamiques métastables? D'abord d'où viennent ces mêmes molécules? Toute la matière vivante repose sur ou dans la quaternité: N, H, O, C. La question de la biopoïèse reste posée, que nous soyons pour ou contre l'éternité ou la non-éternité de la matière-énergie. «Rien ne prouve, dit le jeune philosophe, la non-éternité de la vie» (21). Deux axes absolument nécessaires: nouveauté et temporalité. L'auteur, malgré son agnosticisme avoué, adopte l'option de la vie pos-

20. Weinberg, Steven. *Les trois premières minutes de l'univers*. Éd. Seuil, Paris, 1978, Coll. Science ouverte, p. 121.

21. Laurier, Christian. *L'origine de la vie*. Éd. Lafont, Paris, 1970, p. 27.

sible avec départ dans la théorie de l'évolution. Il rejette la génération spontanée (ceci rappelle Pasteur), les théories éternalistes (panspermie, litho et radiopanspermie) et se penche pour la théorie évolutionniste de l'origine de la vie, en exposant avec chaleur, la théorie d'Oparin et celles opposées, de A. Dauvillier et de Sidney W. Fox. Il défend enfin la sélection naturelle en incluant la notion de téléonomie et d'émergence; celle-là précédant la finalité qui est presque synonymique. En finale, l'élève de Jacques Merleau-Ponty définit la vie (à défaut de ne point saisir ce paradigme biologique redoutable) à un ensemble de facultés. La vie est caractérisée par le vivant qui lui peut échafauder des caractéristiques. L'attribut principal de l'être vivant (22), dit-il, c'est l'aptitude de ce dernier «à transgresser le second principe de la thermodynamique: l'entropie». La recherche prochaine dans la théorie de la biopoièse veut comprendre l'origine de l'autoconservation.

Voilà, pour l'aspect scientifique de la création, quelques digressions que j'ai voulu brèves et éclairantes pour notre topique.

Il me reste maintenant à liquider le deuxième jeu qu'on a résolument et hardiment appelé «le surgissement de la Création». Je me tiens toujours dans cette idée, et comment pourrais-je m'y dérober, qu'en parlant de Dieu, de la Création, de la seule cosmogonie chrétienne, je demeure dans l'écriture de l'Impossible et de l'impossible Écriture. La problématique du divin. Plus tard, et même déjà, nous sommes dans l'injustifiable. On peut l'appeler dès maintenant le problème du mal, le fond d'iniquité dans l'être. Nous jouons sur les absolus, le degré zéro non seulement de l'écriture, mais quelque peu des idées. Tout homme qui se veut conscient sent, dès que l'Absolu est posé, le harcèlement du *Logos*. S'inscrit en nous, dès «l'affirmation originaire», la catastrophe de l'Igitur.

Comment allons-nous voir la Création, son surgissement et Dieu dans tout cela? Voici une image personnelle que je sais, malgré moi, hybridique, hérétique et presque hypnagogique. Tout discours n'est-il pas bricoleur, selon Lévi-Strauss!

Dieu est éternel. Il est Tout. Le *logos* divin, le Verbe. Il est le Jeu lui-même du monde. Jeu par la procession divine, jeu par sa manifestation. Le grand Joueur qui fait jouer. L'Univers est le *to holon* (le Tout tourné d'un seul élan vers...) créé par Dieu. Étant déjà dans la pensée de Dieu, se situant comme un attribut de Dieu, la matière, l'énergie, la Création elle-même se posent comme éternelles. Quel est le rapport entre les deux? *Une certaine relation* qui place la Création, disons l'Univers, comme un vestibule pour nous entre Dieu et l'homme. Reste cette autre, non moins mystérieuse, aporie du Nécessaire qui produit le contingent et qui

22. *Ibid.*, p. 158.

fait qu'une chose est, que les choses sont, sans que Dieu y soit pour rien. L'exemple le plus terrifiant et sans cesse surprenant, c'est bien le *Mal*. Un quelque chose qui est *déjà là*, déjà en microbe dans le créé, qui ne touche en rien en la bonté de la Création et en la simplicité de Dieu. Ce *haec (Dei) actio vocatur creatio*. (De Pot., 3, 4). Parce que selon notre petite raison, et en vertu de toutes les hypothèses ludiques qu'on peut mener dans notre esprit, nous aboutissons ainsi à la plus grave accusation de l'histoire: le sadisme de Dieu ou son côté satanique; puis, à la fois, au plus beau mensonge depuis les temps homériques, lorsqu'on profère dans le fond du coeur la scandaleuse expression: *le Bon Dieu*.

C'est le plus beau coup de cravache porté au visage de la foi, au front de la raison que cette chose pourtant belle et pourtant épouvantable de la Création. On aurait dû jamais habiter (même comme locataire) dans une demeure déjà infectée (in-fectum), et le plus grand mal, n'est-ce pas d'être sorti de Dieu, de vouloir remplir l'existence, d'y exister à notre compte, à crédit, «en sursis» comme dirait Jean-Paul Sartre? Nous reviendrons dans les yeux suivants sur la question du Mal.

Pour le moment, ça va. Enfin, il faut que ça tourne. Donc la Création est éternelle, on l'a affirmé, sans le prouver cependant. Et ce second Jeu, triomphe cosmique de Dieu, fabriqué depuis toujours dans la pensée du Très-Haut, de toute éternité, qui se met tout-à-coup à «surgir», à exploser (*ebullitio*, débordement exposé: Maître Eckhard) comme un ressort puissant et savamment «crinqué», à sortir de sa boîte à surprise, à se dérouler dans un parfait ordre «malgré tout», dans un temps «temporel» d'éternité! On va de surprise en surprise. La création devra continuer même si les créatures meurent et atteignent le *big crunch*.

Il m'est difficile, avant de passer au troisième jeu, de ne pas mettre en relief ici, la symbolique de la Création que l'homme inaugure chaque jour et chaque fois qu'il joue à une partie de billard. Dans le jeu de billard, (apparition en 1510) on peut y lire une écriture cosmogonique, une espèce de grammaire ludique qui n'est pas sans référence avec la Création.

Dans une vision spatiale, la table de billard serait l'Univers sidéral, où s'enlignent des milliers de tables sur lesquelles roulent les boules ou les planètes. Le joueur est dieu. Dieu créateur. Dans un triangle (la proportio divine, signe de la divinité, de l'harmonie, symbole du coeur, du feu, aussi figure kabbalistique, bouclier du roi David, etc) attendent coites et froides quinze planètes d'importance différente: les terres basses, boules numérotées 1 à 7; les terres hautes, boules chiffrées de 9 à 15. Cela, avant le grand éclatement (*Big Bang* initial), la dispersion des planètes (boules) dans le mail de l'univers. Celles-ci frappées par un jeune dieu, le joueur, au moyen d'une queue de billard ou baguette (l'intelligence rectiligne) et d'une boule blanche (la volonté libre, le bon plaisir de créer). Il s'agit dans ce jeu de refaire l'univers, de lui donner un nouvel équilibre. Un dieu qui crée son propre univers et l'élimine à chaque partie dans un plan conventionnel méticuleux. S'il eût fallu que Dieu répétât ainsi son déluge, on en serait loin avec le monde actuel. La Création, celle de l'Éternel, fut un jeu peut-être pas idéal, puisqu'il semble se corrompre à mesure du jeu; tandis que chaque partie de billard a sa fin en soi dans la temporalité amincie du jeu, de parties à refaire. On élimine le jeu en faisant disparaître les boules dans les trous (le néant). Tout est réglé.

La création n'a pas de reprise. Une seule partie. Nécessaire dans sa contingence vis-à-vis Dieu, elle est en soi essentiellement nécessaire... La partie de billard est née d'un coup de chance, de l'*alea*, selon la classification classique de Caillois. D'abord un pile ou face 0.25. Ensuite un *Alea* qui se transforme en *agôn*. La Création possède aussi sa chance dans le défilement de sa partie, et peut à la longue se sauver mais avec énormément de pertes. Une entropie morale incroyable. Le départ de la Création ne se range pas dans l'*agôn* (compétition), ni dans l'*alea* (la chance), encore moins dans le *mimicry* (le simulacre), non plus dans l'*Ilinx* (le vertige), mais dans le simple jeu gratuit, libre de la volonté et de l'intelligence de YHWH.

Une seule chose favorise ou dépite entre ces deux jeux qui se rejoignent dans leur symbolique: c'est que la partie de billard, le résultat, donc la victoire, dépend de l'habilité du joueur, aussi de la chance. Le joueur ne peut corriger son tir. Dans le jeu de la Création, le Joueur est infiniment habile, il dirige le jeu qui, dévolu à l'homme, doit jouer le jeu. Ici le joueur peut corriger son existence. Devenu le jouet de sa liberté, de cette «horrible liberté» de Sartre rapporté par Manuel Rio, (23) l'homme (en dehors de l'ontologie sartrienne qui choisit en fin de compte le mal au lieu de se suicider physiquement, qui accepte de devenir «un survivant», joue le jeu, avec la vie, le jeu avec le Mal) n'est pas moins pris à jouer sa liberté, dans un jeu déjà fait, déjà joué. Le complexe d'Atlas traduirait un peu la position prostrée de tout homme qui, comme le fils de Japet et de Clyméné, est condamné à supporter la voûte du ciel, en un sens, à porter *sa* terre. Soulever le poids du jour, «tenir dans cet effort de redressement avec crainte et tremblement d'être écrasé», n'est-ce-pas la dialectique de la punition à laquelle doit faire face celui qui a pris contre Zeus ou contre Dieu?

C'est là son angoisse. Le tragique de l'existence. La Création entière ne peut se tenir devant l'homme dans une totale innocence, ni au départ, ni à l'arrivée.

23. Rio, Manuel. *La liberté*, (choix - amour - création). Éd. Alsatia, Paris, 1961, p. 260 et ss.

3. La chute des Mauvais Anges (le jeu en berne)

Le jeu est rompu. La première fois depuis le commencement non du Monde mais de l'Univers. Résultat de la liberté des Anges: la chute. Même les anges! *Tu quoque, mi fili!* La première chute, il faut le dire, c'est la Création. Elle représente une chute selon Maître Eckhart. Il y a, en effet, «retombée» de cette origine radicale que Gilles Deleuze assimile «à un jeu solitaire et divin» (24). Parfaite en *shem hamyuhad*, la Création souffre, par la souillure en elle et dans l'homme, d'une effroyable distorsion; elle présente à la vue humaine l'effet d'une fausse couche. L'homme serait, comme le dit un auteur anglais: *God's excrement*. Il faudra un ré-enfantement rédemptionnel, après la grande lessive du déluge qui engloutit les suites. Jésus-Christ pour la chrétienté, Prométhée pour la mythocosmogonie.

Mais ces anges, qu'est-ce qu'il leur a pris d'affronter El Shadday, de tricher, d'enfreindre des limites, d'appeler dans les parvis éternels un premier Sodome et Gomorrhe? On ne peut pas tout de même, dire ici: «cherchez la femme!» Ce manquement, ce *chattat* ne laisse jamais de surprendre, même le théologien. Il est difficile de se mettre à l'idée qu'il n'y a pas eu une espèce de métis divine qui apparaît déjà, et qui suppose que tout cela est voulu, comme le pêcheur place un hameçon à sa ligne; métis qui échappe, bien sûr, à toutes nos ruses humaines. L'Ange mauvais ouvre par sa révolte le temps de l'impur qui s'enrobait, pour ainsi dire, dans les entrailles de la Création et qui enclenche maintenant le grand mécanisme du Jeu du monde. Le devenir n'est plus innocent et personne, pas même l'enfant, pourra se dire: *Purus sum!* On part avec un cadavre (*cadere*, tomber) dans l'esprit, l'Ange déchu; en attendant d'avoir dans les bras, le cadavre de l'homme.

Dans cet univers invisible, ce mystère périlleux des anges et des démons! D'abord les anges. Qu'est-ce qu'un ange? C'est un être incorporel, bref un esprit. Produit de Dieu, dans le sens de créé par lui, de par son intelligence et sa volonté, il est le reflet de ces deux facultés. «C'est terrible un ange!» écrit Rainer Maria Rilke, qui avait déjà édité *Histoires du Bon Dieu*. À continuer le *curriculum vitae* angélique, d'après saint Thomas, le Docteur angélique, l'ange est simple et par le fait même n'est pas de la même espèce que ses «mille millions» de confrères qui servent Dieu; non plus des «dix mille millions qui sont devant» Bel Shamin ou devant le Prince, *curios* (Dan., VII, 10). Cette garde prétorienne ou adorateurs de Dieu sont incorruptibles. L'Ange emprunte des corps qu'il utilise intellectuellement, non biologiquement. Ceci pour éviter les contorsions «hérésiartiques» au sujet des anges qui auraient marié les plus belles filles des hommes et qui auraient produit les Géants, les *Néphilim* dont il est

---

24. Deleuze, Gilles. *Différence et répétition*. Éd. PUF, Paris, 1968, p. 361.

mention dans la Genèse (les Benê Elohim, les fils de Dieu). Hérésie combattue par saint Jean Chrysostome, par Théodoret, saint Cyrille d'Alexandrie et saint Augustin. Il s'agit des anges déchus qui avaient produit les *amatores feminarum*.

Pour continuer sur les bons anges, il n'y a, dans eux, que l'intelligence et la volonté, sans que la première soit leur essence. Êtres hautement intelligents, ils connaissent par les espèces (idées) de Dieu (non pas totalement leur substance), les autres anges et la présence de l'image de Dieu. Aussi les choses matérielles, les mystères de la grâce, mais non les choses futures et les pensées des coeurs. Ils ne sont pas sujets à l'erreur. «Un ange ne tombe jamais», écrira celui qui, comme Antonin Artaud, a passé sa vie à poser des questions éternelles (*Carnets des Démons*, p. 958-959). Un ange est tombé, des anges ont succombé! «Il y avait du mal dans les anges» (Job, IV, 18). Ce mal, comment était-il venu chez le plus grand parmi les Anges? (Is., XIV, 12-15, Ezech., XXVIII, 2 et 7, Matth., XII, 24 et 55, Apoc., XII, 7-10). «Comment es-tu tombé des cieux, Lucifer, qui brillait le matin?» (Gen.,XIV, 12). «Il a voulu, dit saint Augustin, être appelé Dieu». Non pas être semblable à Dieu, l'égaler, habiter sa nature, mais trouver en lui-même sa fin dernière. Ou encore, selon la Tradition, en voulant obtenir la béatitude sans la grâce ou bien, par un vouloir de domination sur les créatures. La vision béatifique deviendra le lot des anges restés fidèles, après la terrible épreuve. Ces derniers ont gardé la connaissance matutinale et vespertinale. L'intelligence chez les Anges, vaste comme l'Empyrée où ils furent créés, où ils demeurent, ciel de feu, firmament de lumière, se devait de rencontrer le Sphynx (leur libre arbitre) pour mériter leur grâce et leur gloire. Le jeu était pour eux plus facile, ils n'avaient point en partage comme l'homme, après la chute, l'irascibilité, la concupiscence, l'ignorance, la stupidité, la fragilité foncière. Amour, intelligence et volonté! Tout pour garder un ciel... Aussi, peut-être, tout pour le perdre. L'appât était moins grossier que pour l'homme et pourtant, la prise aussi grande. Ce jeu céleste en serait resté dans les divins parvis et l'autre jeu de la rédemption aurait gît sur les tablettes.

Il fallait un objet conforme au sujet: l'Ange: la plénitude de ses propres dons, son intelligence devant l'Intelligence; l'homme: ses dons préternaturels devant un animal malin mais plutôt grossier. Le fond de tout cela: *le destin* (fatalité chez les païens, providence chez les chrétiens) et *le désir* (complétude d'un manque dans la complaisance de soi). Entre les deux: la liberté. Jeu à trois claviers dont le premier c'est l'instrument (l'orgue); le second, la tendance à vouloir jouer de cet instrument; le troisième, et c'est là l'épreuve de l'ange et de l'homme, la question. Dois-je jouer, puis-je ne pas jouer? Est-ce mieux de jouer ou de ne pas jouer de l'orgue? C'est l'éternelle tentation. «Le désir produit-il toujours le désiré ou le désirable, à son tour, produit-il toujours le désir» se demande

Louis Lavelle dans son *Traité des valeurs*. Ne pas oublier que le premier sens de désir (*sidus, sideris*), c'est de contempler un astre.

Dès qu'il y a eu décision de la part de Lucifer (le plus prééminent des Anges et celui qui présidait aux choses terrestres) d'opter pour sa gloire (l'orgueuil et l'envie, dit saint Grégoire), le jeu fut complètement vidé. Plus de jeu. Et ce fut la grande misère de cette tentation, aussi de cet échec pour un grand nombre de ne pas avoir eu, au bout, une quelque rédemption possible. Malgré les thèses anciennes qui favorisent le repentir de Lucifer et des mauvais Anges, leur retour à la fin des temps dans le royaume de Dieu (Origène, fils du martyr Léonide, 184-253) et celles modernes (Guardini, A. de Vigny, Victor Hugo, A. Dumas, Lautréamont, A. Soumet, Théo. Gauthier, Byron, Elz. de Sabran, Edgar Quinet). Le synode de Constantinople 543, puis oecuménique du même lieu 553, invite les chrétiens à croire à l'éternelle damnation de Satan et des mauvais Anges. L'erreur origénienne, la seizième, qui se verra «anathématiser» quinze fois en 543, puis dix fois en 553, se lit ainsi: «Tous les êtres raisonnables - Anges, hommes, démons - seront enfin purement unis à Dieu, et le règne du Christ prendra fin» (25).

Les Anges et les démons devinrent pour l'homme une figure intéressante. Vus d'abord comme génies, ils n'auront pas toujours la figure écrasée du serpent. «Le démon nous souffla un grand courage», lit-on dans l'*Odyssée*, IX, 381, ou encore, dans l'*Iliade*, «nous combattrons jusqu'à ce qu'un démon donne la victoire à l'un ou à l'autre» (VII, 291). Qu'on se rappelle l'Ange qui apparaît à Agar et la console; la fameuse échelle de Jacob; l'être éthéré qui descend dans la fournaise ardente avec trois enfants d'Israël; l'Ange accompagnant le jeune Tobie; le secours des célestes guerriers vis-à-vis les Macchabées; Gabriel et l'annonce à Marie, et auparavant, prédisant la naissance de saint Jean-Baptiste; le cortège des anges à Noël; celui libérant Pierre de sa prison; celui qui envoie le diacre Philippe au ministre de la reine Candace; celui qui ordonne au centurion Corneille d'appeler l'apôtre Pierre; ceux qui, à la fin, dans l'Apocalypse entoureront l'humanité. Puis, ne pas omettre cet homme vigoureux, l'ange qui lutte contre Jacob. Problématique générale, à fond mythique du jeu dans cet essai.

Il y a peu ou pas d'écrits au rang du drame, de la tragédie, de l'épopée surtout qui n'ait rappelé ces «vives étincelles», «ces fleurs» (ch. XIII, XXX du Paradis, Dante) et ces «corsaires aux gants jaunes»; sortes de Satans modernes qui, chez les auteurs romantiques, devront un jour recevoir le pardon du Très-Haut. La littérature de tous les temps a dressé, comme dans la vision de Jacob, une échelle angélologique et démonologique.

25. Alès, A. d'. *Dictionnaire Apologétique de la Foi catholique*. Tome III, fasc. XVI, art. Origénisme, Éd. Beauchesne, Paris, 1919, p. 1246.

À la première correspondent les trois ordres principaux et les neuf choeurs d'anges (Séraphins, Chérubins, Trônes), Ministres de Middat hadin; ensuite les Délégués (Dominations, Principautés, Puissances); enfin, les Messagers, les *Missi dominici* de Charlemagne (les Vertus, Archanges et Anges). À la seconde échelle, du côté démoniaque, il y a l'ancien, le brillant et tout puissant ex-Séraphin, Lucifer qui organisa aussi son royaume. Son triumvirat se compose de Satan (Lucifer), de Belzébuth et d'Astaroth. Sous leurs ordres s'érigent six ministères: Lucifuge Rofocale, premier ministre; Satanachia (armées); Agaliarept (affaires étrangères); Fleuretty (finances); Sargatanas (intérieur); Méphitophélès (culture) puis, Nébiros, le maréchal de camp. Ajoutez les dix-huit sous-secrétaires d'Etat, Baal, Mammon, Bélial, Agares, Buer, Pruslas, Baphomet, Abigar, Glasiabolas, Cornedur, Bathim, Botis et Valepar, et nous sommes en face d'un gouvernement tyrannique, mais d'allure démocratique. Que la littérature judéo-chrétienne, assyrienne ou autre ait ajouté les noms de Moloch, Chamos, Adramélech, Aschérah, Astarté, Asima, Dagon, Melchom, Nergel, Nesroch, Remmon, Atargatis, Sammael, Azaze, Numiane, Foraü, Asmodée ou Astek, Marbas, Lillith, les écrivains ne manqueront pas d'en abreuver la littérature, de remettre sous les chantiers les éternels mythes du merveilleux, (*Eloa* d'Alfred de Vigny), de la révolte (*La fin de Satan* de Victor Hugo), de la connaissance (*Narcisse* de Paul Valéry).

Il restera toujours que tous ces jeux littéraires ont succédé à une épouvantable catastrophe céleste et mythique qui traduit chez l'homme le creux du mystère et qui n'arrive point à satisfaire (même par l'écriture) ce désir de Dieu, ce retour vers l'Éternel. Pour la première fois, cette chute des mauvais Anges, le *logos* est mis à découvert. «C'est un péché d'auteur», avancera Monsieur Teste. Un jeu que les Anges ne peuvent refaire. Un jeu joué. L'Ange ne tombera plus jamais.

Le poème en prose de Paul Valéry, son dernier (mai 1945, «L'Ange»), va, dans quelques mots, achever ce troisième jeu. La réflexion de l'Ange valérien qui découvre qu'il y a autre chose que l'intelligence, «autre chose que la lumière», prend ici dans la dernière phrase du poème, un sens quelque peu étranger, mais non moins profond et révélant.

«Et pendant une éternité, il ne cessera de connaître et de ne pas comprendre.»

4. La chute de l'homme (le jeu en chute)

«... de son poste de feuillage» (str. 15), Le Serpent, lové à la base de l'arbre, achevait sa forme lumineuse entre les feuilles luisantes du Savoir et sifflait amoureusement son *sicut eris diis*, puis observait cette «Ève qui n'était qu'entrailles» (str. 22).

O follement je m'offrais
Cette infertile jouissance:
Voir le long pur d'un dos si frais
Frémir la désobéissance!...

Paul Valéry, «Ébauche d'un Serpent» in
Charmes ou Poèmes, Gallimard, 1922

Le pouvoir du *logos*, en même temps l'horreur de la parole. Le serpent, parolier du Mal, «l'ouroboro (reptile qui se mord la queue) image de l'éternel retour», aussi tremplin entre le céleste et le chtonien, également figure de l'Androgynat, glisse dans l'âme fragile, limoneuse d'Ève, cette pensée ou folie soudaine de devenir géant, de dépasser la simple ressemblance de Dieu, de faire basculer le possible impossible. Fécondation de la parole. Tout ce qui va arriver aura une odeur de péché, de faute, de finitude, de culpabilité. La chute des anges amène la chute de l'homme. Il y a eu dans «l'a-temporel», le surgissement de la Création. Une autre chute. Et par le fait même l'échec de Dieu. Cette Création, si l'on se met dans la pensée narcissique valérienne, vient comme charger le Créateur d'une rare complaisance. La surface de l'étang, visage de Narcisse; la Création, image de Dieu. Aussi, l'écrivain et son oeuvre. Dieu dit: «Faisons l'homme à notre image, comme notre ressemblance...» (Gen., 1, 26). Dieu prend à témoin ces milliards d'anges: «Faisons... Regardez ce que je peux faire...!» Lorsque enfant nous faisions des châteaux dans le sable ou nous moulions devant le rire de l'eau de petits bonhommes, de nos propres mains, notre propre visage. Dieu qui tombe amoureux de l'homme, de toute la Création, donc amoureux de Soi. Narcisse découvre son image - Dieu décide de *Se* représenter. Fluide de l'eau dans l'étang qui réfléchit et embellit l'image de Narcisse - mouvement de la Création, qui miroite la gloire de Dieu - l'eau doit demeurer immobile pour ne pas briser le modèle - Angoisse de Narcisse de se voir défiguré - Angoisse de Dieu de perdre encore sa créature - La nymphe bouge, la nuit disperse l'image de Narcisse: possession éphémère - L'homme bouge, un désir de dépassement, défait l'Adam édennique; Dieu perd l'homme, l'homme perd Dieu - Narcisse se jette dans le lac - Dieu échoue sur terre et mourra pour sauver l'homme, pour sauver son image.

Ce mince parallèle entre Dieu et Narcisse rend en mémoire le fameux sigle A.M.D.G. (*Ad majorem Dei Gloriam*) qui, sur le coin écrit de la page de devoir, donnait la clé en quatre lettres de toute la Création. Le narcissisme et l'androgynisme de Dieu: ...«Faisons!»; de l'homme: (Max Stirner: «Je suis l'Unique!»); du poète Valéry: «Car je m'aime!... ô reflet ironique de moi!». «Je suis Celui qui suis...» dira le Dieu d'Abraham, d'Isaac et de Jacob. Narcisse dira: «Je suis celui qui hait». Nuance. Ce dernier se préfère à l'autre, le premier s'infère l'autre. Il y a ici le jeu du regard, du miroir. Un Je vis-à-vis une Je-reflet qui devient un il. Le mythe de Narcisse et le culte du Moi a toujours habité dans l'homme, a toujours tenté l'écrivain (voir Platon, Horace, Virgile, Ovide, Bernard de Ventadour, Guillaume de Loris, Tristan l'Hermite, Gérard Génette, Rousseau, Gide, Valéry, Barrès, Saint-Georges de Bouhélier, Régnier, Jean Royère, *et caetera*).

Maintenant s'ouvre à notre pensée le drame de l'homme, la plus grande et première tragédie qui ne finit point de se jouer dans l'angoisse, l'ambiguïté et dont chaque acte paraît un scandale renouvelé. Inutile, dans les quelques pages qui s'attardent dans ce chapitre à explorer le mystère, de tenter de désamorcer le piège. Devant moi, sur ce seul item, une multitude de livres viennent m'entretenir de la faute de la peine, de ce mystère des origines, de ce triste Jeu de la Chute qui désarticule tout raisonnement possible, met en fuite la foi la plus humble, et crée ce que Julia Kristeva appelle quelque part, dans *Pouvoirs de l'horreur*, «la crise du Verbe». Loin d'apporter des réponses, puis incapable de bâcler le tout avec les reprisures théologiques, je me bornerai dans les quelques jeux qui restent, à poser quelques réflexions; plus, dans l'idée non pas de relancer le problème, mais à dire ce que ce dernier jette en nous de furieux espoirs, distille de jeunes et de sottes désespérances.

Si l'on fait une approche très éloignée d'ailleurs, enfin pas trop éloignante, j'espère, de la pensée de Paul Ricoeur ou du jeune orphelin, élevé longuement en Bretagne 1916 environ), on s'aperçoit que sa position très étudiée et rigoureuse sur la Chute de l'homme dans ses livres (26) (27), nous replace dans la modernité du problème et sur un fond révélateur. Je sens que je fais ici, devant ce grand philosophe du XXe siècle, comme une tâche impie, et que je me défends mal d'un espèce de «ricoeurolâtrie». Enfin. Il nous signifie, d'abord, l'emprise et l'empreinte du *logos* dans la parole de l'aveu, dans ce difficile à dire où réside une interprétation à plusieurs regards. Interprétation que lui, Paul Ricoeur, jalonne autour d'Athènes et de Jérusalem et qui se galbe sur l'expérience humaine. Cette dernière nous apprend notre cécité, notre aliénation «équivocitaire» et notre état peccamineux scandalisant. On est coupable (indigne), on a péché (le devant-Dieu), on est souillé (infection). Le *logos*, dans sa gangue symbolique (d'allure ou cosmique, ou onirique, ou poétique), nous apprend de bonne heure cette expérience de la faute. La galerie souterraine de notre inconscient est innondée, semble-t-il, par un long dressage millénaire, de cette idée du pur, du premier; de cette hantise de la tache, de la souillure, du *second hand*. Je suis pur et je suis impur, comme «l'eau de mer qui, avance Héraclite, est à la fois pure et impure»; je ne suis pas et serai jamais l'Être stationnaire de Parménide, l'Absolu de Plotin, l'Innommable du pseudo-Denys. Non, je suis «infecté», affecté; j'attends la désinfection. L'impur, si je reviens à P. Ricoeur,

---

26. Ricoeur, Paul. *Finitude et Culpabilité*. Tome II, éd. Aubier, Paris, 1960.
27. Ricoeur, Paul. *La Symbolique du Mal*. Tome III, éd. Aubier, Paris, 1967.

c'est selon la croyance, toute la sexualité. Enfin, et ce qui est vu comme souillé par contact par l'homme ou l'animal. Cette conscience de la souillure nous met en présence d'un lavement à faire, d'une vengeance qui crée chez l'homme la terreur éthique. La souillure, sorte de représentation objective d'une symbolique archaïsante, a fait son entrée dans le monde par la parole définissante, interdisante, et se traduit par l'angoisse, la crainte, suite à la peur de la vengeance. De là toutes les conduites ritualisantes (sacrifice, enfouissement, expiation, confession, crémation, ablutions, expulsions, etc), pour laver la tache. Enlever la tache de sang sur la clé. Le péché, qui est lésion d'un lien personnel, rupture de l'alliance avec Dieu, rencontre «irrencontrable» du *logos (ruah, davar)* de Dieu et du *logos* de l'homme, est différent de la souillure, moment dépassé de la conscience. Tout péché est une démesure même devant la loi qui s'inscrit dans une mesure. La justice de Dieu, le Père qui exige l'illimité (donc démesure de la perfection pour l'homme), ne peut que se remplacer par la miséricorde de Dieu le Fils, pour éviter d'être éternellement sous «le jour de Yahvé».

Cela veut dire, qu'au long moment de la Colère de Dieu dans l'Ancien Testament, le devant-Dieu irrespirable, irrévocable, il n'est plus possible de refaire l'alliance sans le remplacement par l'amour de Dieu, le Dieu amour du Nouveau Testament. Il n'y a pas résorption, mais complicité. Révocabilité.

Le mythe adamique, plus un mythe de «l'écart» qu'un mythe de «la chute», répond bien à la notion de mythe anthropologique qui accuse ici, dans la pensée du philosophe protestant, trois traits: c'est-à-dire le reportement à un ancêtre (Adam avant, Adam après); le reportement également à une origine radicale du mal et du bien, estompant «l'origine plus originaire» du bien et du mal (Adam né pour le bien, un déjà là infecté, enclin au mal); enfin la subordination des figures à celle d'Adam, concentrant sur lui tout le mal ou le péché originel (Ève, serpent, arbre). Pour un exégète moderne, la question de la pomme est superfétatoire. Même si en dehors du mythe adamique, les pommes d'or du Jardin des Hespérides sont fruits d'immortalité, ou si, d'après Origène, elle représente la fécondité du Verbe divin, sa saveur, son odeur. Il est vrai que sa forme sphérique peut signifier les désirs terrestres.

C'est saint Paul, la christologie qui a mis en vedette l'adamologie en faisant ressortir «le vieil homme» et le «nouvel homme», et c'est l'Église, enfin, la chrétienté qui a exigé de ses fidèles la galvanisation du mythe d'Adam et d'Ève. Combien de reliquats reste-il encore de nos jours dans la mentalité masculine vis-à-vis la femme et la faute originelle! Pourquoi le mal rentre-t-il dans le monde par la médiation de la femme, de son fléchissement? «Ces femelles qui nous gâchent l'infini!» (Céline, *Mort à crédit*, p. 531). Pourquoi ce serpent? Pourquoi ramener la chute à la libido? Et cet arbre au centre? C'est un jeu de *mimicry* où je me raconte, l'on me raconte une histoire que je dois tenir pour littéralement vraie. Un jeu de simulacre: «Dieu a-t-il vraiment dit?» (serpent) - «C'est la femme que tu as mise auprès de moi!» (Adam) - «C'est le serpent qui m'a séduite!» (Ève). Le fond de la faute: le désir d'infinité qui s'est traduit après par «la sexualité et la mort, le travail et la civilisation, la culture et l'éthique». Cet infini (non pas de remplacer Dieu mais de se rendre semblable à Lui, pouvoir détenu par Dieu) est aussi la convoitise qui se pose devant les yeux écarquillés de nos premiers parents, comme une espèce de vertige (*Ilinx*). C'est le «mauvais infini» qu'offre le serpent. Le comme si... Ce dernier représente le *déjà-là*, le mal avant la faute d'Adam; le côté cosmique du mal; l'en-dehors qui vient au dedans. Il est le Satan à venir des écritures orientales, la créature chtonique; la face du mal, c'est chacun de nous, c'est lui. Il est la cause radicale de la liberté limitée, entrebaîllée en l'homme mais toujours possible malgré sa finitude, sa volonté serve en lui.

Le symbole de la chute, véritable casse-tête cosmique dont les morceaux encore épars à travers un univers d'interprétations ne trouveront probablement jamais leur place, leur étiologie dans le cadre rationnel de l'homme, s'ouvre à nous comme un jeu en chute, dans lequel malgré nous il nous faut jouer amèrement avec au coeur, peut-être, une petite folie de l'espérance.

5. Le rachat de l'homme. L'Homme substitut de l'homme. (La caution et la reprise du jeu)

«*O certe necessarium Adae peccatum quod Christi morte delectum est! O felix culpa,...!*» La théo-logie continue. Le jeu reprend. Cette fois on demande quelqu'un, un grand frère pour continuer le jeu. Pour l'homme, sa volonté est captive, un déjà mal, un mal déjà, là. Et puis, qui peut s'enlever sous le regard et le courroux de Dieu? Ceci est à relire: «parce que tu as fait cela tu es maudit» - «tu enfanteras des fils dans la douleur, ton désir te... et il dominera...» - «le sol est maudit» - «C'est par un travail pénible» - «tu mangeras l'herbe des champs» - «car tu est glaise et tu retourneras en glaise». Et vous n'avez pas encore entendu les prophètes!

Jamais un peuple dans l'histoire fut plus «bardassé» que les Juifs. On entend encore la première question de Dieu qui se promène comme ça dans le paradis terrestre, pour prendre un peu d'air: «Où es-tu?» (Gen. 3, 9). - Encore une fois: «Où es-tu?» Plus loin: «Qui t'a appris que...» À Ève: «Qu'as-tu fait là?»

Toute la force d'un *Je* de Dieu devant le *tu* de l'homme. Ça aurait été sans doute le moment de prendre des photos. Ça rappelle le larcin de saint Augustin qui, à l'âge de seize ans, dans la ville d'Apulée, eut l'idée un beau soir avec une bande et son ami de toujours Alypius, futur évêque comme lui, de saccager le poirier d'un voisin. Les poires jugées médiocres furent jetées aux porcs. En soi, rien de criminel. Mais avec quelle ardeur (sang chaud de l'Afrique) il se repent de son péché: «Voilà mon coeur, ô Dieu, voilà mon coeur dont vous avez eu pitié au fond de l'abîme» (*Confessions*, livre II, chapitre 4). Et plus loin cette idée surprenante, et qui fait le lien avec le jeu de Dieu dans son mystère du mal et de la rédemption. «Qu'ai-je donc aimé dans ce larcin et en quoi ai-je imité mon Seigneur, même d'une manière criminelle et fausse? Me suis-je plu à transgresser votre loi par la ruse, ne pouvant le faire par la force? Esclave, ai-je affecté une liberté mutilée en faisant impunément, par une ténébreuse contrefaçon de votre toute-puissance ce qui m'était défendu?» (Livre II, chap. 6).

La cinquième partie dans laquelle l'homme a maintenant un partenaire a duré deux mille ans. L'Homme. Chacun a fait son jeu, son choix. Une partie de l'humanité a gardé le partenaire (le fils de l'Homme), une autre n'a pas connu ce partenaire et d'autres (une multitude) ont changé de partenaire. Ce jeu comme dans la dialectique de Jacques Henriot s'est inscrit dans trois moments. Je veux dire, dans le Jeu du monde, du drame humain, de la tragédie spirituelle, bref, de l'épopée universelle. Le premier moment, partagé par beaucoup et quelque peu maladif (les sociétés sont malades), s'appelle la magie et se vit dans l'Irréalisme. Le second, plus équilibré, lucide, mais souvent déformé, a pour nom le Réalisme. Le troisième moment, se nomme le Surréalisme et se joue dans l'illusion. Ce qui revient à dire que l'homme vit son expérience humaine, spirituelle et/ou l'autre, dans un véritable jeu pris en face ou dans un en-deçà ou dans un au-delà du jeu. En parlant du jeu, on pense, comme je l'ai dit plus haut, on pense à l'enfant, à l'être, le seul d'ailleurs qui joue vraiment le jeu et qui appelle à lui grâce, mouvement, liberté. «L'enfant, dit Nietzsche, est innocence et oubli, un nouveau commencement et un jeu, une roue qui roule sur elle-même, un premier mouvement, un «oui» sacré» (28).

6. L'homme contre l'homme (la remise en échec)

Premier meurtre dans la civilisation judéo-chrérienne, Caïn se jette sur son frère Abel et le tue. À l'autre bout au vingt-et-unième siècle, un autre meurtre, celui-ci collectif: Peter Manson. Entre les deux, c'est-à-dire de l'âge de la pierre, 4000 ans environ à 2000 ans après Jésus-Christ: guerres, meurtres, fléaux naturels, alternance entre la guerre et la paix. Le mal semble épuiser le bien. Ne sommes-nous pas retournés, avec le

28. Nietzsche, Frédérich. *Ainsi parlait Zarouthoustra*. Trad. V. Bianquis, éd. Aubier, Paris, p. 45-46.

mythe des races chez Hésiode, à la race des hommes d'argent, de bronze et de fer? La première vivant une longue jeunesse puérile, cent ans, ne pouvant accéder à la maturité; race impie qu'on peut rapprocher des Titans, des mauvais anges, incarnant la souveraineté du désordre et de l'*hubris* folle et qu'éliminera Zeus; la seconde, qui, avec celle des héros, meurt au combat, en plein midi de l'âge, avec cette nuance que les hommes de bronze (les Géants) ne brillent que par le casque, la cuirasse et le bouclier, ne jurent que par leur javeline et ne signifient que la force brutale, la terreur. Tandis que les héros, qui ne vivent aussi que de guerre et meurent par elle, ont gardé le respect de la valeur sacrée; ils sont justes, valeureux et fidèles gardiens de Zeus. Ce sont les Hécatoncheires, les Olympiens qui en face des Titans ont pris pour la *Dikè*, du côté de Zeus. La race de fer, la troisième, celle des hommes actuels, génération de Prométhée et de Pandore, vit dans la misère, la maladie et la mort et surtout dans cet état angoissant de l'ignorance, du mal discernement entre le bien presque soudé avec le mal. Pour quelques héros actuels, les hommes de la race d'or qui ont opté pour l'ordre, la justice, la félicité, les Épichthoniens, combien de races font échec à celle-ci et désenchantent l'Éden d'antan? Presqu'à croire que la Création entière s'est égarée et que la Rédemption fut «une passion inutile»... Séisme cosmique spirituel. On a perdu l'*Urmensch* (l'homme primordial) et l'*Urzeit* (le temps d'avant ou l'Avant-temps). Les hommes contre les hommes. «L'enfer, ce sont les autres».

Interroger le mystère du mal, c'est installer dans notre coeur et au fond du cosmos le doute effroyable d'une théologie tragique, d'un dieu méchant. Pour P. Ricoeur, formuler explicitement une théologie tragique, c'est impensable. C'est un jeu, même s'il est joué, à ne pas jouer. Peut-on accueillir avec sympathie l'indignation d'un Platon lorsqu'il dit (*République*, 379c-380a): «Dieu, puisqu'il est bon, n'est pas non plus la cause de tout, comme on le dit communément; il n'est cause que d'une partie des choses qui arrivent aux hommes, et il n'est pour rien dans la plus grande partie, car nos biens sont en fort petit nombre en comparaison de nos maux».

Comme réflexion dernière, si la colère de Dieu témoigne de la grandeur de son amour attristé, Dieu ne souffrirait-il pas d'avoir trop aimé les hommes?

7. La révélation du vrai Jeu et fin de partie (Le dernier jeu et son retour éternel)

Avant l'échec total de notre monde qui fut loin d'être parfait, enfin pas le meilleur des mondes possibles (Voltaire), et qui va vers un enfermement, un barricadement; monde où Mardouk vient à peine, dans la littérature assyro-babylonienne de vaincre Tiamat, visage et puissance du chaos; monde où Prométhée est encore depuis quarante mille ans enchaîné; monde où Dieu, encore jaloux et peut-être las de son irréductible créature, prépare pour bientôt à ciel ouvert, sous le signe des bourgeons du printemps, l'horrible pageant rédemptionnel; monde où l'homme le plus juste, Job, innocent «au degré zéro de la culpabilité»... songe dans son découragement d'habiter le shéol; monde où Oedipe à Colone, vieilli et souffrant, chasse en lui la révolte, laisse venir la résignation; monde où sur le mur des siècles de la conscience est encore gravé: «Défense à Dieu d'entrer», avant l'échec final, enfin presque, du présent monde en révolte, va se jouer le dernier jeu théogonique du monde, un dernier choix à faire, un diadisme à dépasser, l'Homme et la bête, Dieu et l'Antéchrist. L'enjeu de la fin du Monde dans le dernier grand drame de l'Humanité. Répétition éternelle des choses où l'homme, comme nouveau Paradis à perdre ou à gagner, affrontera la dernière épreuve, la tentation terrible du choix à prendre dans le chaos terminal de la fin des temps.

Avant de devenir les nouveaux anges, blancs ou noirs, fruit de notre liberté capturée et quelque peu prisonnière par un *déjà-là* tragique initial que les Perses appelaient le *kakos daimôn*, le dieu méchant, nous devrons traverser «le Grand Jour» de Yahvé, retrouver les fléaux d'Égypte, assister au terrifiant spectacle du Mal et du Bien en lutte pour l'enjeu de la Création. Rien ne nous interdit de croire à une nouvelle Création de l'Univers, à un nouvel Adam, à un nouveau paradis. Les générations à venir, plus évoluées que les nôtres, dépasseront ce manichéisme du Bien et du Mal, auront asservi dans sa racine le mal radical, le mystère de la chute et de la création et ne demanderont plus le sacrifice de la croix. L'homme primordial, l'*Urmensch*, restera dans l'état d'innocence et n'aura pas à conjurer la longue histoire sanglante de notre humanité.

Dans l'optique chrétienne, nous, la génération sacrifiée, la *sin generation*, on pourra commencer à croire en la victoire du Bien sur le Mal. Nous sommes actuellement cette pauvre âme mourante du conducteur de train qui demande à Jésus jouant au Poker avec le démon:

> Lord, oh Lord, you've to win,
> The sun is down and the night is riding in,
> That train is stil on time. Oh my soul is on the line,
> Oh Lord, you've got to win...!
> Disque: «Spanish train».

Malgré la tricherie de Satan, c'est Dieu qui, à la fin, a le huit de carreau.

Partie C

«En passant la rivière...»

1. La lutte entre l'Ange et Jacob

Il est nécessaire de faire une courte exploration dans l'histoire de Jacob. Fils d'Isaac et de Rébecca, fille de Bétuel, l'Araméen de Paddân-Aram et soeur de l'Araméen Laban, Jacob se querellait déjà avec Esaü dans le sein maternel: «or j'ai aimé Jacob, j'ai haï Esaü (Ml, 3). Esaü, son frère jumeau, «sorti tout roux comme un manteau de poil, le premier. Jacob, le second, en tenant le talon de son frère». Le premier aimé de son père, le second de sa mère et de Yahvé. Mystère de la prédestination, métis de la femme et de Dieu. Qui fait de Jacob, selon le Père J.-P. Bagot, un roublard. Roule son frère et son père: droit d'aînesse et de bénédiction paternelle... Voyant qu'Isaac approchait ses cent quatre-vingts ans et le sachant désireux de donner la bénédiction paternelle, Rébecca, sa femme, dit à son petit préféré: «Écoute ma voix, c'est moi qui te commande» - «mais...» reprit Jacob éploré. «Écoute-moi seulement...» Isaac aveugle: «Qui es-tu mon fils!» - «Je suis Esaü ton premier né» - «C'est bien toi, mon fils Esaü?» - «C'est moi». Jacob servit son père, il mangea et il but. Ce passage aurait pu servir d'exemple dans le livre de Julia Kristeva qui développe cette idée de la saleté, de la souillure liée à la chair, à la nourriture. J. Solers, qu'elle rapporte dans *Pouvoirs de l'horreur*, stipule que la distinction homme/Dieu est une distinction alimentaire. Tout le long de la Bible, on constate en effet cet *epithumia*, cette convoitise dont le point de départ serait la pomme, enfin: «Tu ne mangeras pas de...» Le plat de lentilles ou de roux. Ce discours de Céline qui observe le côté réversible de la femme qui nous donne la vie et... aussi, en même temps, la mort. Pour moi, je ne puis songer à autre chose qu'à la ruse chez la femme, la métis chez les Grecs, la ruse de la nourriture et de l'avalement.

Typhon meurt attiré par le festin de poisson de Pan; Kronos ingurgite le miel de Zeus son fils et s'endort; Métis elle-même dupée par Zeus qui l'avale pour toujours; enfin, Prométhée qui se fait jouer par le Maître de l'Olympe. Nourriture de tromperie. La justification du mensonge, dans une justice humaine, est intolérable. Il n'y a rien à dire. Sauf à demeurer éternellement songeur, quand on donne la raison mystérieuse de la liberté de l'élection divine. Le grand tremblement d'Isaac devant Esaü qui lui annonce par après qu'il est son fils premier-né est compréhensible. Un peu moins compréhensible cette phrase du patriarche devant Esaü indigné et pleurant: «Que puis-je faire pour toi, mon fils?» - «Il restera béni». On saisit bien la triste sentence de Jérémie (9): «N'ayez confiance en aucun frère. En tout frère il y a un Jacob supplanteur». Même leur nom portait déjà la destinée des deux frères.

Jacob en se rendant chez son oncle eut un songe, selon la tradition yahviste et élohiste. L'échelle de Jacob que l'on contemplait dans la vétuste *Histoire Sainte* des Clercs de Saint-Viateur. Cela se passait la nuit. Luz changea de nom et devin Béthel. «Si, (et c'est bien là un marché de Juif) Dieu me donne du pain et un vêtement, Yahvé sera mon Dieu». La ruse de Jacob pour la multiplication de son troupeau ne manque pas d'astuce. Enfin, «honnêtement», dit la Bible. L'autre conduite biaisante de Jacob en faisant semblant de ne pas fuir son oncle...

Et le moment qui ici nous concerne est arrivé, c'est la lutte de Jacob avec l'Ange ou Dieu. Ce qu'il faut retenir de cette rencontre, et la Bible entière en est remplie, c'est l'officialisation de la mission d'Israël, d'abord, sa fondation, disons, nominale. La Révélation, écrit Chouraqui, rapporté par Eliane Amado Lévy-Valenzi (29) est imposée à Israël. Une élection forcée, inconditionnelle qui remplit Israël de frayeur. Jacob sera le héros; l'Ange, le destin; le combat, la joute inégale mais nécessaire comme pour habituer dans une feinte prolongée, la lutte entre le terrestre et le céleste.

2. Récit mythopoétique de la Bible (Gen. 32, 25-32) et interprétation

LA LUTTE AVEC DIEU	Interprétation libre, non libertaire
Cette nuit-là	Vie terrestre, puissance des ténèbres, l'en-dedans, image de l'angoisse, la conservation, le cachement, désir avoué, ange noir, le régime nocturne.

29. Lévy-Valenzi, Amado. *Les niveaux de l'être*. PUF, Paris, 1963, p. 567.

il se leva et prit avec lui ses deux femmes, ses deux servantes, ses onze enfants et ses biens	Les biens, l'avoir, le placement, les choses du monde, le monde des choses.
Jacob resta seul	L'homme et son état-naufrage, le devant sa vie, sa solitude, le chacun pour soi dans la vie; «je n'ai conscience que de moi-même». Le dépouillement. le chevalier. le donquichotisme moral de l'homme.
Quelqu'un (b) lutta avec lui	Dieu, ange, être mystérieux? C'est le *Nous*, le *pneuma*, le *psuchè*, visage de l'âme, de l'au-delà, du surnaturel. Le yin, l'oiseau. Combat existence, le corps contre l'esprit. Le jeu d'exister, de se faire exister; démesure, ubris, violence.
jusqu'à l'aurore	Aurore vie céleste; le jour dernier, l'aveu, le soleil de l'aveuglement, le jugement, la révélation des choses, la nudité. Blancheur, illumination, éveil, signal des temps.
voyant qu'il ne le maîtrisait pas	La force de l'homme, de ses désirs; la volonté de puissance, Jacob plus fort que l'ange sur terre. Puissances de ce monde. Le moment de liberté amoindrie. Jacob est forcé de lutter, de se dépasser. Il doit jouer le jeu. Jeu inégal: donc, feinte, un comme si... Jacob exerce aussi sa liberté dans l'engluement du combat, il espère. Aveuglement, endurcissement. L'ange lui, *sait*. Tragique du héros, du jeu, du jeu déjà joué, déjoué.
il le frappa à l'emboîture de la hanche	Blessure dans les reins (l'eau et la sapience). Atteint dans son physique, près des parties viriles, dans sa force de génération. Supériorité de l'homme sur l'ange quant à la procréation. La mort dans le monde. Les Parques. Nécessité, absurdité ou mystère? Prométhée, Sisyphe, Antigone. L'Ange héros, aussi

bourreau... héraut ou révélateur? Thèse de la corporéité des anges (Franciscains). Terrasser l'Ange et devenir semblable à lui. Le complexe d'Empédocle. Vaincre Jacob dans l'admiration... L'homme à certains égards, plus fort que l'Ange, supérieur à lui.

la hanche se démit pendant qu'il luttait avec lui

Défection du corps, de la nature. Situation «échéquiale» de l'homme. Bris du destin. Rupture de l'équilibre. La déchirure. Symbole catamorphe. L'Eden fermé, la terre ouverte à la misère. L'immortalité rompue. L'indulgence de l'ange. Tenacité et belle témérité de Jacob.

«Lâche-moi, car l'aurore est levée!»

Le «N'insiste pas!» Ouverture du discours (en commandement). Rupture de la solitude par la parole. La parole au monde. *Car*: indique que l'ange va énoncer la cause de l'arrêt. Mission accomplie. L'aurore est levée et Jacob résiste encore... «Que la lumière soit!» Le temps de la terre est achevé. Moment de l'espoir, de la promesse. Chez les Esquimaux, l'aurore est considérée comme le jeu de pelote des morts (Khie, 51). L'ange unit à l'homme. L'ange dans l'homme. Descente aux Enfers de l'ange qui voit venir la lumière. Assassinat physique de Jacob et de sa descendance. Le joug du bien.

«Je ne te lâcherai pas, que tu ne m'aies béni!»

Refus d'abandonner la lutte, même avec un adversaire dont il vient de reconnaître la force surnaturelle. Ubricité. Lutter contre le ciel. Jacob arrache le ciel, décroche la promesse. La bénédiction rachète ce combat inégal. Elle signifie que l'homme veut être sanctifié, devenir ange; elle est un transfert de forces. La demande, la quête de Dieu. Foi de Jacob, non inconditionnelle. Fin de partie: Tsuri-goshi. Sur le plan de l'agôn, compétition. Sur le plan technique, l'axe des forces, c'est la prise du sacrifice. L'ange peut en tout temps renverser Jacob. Ubricité et métis de Jacob. Il force l'ange à recevoir, comme autrefois d'Isaac, la bénédiction. La bonne édiction. (*consecratio, eulogia, kerygma*). Liement de Dieu vis-à-vis l'homme fidèle.

Il lui demanda: «Quel est ton nom?»

Connaître le nom de quelqu'un c'est, en un sens, le posséder. Poursuite de la parole. Parole d'ouverture à l'autre: le «qui es-tu?»

«Jacob!»

Nom d'homme. Signification «chositaire». Le on parmi tant d'autres. L'individu.

Il reprit: «On ne t'appelleras plus Jacob, mais Israël, car tu as été fort (c) contre Dieu, et contre les hommes tu l'emporteras (d).

La force de l'homme qui a bien lutté toute sa vie (nuit). Son attente de Dieu, sa persévérance lui donne droit de prendre un autre nom, d'investir une autre fonction. La force de Jacob sur l'adversaire contre l'adversité et sa victoire, en un sens, contre l'Ange, lui mérite la faveur de Dieu et le triomphe de sa descendance. Élection du peuple d'Israël et prédiction de sa victoire dans l'histoire du peuple juif. L'individu devient une personne, une famille, une tribu, un peuple, Peuple élu.

Jacob fit cette demande: «Révèle-moi ton nom, je te prie».

Adoucissement de la parole. Du commandement au commencement des temps, au discours égalitaire entre les hommes qui ont lutté. Échange entre le ciel et la terre. Désir de Jacob de s'approprier la force de son adversaire, de connaître sa vertu. Recherche de l'identification. Le double. En filigrane: «est-ce toi, Seigneur?»

mais il répondit: «Et pourquoi me demandes-tu mon nom?» et, là même, il le bénit.

On ne doit pas chercher à nommer, à connaître l'au-delà; l'au-delà du langage des hommes. Le ciel a des signes, l'homme des mots. Finitude de l'homme, impossibilité de connaître Dieu, même de le nommer. On a le sentiment de Dieu. Jacob reçoit la bénédiction. L'homme oint. L'homme maintenant qui a la parole et le commandement. L'homme, à l'inverse de l'Ange de Valéry, qui connaît sans cesse et ne comprend pas, ne cesse de comprendre sans connaître...

Jacob donna à cet endroit le nom de Penuël, car, dit-il, j'ai vu Dieu face-à-face et j'ai eu la vie sauve. (e)

Penuël serait la terre (vallée de Josaphat) où j'ai lutté dans la nuit de l'épreuve, du combat. Le face-à-face que tout homme doit rencontrer par la souffrance. La clémence de Dieu lorsqu'une amante de Zeus rencontrait le regard du dieu des dieux, elle mourait. Ainsi les séraphins qui se tiennent devant le trône de l'Éternel se protègent du regard du Très-Haut avec deux ailes. Deux autres de leurs ailes (ils en ont six) protègent leurs pieds (ou sexe?) et les deux dernières servent à remplir une de leurs fonctions, c'est-à-dire voler. Le sursis de l'homme. Boiter c'est aussi la douleur imposée à celui qui affronte le regard, la volonté de Dieu ou qui découvre le secret divin. Héphaïstos est un dieu boiteux et difforme. Il a lutté contre Zeus. Tous les dieux forgerons sont boiteux, comme Jacob. «Je suis un Dieu jaloux!» Claudication physique et spirituelle. Blessé à la hanche ou châtré? Limitation du sexe. Finitude de l'homme.

C'est pourquoi les Israélites ne mangent pas, jusqu'à ce jour, le nerf sciatique qui est à l'emboîture de la hanche (f), parce qu'il avait frappé Jacob à l'emboîture de la hanche, au nerf sciatique.

Observance de la tradition. La piété filiale. Refus protestataire. Sorte d'interdit alimentaire. Ne point manger ce qui apporte le mal. L'arbre du Bien et du Mal. Rejet de l'impur alimentaire.

Notes explicatives de la Bible (premier récit) (Gen. 32, 25-32)

a) «Dans ce récit mystérieux, sans doute «yahviste», il s'agit d'une lutte physique, d'un corps à corps avec Dieu, où Jacob paraît d'abord triompher. Lorsqu'il a reconnu le caractère surnaturel de son adversaire, il force sa bénédiction. Mais le texte évite le nom de Yahvé et l'agresseur inconnu refuse de se nommer. L'auteur utilise une vieille histoire pour expliquer le nom de Penuël («face de Dieu») et donner une origine au nom d'Israël. Du même coup, il la charge d'un sens religieux: le Patriarche s'accroche à Dieu, lui force la main pour obtenir une bénédiction, qui obligera Dieu vis-à-vis de ceux qui, après lui, porteront le nom d'Israël. Ainsi la scène a pu devenir l'image du combat spirituel et de l'efficacité d'une prière instante (saint Jérôme, Origène)».

b) «quelqu'un: Litt. «un homme».»

c) Sens que les versions donnent au verbe *sâra*, employé seulement ici et (s. 12,5. «Israël, qui signifierait probablement «Que Dieu se montre fort», est expliqué par «Il a été fort contre Dieu» étymologie populaire.

d) «Tu l'emporteras», grec, cf. Vulg.

e) La vision directe de Dieu comporte pour l'homme un danger mortel. C'est une faveur spéciale que d'en sortir vivant, voir Ex. 33 20 †.

f) Vieille prescription alimentaire, qui n'est pas autrement attestée dans la bible.

3. Second récit biblique

LE PASSAGE DU YABBOQ (k)

Ancien Testament, Tob, éd. intégrale, trad. oecuménique de la Bible, éd. du Cerf, Paris, 1980

(Gen. 32, 25-31)

Cette même nuit, il se leva, prit ses deux femmes, ses deux servantes, ses onze enfants, et il passa le gué du Yabboq.

Il les prit et leur fit passer le torrent, ipuis il fit passer ce qui lui appartenait, et Jacob resta seul. Un homme (l) se roula avec lui dans la poussière (m) jusqu'au lever de l'aurore. Il vit qu'il ne pouvait l'emporter sur lui, il heurta Jacob à la courbe du fémur (n) qui se déboîta alors qu'il roulait avec lui dans la poussière.

Il lui dit: «Laisse-moi car l'aurore s'est levée».

«Je ne te laisserai pas, répondit-il, que tu ne m'aies béni».

Il lui dit: «Quel est ton nom (o) ?»

«Jacob», répondit-il.

Il reprit: «On ne t'appellera plus Jacob, mais Israël (p), car tu as lutté avec Dieu et avec les hommes et tu l'as emporté».

Jacob lui demanda: «De grâce, indique-moi ton nom».

«Et pourquoi, dit-il, me demandes-tu mon nom?»

Là-même, il le bénit (q).

Jacob appela ce lieu Penuël - c'est-à-dire Face-de-Dieu - car «j'ai vu Dieu face à face et ma vie a été sauve (r).

Le soleil se levait quand il passa Penouël. Il boitait de la hanche.

C'est pourquoi les fils d'Israël ne mangent pas le muscle de la cuisse qui est à la courbe du fémur, aujourd'hui encore. Il avait en effet heurté Jacob à la courbe du fémur, au muscle de la cuisse.

Notes explicatives du second récit:

k) Ce célèbre récit garde une certaine obscurité, peut-être parce qu'il résulte de la fusion de deux textes («yahviste» et «élohiste»), peut-être aussi parce que son ambiguïté lui vient des traditions qu'il porte. La «lutte de Jacob avec l'ange» a été souvent interprétée dans la tradition chrétienne comme l'image du combat spirituel du croyant affronté au mystère de son Dieu.

l) Selon le prophète Osée (Os. 12, 5), il s'agissait d'un messager de Dieu, d'un ange: selon le v. 31, de Dieu lui-même.

m) Litt. se poussiéra avec lui, c'est-à-dire lutta avec lui.

n) Litt. la paume de la cuisse, proche des parties viriles.

o) Le nom n'est pas n'importe quel qualificatif, il exprime la fonction de celui qui le porte, sa vocation, sa raison d'être. Le changement de nom, décidé par Dieu (17, 5.15) ou par un roi (2R 23,34: 24, 17), correspond à une nouvelle fonction.

p) Jacob devient Israël. Ce nom nouveau, qui signifie probablement que

Dieu se montre fort, est mis en relation dans ce récit avec l'énergie que le patriarche a montrée dans sa lutte contre un être surnaturel et les forces de la nature qu'il représente; il évoque les luttes qui marquent le destin de Jacob et de sa descendance.

q) Donner son nom, c'est déjà se livrer. Dieu refuse de répondre pour sauvegarder son mystère, mais il accorde à Jacob la bénédiction pour laquelle il a lutté toute sa vie.

r) Bien qu'il ait affronté Dieu, Jacob est resté en vie (cf. Ex 33, 20-23).

s) Penouël est le nom qui est interprété comme «Face de Dieu» (cf. Jg 8, 8; 1 R 12,25).

t) Jacob sort de cette nuit du Yabboq, béni mais meurtri; le corps à corps avec Dieu l'atteint dans sa chair, dans sa force virile, comme le suggère la dernière phrase du verset.

J.B. 51

Les mains nouées de Jacob et de l'Ange

Trois dessins pour «corps écrit» de
Jean Bazaine, dans la Revue trimestrielle
Corps écrit, Frontispice, page 9, éd.
P.U.F., Paris, 1982.

CHAPITRE III

LE JEU DE L'HOMME

(L'homme en travail du jeu)

Ludo ergo sum

je joue donc j'existe

Partie A

En quête d'une définition globalisante du jeu

«Dieu plus jeune que les hommes, enseigne-nous le jeu et l'innocence...»

Paul Chamberland, *Genèses,* **éd. L'Aurore, 1974, p. 31.**

1. L'entrée: L'homme doit jouer.
Ne pas brimer le jeu, l'accepter.
Il faut jouer. Jeu et non jeu.

Vient-on d'apprendre que l'ange a brisé le jeu, qu'il a laissé sentir à l'homme l'occultation du divin, l'auscultation pressante du jour sur la nuit, que l'homme ne peut ne pas lutter jusqu'à l'achèvement, au bout de la blessure, qu'il est appelé à la partie dont la stratégie, si kalesthénique soit-elle, jouait ou aveuglait toute innocence, qu'il ne peut pas non plus ne pas développer en lui une volonté de jeu, bref, qu'il ne peut à l'orée de sa vie différer du jeu, se déclarer inapte, étranger et demeurer sur le banc. *L'homme doit jouer.* Le seul sentiment qui peut le pénétrer, s'il veut survivre, c'est de se dire avec une espérance quelque peu amère: «J'ai été choisi!»

Même si l'on dit que Dieu est innocent, qu'il est inconnu, qu'on est dans son jeu, qu'il est trop parfait et qu'il a créé l'homme en vue de se faire exister, pour devenir et que la création à tout prendre est un résidu, peut-être une fausse couche, qu'elle est (selon Simone Weil), citée par Maurice Blanchot), un acte d'abandon de Dieu, que ça lui a échappé, *l'homme doit jouer.* Avec le Mal compris... (Un Pandore qui a ouvert le fameux vase...), l'homme n'a-t-il pas, même avec sa conscience la plus malheureuse, à se réchapper, se «recaper»? L'homme n'a qu'à devenir Prométhée, à re-voler chaque jour le feu dans une nartex, à grimper la montagne comme Sisyphe, à apprendre à dégringoler ou à accepter de se faire manger le foie, à voir ses ailes de cire fondre au soleil comme Icare, fils de Dédale. Peut-être, s'il le peut, se révolter et dire: «je me révolte donc je suis!» Être révolté, pourquoi? Ou parce qu'on n'a pas choisi le jeu, nos armes ou parce que le jeu a été préparé en notre absence, qu'il est déjà truqué ou, enfin, iparce qu'on n'a pas préparé les dés soi-même? Être révolté parce qu'on a été joué! Il faudra bien apprendre un jour à rentrer dans le jeu, au lieu de le briser. Il faut se demander, comme Kant, les trois fameuses questions: «Que dois-je savoir?», «Que dois-je faire?» et «Que puis-je faire?» et répondre, en un: connaître le jeu; en deux: jouer honnêtement et avec finesse; en trois: jouer de son mieux. Faire comme si... et dire à l'autre joueur: «Tu as raison mais j'ai gagné quand même!» C'est-à-dire que l'autre gagne *toujours* en finale, mais que j'ai fait contre (ou avec lui) une chiffraison tennistique possible, par exemple, de 6-4, 6-2 ou 6-1. Jamais 6-0. Ce n'est pas digne de l'homme. Et pourtant des millions d'hommes font 6-0 ou ne jouent pas, ne jouent plus, ne tentent même pas la chance de jeu. «Il n'y a qu'une chose à faire, dira Valéry: se refaire» (1).

---

1. Valéry, Paul. *Oeuvres.* Tome 11, p. 876.

À moins d'inventer de nouveaux jeux comme chez Lewis Carroll (*Sylvie et Bruno*) rapporté par Gilles Deleuze (2), même de changer les règles du jeu où enfin, il n'y a ni gagnant, ni perdant; jeu dans lequel notre jeu codifié, celui auquel l'homme se prête habituellement, se voit enlever toute sa raison d'être à force d'être trop raisonnable et départagé souvent par la chance, un coup de dé, un vainqueur et un vaincu. Le jeu à ce moment-là se rapproche d'une essence encore plus pure que le *païdia* ou le *ludus*; d'autant plus qu'il délaisse toutes les règles traditionnelles, évite la fin axée sur le lucre, le *bet* profitable, la victoire en soi, la revalorisation et/ou la surestimation de l'*ego* humain. On peut là parler de l'innocence du jeu, d'une réalité plus éthérée, d'un non-jeu du jeu, d'un être de raison qui ne peut que fuir la «chronocité» (Cronos) du jeu pour rejoindre la subdivisibilité infinie de l'*Aiôn*. fUn joueur sans jeu, ici, un jeu sans joueur.

Ces nouveaux jeux qui rappellent le jeu d'Achille et de la tortue et le jeu de Mallarmé ou le livre de Mallarmé, diffèrent de ceux qui partagent la séparabilité du temps et se divisent en un présent, un avant, un après. Il y a lieu de remarquer (ce n'est ici qu'une observation) le rapport surprenant entre ce non-jeu carollien d'obstruer les règles et ce non-jeu aussi moderne où très peu jouent, où tous participent et tous gagnent. Démocratisation du jeu qui, dans une perspective coubertinienne, tue le monde des champions, des meilleurs, annihile la sélection humaine ludique et rend ainsi le jeu in-signifiant. Rendre communautaire, dirait sans doute un Nietzsche, un Schopenhauer, un Stirner, c'est rendre commun. Tout le monde a sa médaille. Et ce non-jeu rejoint même les classes défavorisées, les handicapés. La course des chaises roulantes, les *freak show*! On tombe de nos jours dans je ne sais quelle infirmité ou pitié au point que le visage même de la ville, des édifices et le façonnement des conduites sociales produisent cet effet curieux de tourner la tête en arrière, de ralentir le pas, d'attendre la canne blanche, de passer le bras, de rentrer la chaise. On peut accuser, dans le bon sens du terme, la société moderne, certes, d'un certain niveau de civilisation, de charité chrétienne de bon aloi, de qualité du sens social. Tout cela va bien, et même mieux, quand un pays peut s'enorgueillir d'être dans le club des sept. Et je souscris volontiers au phénomène Terry Fox, Jacqueline Gareau. C'est un jeu à prouver que... en vue d'une cause humaine à gagner. La question, petite digression pas tellement oblique cependant, qu'ici je me pose en incidence, c'est se demander dans une optique qui se veut momentanément *nietzschéenne*, si cet «attentisme» n'est pas en un sens une attitude qui peut à la longue nous rendre sclérosants, hypocondriaques qui fait qu'on met en veilleuse toute une société, l'empêche de pleinement vivre pour un pourcentage d'handicapés, de retardés

---

2. Deleuze, Gilles. *Logique du sens*. Éd. de Minuit, Paris, 1969, p. 74 et suivantes.

physiques, mentaux beaucoup moindre que le taux de la population saine. Regardez les prisons, la dépense que cela représente pour un seul prisonnier ($38.000) et les continuels retours de prisonniers remis dans la société en attendant le prochain meurtre. C'est un jeu de récupération. Est-ce une façon indirecte, je parle pour le protectionnisme outré, de se protéger un peu soi-même contre le malade, l'inadapté social, le tueur et par le fait même de vivre mon futur en protégeant mon présent, en soulageant aussi ma conscience? C'est un jeu complexe que de vivre de nos jours. Les hôpitaux sont remplis de vieillards mais aussi de jeunes qui, à jouer le jeu moderne, hypothèquent de bonne heure leur vie. Des morts qui ne meurent point, des adolescents qui vont «vivre plus vieux et pas plus longtemps», comme l'écrivait dans *L'homme cet inconnu* le savant chirurgien Alexis Carrell. Tout cet aménagement social, pour lequel je ne veux, pour le moins du monde, afficher une sorte de prise de position mesquine, de mauvaise grâce, amène à penser... comme le symbole. On s'en va, j'ai dû l'écrire précédemment, vers un monde qui se pullule, se pollue, se pilule. Jeu de l'homme contre l'homme. À suivre l'aphorisme du Docteur Knock: «Tout homme bien portant est un malade qui s'ignore!», ainsi toute la ville comme dans la pièce, va se promener bientôt sur un brancard. Où est le jeu?

Je viens de prendre, rappelons-nous, une attitude un peu cynique, elle ne reflète point ma position en tous sens (sauf pour la récupération qui «dérécupère»), elle dit seulement un envers des choses. Envers vécu dans le tragique quotidien dans nombre de pays. Continuons.

Sans tomber dans un darwinisme ludique, le jeu peut-il se passer de champions, de gagnants, d'athlètes de l'année, délaisser un certain élitisme? Peut-être! Pas actuellement. Le jeu de l'idole est encore nécessaire. Ces jeux partagés par l'homme et le petit de l'homme sont dits ludiques et païdiques. Et nous tombons dans l'enfance où seul l'enfant sait et joue le jeu, sans le comprendre cependant, mais en le prenant avec une telle brassée, une telle ferveur que le centre de sa vie en prend un sens, une «absoluité» qui ne fera que se relativiser à mesure de l'âge. On ne peut vivre deux fois l'Éden, revenir à notre âge de première communion, se refaire une enfance comme on se refait un nez. C'est un moment à vivre où, dès qu'on pense à jouer, on ne joue plus. C'est bien à l'enfant et jusqu'à un certain point à l'artiste, au poète que se dessine le mieux ce vouloir inconscient au sein du devenir (Héraclite) qui fait que l'enfant, l'artiste, l'écrivain joue le mieux avec le monde, tout en étant dans son monde et qu'il partage avec Zeus le monde en jeu, jouant avec lui-même et «se reposant dans la satiété qu'il éprouve», écrit Nietzsche. Un jeu qui a sa propre loi, où chaque enfant, écrivain, artiste en général, disons, Pascal, Mozart, Verlaine, Minou-Drouet, Nelligan, devient Dionysos et plus tard, après l'invention, le façonnement, la destruction et la création, une espèce d'Apollon, de superviseur de l'oeuvre. Il n'y a que ces êtres qui savent mettre dans leur jeu un air d'éternité dans la fragmentation d'un minuit et d'un midi. Leur jeu est ivresse, violence, «en-thousiasme,» déraison, donation entière de leur corps, de leur esprit, à ce qui intérieurement les dévore, les meut, les émeut comme pour sortir de soi un feu (excès de vitalité, répliqueront les psychologues), un quelque chose à battre, à débattre, à combattre. Pour eux comme pour Nietzsche, le monde est un *Spiel*, un *Weltspiel*, un monde-jeu, un jeu-monde. «Le monde, dira encore Nietzsche, rapporté par Jean Granier, est un jeu divin qui se joue par-delà le Bien et le Mal» (3). *«Darin, dass die Welt ein göttliches Spiel sei und jenseits von Gute und Böse»* (4). Ceci nous fait mieux saisir, mettre en portée, la lutte que l'homme doit tenir au-delà de son questionnement, du trouble devant l'autre, comme Jacob qui doit assurer sa nature d'homme devant «le caractère animal de la force divine» (Jung). Ne pas succomber à l'agression, à la force, aux raisons. Parce qu'il est terrible de tomber dans le stade, comme «il est terrible de tomber aux mains du Dieu vivant». Il faut jouer!

Dans ce chapitre trois, après une légère entrée non bifurquante sur ce qu'on dit du jeu et du non-jeu, sur le retour du grand Jeu humain-divin, il nous faut maintenant examiner les jeux de l'enfant et de l'homme en vue d'élaborer une classification possible et surtout de chercher l'intention, la cause profonde du jeu. J'aurai soin dans ce chapitre de me référer très largement à mon article déjà écrit sur le sujet, dont la raison était de diagnostiquer la raison biologique et psychologique du Jeu. Le jeu n'étant point une question événementielle, malgré qu'il couvre de plus en plus la face presque totale des événements, je ne crois point disqualifier ou rapiécer le jeu, ou la question du jeu, en reprenant ici, tout en y ajoutant une fraîcheur de papiers teints, cet écrit qui peut se dire à date et qui échappe d'ailleurs par sa problématique existentielle à toute *nécrocité*, à toute *éphéméritude*.

-/-

L'on a vu que le jeu est un paradigme à signification ontologique par lequel l'être est jeu et sous lequel le jeu devient le lieu de l'être. Le jeu qui a reçu attention méditative bien après les jouets (ustensilité du jeu, aujourd'hui, quincaillerie impressionnante pour certains psychologues, pédagogues et autres), occupait un espace de temps dans lequel l'enfant pouvait faire tout, enfin presque, à cause du caprice des actes, donc de leur inconséquence. Il y avait pour eux une chute. «Tout déchoie dans le jeu»! Jouets, si l'on se rappelle l'article de Roland Barthes, avec lesquels

3. Nietzsche, Frierich. *Nachlass Werke.* XIII, par. 187, p. 75.
4. Granier, Jean. *Le Problème de la Vérité dans la philosophie de Nietzsche.* Seuil, Paris, 1966, p. 537.

l'enfant «ne peut se constituer qu'en propriétaire, en usager, jamais en créateur» (5). Jeu d'enfant, mais jouets d'adultes. Tellement bien imités sur le réel que, pour l'enfant, il one lui reste qu'à s'exercer avec et non à s'exorciser par. Une écriture de jeu trop appliquée. Le déjà fait. Comme le déjà écrit. Le prêt-à-jouer.

Selon Huizinga, au contraire de Hirn, de Groos, de Lady Gomme, de Carrington et de Bolton, la culture vient du jeu et non le jeu de la culture. Le jeu pour ces derniers s'est démis de son essence, de sa forme pour ne devenir que des structures de jeu. À ce moment-là, le jeu est enfantin, donc dégradant. Tout jeu, il paraît maintenant certain, se plaçait comme point de départ de rites quelconques, de fêtes à caractère religieux et profane. La théorie voulant que tous ces jeux se soient enfuis de nos jours dans les jeux et jouets de l'enfance semble plutôt improbable pour Roger Caillois. Le jeu, avancent les non-huizinguistes, serait consubstantiel à la culture et les manifestations de celui-ci auraient apprivoisé les grandes structures institutionnelles et feraient apparaître ainsi tout le jeu cultuel et culturel. Toute institution a des règles et fonctionne de plus en plus comme un grand mécano administratif. Plus on robotisera la société, plus elle aura besoin de jeu, de jouets pour la «dé-mécaniser». Sorte d'exorcisme. Sans cette précaution, les jeux ou les groupes humains se défendant mal contre l'unidimensionnalisme, le «stéréotypisme», «le pareil au même», se multiplieront dans la marginalité. Étaient auparavant et encore pratiqués les jeux de société. On se dirige de plus en plus vers une société de jeux. Joffre Dumazedier, Georges Friedmann et combien d'autres l'annoncent comme la société des loisirs. Ces prophètes de la société ludique future, loin d'être des messagers de l'utopie (ce que certaines gens pensent), n'ont pas encore eu tort puisque nous sommes à peine dans l'avent de cette société ludique.

Les loisirs, on le sait, se placent dans la pédagogie d'Alain, de Château et d'autres, toujours comme un après, c'est-à-dire dans un temps, on dirait, nécessaire mais volé dans la plage des congés, dans un étalement de jours syndicalement imposés; congés qu'il faut placer entre des jours fermes, ouvrables de travail, un peu comme un morceau de fromage dans deux tranches de pain sec. Tant que les loisirs, le jeu, le sport porteront l'image du défoulement, de la libération, de longs siècles d'aliénation; que notre travail quotidien ne sera point un loisir, un jeu et le jeu, partie de notre journée régulière, notre conception des loisirs affichera toujours le visage d'une mauvaise conscience, d'une conscience frustrée.

Un des grands défoulements actuels, par exemple, après le logocentrisme

-/- *Pause-lecture*, art., Ludo ergo sum, Bergeron, Montréal, 1982, p. 180 à 200.
5. Barthes, Roland. *Mythologies*, Coll. «Points», Seuil, Paris, 1957, p. 64.

qui n'a certes pas disparu, s'appellerait le «lotocentrisme», issu du «lotomagisme» et se développant en «lotomachisme...» Parce que l'homme considéré comme l'homme idéal, dans nos longitudes et latitudes continentales américaines, c'est encore «l'homme qui a des écus». Ne sommes-nous pas encore loin des vrais loisirs, de cette haute conscience ludique? La prochaine conscience à faire, à se faire, celle totale englobant toutes les consciences, aussi bien individuelles que collectives, s'appellera, tôt ou tard, la *Conscience ludique*. Elle se définira dans l'Humanisme ludique.

Je reprends donc l'écrit, *Je joue donc j'existe (Ludo ergo sum)*, résumé de quelques recherches, en vue d'en faire dans ce chapitre trois la thèse principale. À tous moments, il y aura lieu de ré-intervenir en essayant de définir le jeu selon sept paliers et d'offrir comme il se doit dans un travail académique, de niveau doctoral, quelques «élucubrationnelles» nouveautés.

2. L'Angoisse, prémisse du jeu et de l'écriture
Grandes classifications des jeux (1ère approche)
Consultations chez les psychologues, les pé-
dagogues et les ludologues.

Le jeu, sorte de faire ludique, serait plus dans la manière de l'homme que dans celle de l'animal. «Conscienciation» dans l'inconscience, non du comportement mais de l'origine pulsionnelle du jouer. On peut dire à la suite de ceci que l'on joue parce que l'on est homme. C'est la rencontre de l'être-jeu (un irrationnel) avec l'être-homme ou l'enfant (un rationnel); et, l'accord des deux êtres fonde l'unité à conditions multiples du jeu et de l'homme. L'homme par la fonction ludique s'exerce à l'acte d'être et c'est dans le lieu du jeu qu'il exprime biologiquement, psychologiquement et socialement le mieux, du moins dans l'enfance, son devoir être, son devenir être. On peut également avancer que l'on est homme parce que l'on joue (cause efficiente du jeu) et par ce que l'on joue (le comment du jeu).

La situation de l'activité ludique pénètre tôt dans l'apparition de l'homme et l'homme se voit, dès l'aube de sa naissance, à jouer son existence. On le tire hors de l'existence alvéolaire pour le placer dans l'existence à x dimensionnelles extérieures. Premier pas de l'enfant, pas d'adulte. Être situé. À l'intérieur même de sa cage d'eau le foetus jouait déjà sa vie. L'entrée dans la vie, tout un univers de forces, de pressions, de situations plus ou moins aliénantes sous l'étiquette du cultuel et du culturel, engagera l'homme à jouer le jeu, à jouer son existence dans le grand Jeu de d'existence du Monde. Selon la thèse déjà annoncée et qui oppose farouchement des adversaires (bien que je soutienne humblement devant tant d'illustres prédécesseurs que *Tout est jeu*), le Jeu n'est rien, un indice marginal dans la vie de l'homme donc: *Rien n'est jeu* et la thèse qui en est l'antithèse: *Tout est jeu*, il y a place pour un sérieux dilemme. Ce dernier semble s'éclipser à mesure des études tenues sur le sujet. L'aporie met en face d'un côté, une mentalité pédagogique archaïsante et fixée sur le monde de l'enfant, de l'autre, une attitude psycho-métaphysique et sociale plus globalisante, centrée maintenant sur l'homme, sur un monde communiel. «Le jeu de l'être communiel», dira Georges Bataille.

Exister n'est plus simplement être là (*dasein*), c'est jouer son existence. Exister, c'est peut-être avant et après tout jouer... Le jeu est l'alpha et l'omega de l'existence.

Avec une mentalité cartésienne, l'homme occidental a séculairement divisé la vie en deux: celle de l'enfant, celle de l'adulte. Pour celle-ci, rien n'est jeu, tout est sérieux; pour celle-là, tout est jeu, rien n'est sérieux. Il serait presque indécent, dans la mentalité moderne actuelle et devant la grande affaire sérieuse de la vie, de stipuler que tout est jeu. Je dirai plutôt que le jeu est dans tout et que tout est dans le jeu. Ne rencontre-t-on pas souvent dans le galbe du langage des expressions déjà toutes cristallisées comme les Jeux de la Passion, de Notre-Dame, le jeu de la bourse, de la politique, «donne-moi du jeu», etc? Pourquoi ne pas accoler près de ces jeux sérieux... le jeu de billes, le jeu des chiffres, le jeu de cache-cache? Il faut tenir compte, je le comprends, de la dimension du sujet et de l'objet du jeu. Dire que *rien n'est jeu*, c'est avouer le monde le plus effrayant que je connaisse. Tout est sérieux, tout est déterminé. Un monde, un univers ossifié où rien n'est à découvert, même pas l'inspiration, même pas la liberté. Je dirai plutôt que le jeu, produit d'une pulsion et cette pulsion causée par un état de tension (insécurisation), poussée libidinale, sentiment d'infériorité, serait à ce titre déterminé, et, par le fait même non libre, c'est-à-dire sur le plan psychique, cuisiné par le Ça. Ce soubassement, cette perte de raison dans nos vies. À ce moment-là, rien n'est jeu, puisque le jeu est, selon cette position, une espèce de projection d'un état d'âme, le produit purement psychique d'une activité neuro-motrice. Nous aurons à examiner plus loin ces apories, lorsque nous rechercherons là, une ou les causes de la fonction ludique chez l'homme. Pour satisfaire notre inquiétude, on pourrait déjà esquisser la théorie que l'*Angoisse* est une des prémisses du jeu et que le jeu, à son tour, liquide l'angoisse. L'angoisse, cette sorte d'inquiétude fondamentale sans objet, *Angst der Kreatur* - si l'on accdepte à première vue la légitimité de ce concept et qu'on le soupçonne déjà d'être le trépied où s'asseoit la pythie de l'existence - serait à l'amont non seulement du Jeu mais aussi d'un autre petit jeu, celui de l'acte d'écriture. L'écriture, cette aire de jeu, à l'intersection du vécu et du pensé. Nous hâlerons plus loin le long de la berge cet essai, le kiosque flottant des mots et du jeu de l'écriture. Voyons ici déjà comme une rade permanente cette idée, prothèse de l'écriture, du dire, de l'écrire en tant que jeu.

L'écriture, *logos* fixé d'abord dans la pierre, ensuite dans la lithographie, loin de congédier la parole, va lui donner maintenant une épaisseur. Le dire avant si gratuit, si chanté, aujourd'hui hautement suspect, s'il n'a pas en main la référence, le livre, le signe écrit prouvant que... que... Du babélisme du langage nous en sommes au babélisme des écritures. Mais on revient toujours au Livre, à celui ou à ceux qui fondent la Parole et qui s'érigent comme une monture et mouture de la pensée d'origine, de la parole première. Écrire, n'est-ce pas chercher dans l'angoisse la trace, l'origine, le Père? Faut-il rappeler l'écriture première, de celui qui se tient devant Ré, le dieu des dieux, ce Thot, le demi dieu, l'exécutant, le *pharmakon*, aussi dieu de l'écriture, de la parole créatrice, de la médecine, cet Hermès Trismégiste (auteur de 20 à 36 000 livres), ce Nabû, fils de Marduk, seigneur du calame et ce Nébo biblique, tous inventeurs et dieux de l'Écriture initiale.

Nous aurons, au chapitre quatre, l'occasion de disséquer ou de rendre signifiant avec Jacques Derrida, le lexème *Pharmakon*, mot aussi vaste qu'une chaîne de pharmacie où sur les comptoirs gisent des idées-objets, tels que l'écriture, la parole, la drogue, la ruse de l'écriture, le remède du *logos* et du jeu.

À part quelques Livres de fond, de roche mère scripturale, ex-voto des diverses cultures et civilisations, aires de jeux fort vieilles où se rangent la Tora, la Bible, les papyrus de quelques mers mortes, même la Grammaire, le Dictionnaire, le livre joue à la répétition. Livre nouveau, pensers anciens. À la mode de Chénier. Le Livre, l'écriture, quoique issus de l'homme, dépassent l'âge de la Terre. On ne peut cheminer si longtemps près de la Parole première. Maurice Blanchot écrit quelque part que «les paroles doivent cheminer longtemps», en parlant de la critique qui s'approprie cette sorte d'absolu qui est en jeu dans l'écriture. Le chemin manque à l'homme. Le chemin est plein de paroles, est parole cheminante. Nous reviendrons sur le sujet.

À poursuivre notre enquête sur quelques grandes classifications traditionnelles des jeux et des sports, on peut mentionner à coup sûr, la classification de Stern, de Piaget, de Bühler, de K. Groos, de Claparède, de Stanley Hall, de Quérat, de Buytendijk, de Schiller, de Spencer, de Château, de Caillois, de Huizinga, et de combien d'autres.

La plupart de ces analystes de la fonction ludique ont fait précéder ou suivre leur classification d'une définition du jeu se voulant surtout, cette définition, invariable. Dans le prochain paragraphe, il y aura lieu de poser une définition déjà reçue chez quelques grands pédagogues et philosophes, de faire surgir une autre définition qui, balançant entre la hardiesse et la fragilité d'une hypothèse neuve, devrait susciter une interrogation philosophique quant au pourquoi et au comment du Jeu chez l'animal, chez l'enfant et chez l'homme. Aussi chez Dieu, si ce n'est pas trop se jeter dans l'orgie des mots.

La classification de K. Groos, psychologue et philosophe allemand (1861-1946) se voulait sérier les jeux selon les tendances ou, si vous voulez, selon leur contenu. Claparède qui l'a suivi catégorisait les jeux en deux: 1. les jeux d'expérimentation ou jeu des fonctions générales, 2. les jeux des fonctions spéciales. Piaget se demande où ces deux psychologues placent-ils le jeu de billes dans leur classification. François Quérat veut fonder une classification sur l'origine des jeux (recherche des prémisses du jeu). Selon lui, les jeux se distinguent en trois catégories: 1. les jeux d'hérédité (lutte, chasse et poursuite), 2. les jeux d'imitation (jeux de survivance sociale, jeux d'imitation directe), 3. les jeux d'imagination. Que signifient, se demande encore Piaget, ces jeux d'hérédité? Hypothèse aventureuse, ajoute le pédagogue suisse. La théorie de Stanley Hall et sa fameuse hypothèse récapitulatrice dans laquelle se profilent les idées de Darwin (1859), de Tiedman (1787), de Preyer (1852), de William James et de Jung, théorie qui veut que les contenus (intérêts ludiques particuliers à différents objets) et non la structure (forme d'organisation mentale) soient hérités dans l'espèce humaine et auraient pour fonction d'amener l'enfant à se débarrasser par le jeu de ses résidus ancestraux, pour lui permettre enfin d'accéder à des stades supérieurs adultes, est encore très en vogue. Lehman et Witty Burk ont rendu stérile cette définition et cette classification hallienne (succession des jeux selon des stades d'âges constants, contenus issus des activités ancestrales, purge de ces résidus ancestraux).

Une autre classification, celle de Stern, réduit les jeux en deux catégories simples: les jeux individuels et les jeux sociaux se développant dans une complexité graduelle. Elle aurait pour défaut celui de nettement délimiter ces deux grandes classes. La classification de Bühler répartit les jeux d'enfants en cinq groupes: 1. les jeux fonctionnels (ou sensori-moteurs), 2. les jeux de fiction ou d'illusion, 3. les jeux réceptifs, 4. les jeux de construction et 5. les jeux collectifs. L'accent donné par Charlotte Bühler, ainsi en est-il pour Claparède, a été d'introduire un lien entre le jeu et le travail, conception d'ailleurs fort répandue chez les gens qui opposent enfant à adulte et jeu au travail. Dans diverses sociétés telles qu'on les connaît actuellement, sociétés de travail, d'industrialisation, de commercialisation, de production et de consommation, cette dichotomie jeu et travail se défend bien. Mais dans la civilisation très prochaine des Loisirs, dont les débuts sont déjà amorcés, cette dissociation tend à fondre comme celle de génération, d'adolescent et d'adulte d'enfant et de parent; d'enfant et d'adulte. Les normes d'âge, de fonction, de sérieux et de non-sérieux doivent se décarapaçonner et devenir fluantes, transitives sans accuser un terme de finalité et de finitude. J'entends encore une toute petite phrase lancée sur les ondes, il y a à peine deux ans déjà, et qui en dit fort long sur nos modes futurs de comportement et de civilisation: «*On s'en va vers un chômage massif et volontaire!*»

3. Jeu et travail. Typologie de l'homo ludens. Géographie racinielle du vocable: Jeu

Cette expression qui trouve actuellement une sévère application ne peut que m'inviter à formuler ici une autre catégorisation futuriste «normale» non des jeux mais des hommes dans l'espace et le temps. Un autre «sept hommes» (*Set On*) après les sept grands jeux du chapitre précédent, mais n'ayant rapport avec eux que par le chiffre sept, comme on dit, les sept collines de Rome, les sept degrés de la perfection ou le chandelier à sept branches. Il ne faut point chercher dans cette typification une haute rigueur scientifique, et ce n'est point l'objet de cet essai d'en arrêter les bases socio-anthropologiques ou autres. Bien que s'éloignant de l'imagination pure et s'apparentant en même temps à elle, puis à cette claire et triste réalité actuelle de l'homme d'ici et de l'homme dans le monde, il est en train de s'établir dans le monde occidental actuel, un type maintenant permanent de «*chômeur*», de sans travail, instruit ou inculte, qui pourrait avoir nom d'*homo vacans*. Il ne s'agit point ici d'une vague intuition prise en un quelque Carré St-Louis, mais d'une prise de conscience d'un fait social presque pandermique et qui, à la longue, ne serait point si indocile à une théorie sociale scientifique. En attendant, voici, dans une perception plus ou moins naïve, sept types et même neuf sortes d'individus qui auraient longé l'humanité.

Après avoir vécu l'*homo vagus*, l'homme des cavernes, l'homme de la plaine, l'homme condamner à errer, à épier, apparaît l'*homo agricolans*, l'homme penché vers le sol, les pieds bien ancrés dans le limon et les mains fouillant le ventre de la terre. Pas loin de lui (des siècles et des siècles), voisinera l'*homo laborans*, sorte d'*homo faber*, un *démiurgos*, qui basculant sur son bassin comme les anciens singes, relevant son front, libérant mieux ses mains, se donnera une plus grande vision des choses. En redressant davantage (pour la deuxième fois son trou occipital), il poursuivra, cela est inscrit dans sa nature, ce processus de la frontalisation, de la visualisation et de la cérébralisation. De la même façon que fit autrefois un de ses ancêtres, l'australopithèque, enfin un singanthrope, que sais-je! Sauf que cette fois, nous sommes en pleine civilisation. Plus l'homme avancera, plus il lèvera la tête.

Puis après des siècles d'artisanat, après des «centuries» de travaux et de jours, de *fabricando*, l'homme va, après avoir placé entre lui et la matière des objets médiocres mais utiles, développer un arsenal énorme d'ustensiles, «d'outillerie» incroyable et nous rencontrerons l'homme machinant, l'*homo technicus*. Enfin à un premier degré. Là, l'individu, homme de la ville, mène, conduit, opère la machine. Position incube, succube. La machine sous ou sur l'homme. Triomphe légitime, dit-on, de l'homme chevauchant un monstre artificiel. Le cowboy de l'industrie.

Menant plusieurs jeux profitables à la fois, cet *homo technicus*, premier degré, actionne des manettes, surveille un ou deux cadrans, fume une cigarette, déguste une boisson ou mange son «lunch», en ajustant son appareil pour le «*reggae*» suivant; en pensant évidemment à autre chose ou en menant aussi une discussion animée avec son voisin de table ou de laboratoire.

Déjà, la machine travaille trois fois plus longtemps et trois fois plus vite. Déjà, l'homme travaille trois fois moins vite et trois fois moins longtemps. Résultat: chômage massif qu'alimente une multitude de facteurs. Une des causes du non-travail, du «pas d'ouvrage» pourrait se chercher dans cet écart maintenant entre l'homme et la machine, de l'énorme progrès de celle-ci, de son raffinement, de sa spécificité et l'état statique, paralysé de celui-là, de son être dépassé, de sa nouvelle inaptitude, de son «intechnicité». L'hypothénuse entre les deux ne peut se diminuer que par cet homme nouveau, plus rare, plus imaginant qu'on appelle aussi un technicien, mais au second degré. L'*homo technicus II*. S'est infiltré après ce dernier, un homme combinant le *technicus* I et II, mais les dépassant en un sens et préfigurant, selon Henri Lefebvre, le dernier des hommes de Nietzsche. Si l'on avait à tracer le portrait de l'*homo cybernanthropus* qui n'est pas un robot, qui a créé le robot (en quelque sorte, un peu son complément et son adversaire), on peut avouer qu'il vit, sans être un auto-mate, «en symbiose avec la machine». Un double quoi! Tout contrôlé, il représente la stabilité, le balancier. Il est aisé de comprendre qu'avec ce type d'une rare souplesse, qui reçoit par l'informatique 15 milliards de bits réceptionnés dans une longueur de 100 kilomètres, qui obéit à une éthique à deux volets (économie et moindre action), qui ignore le désir en consommant sur le champ ses besoins, qui cherche et atteint toujours (ou presque...) ses satisfactions, qui se nourrit, se vêt, sourit presque toujours, qui qualifie et quantifie ses goûts, ses odeurs, qui liquide sa sexualité par le *strip-tease* et le *happening*, qui a réglé la question du bonheur (livres, spectacles, arts, sports), qui s'est créé ses propres contraintes pour affronter toutes les autres, enfin qui s'est même déniché un style, «*Prisunic, Inno* ou *Supermarché*», *ce type* doit être assez éloigné, on le devine, de tout individu qu'on rencontre dans la rue, du «on» de Gabriel Marcel? Non et oui. Non, parce que l'*homo cybernanthropus* s'est libéré de tout ce qu'on vit actuellement, misère, angoisse, délire, passion, enfin, ce qu'il appelle des déchets, des résidus. Oui, parce que cet homme que je suis loin de considérer comme le Surhomme, ressemble tout à fait à nous et même qu'il sera un sous-produit, un sous-homme.

En revenant à l'*homo technicus II*, que va remplacer l'*homo cybernan-*

thropus, ce dernier diplômé ne suffira plus. Il y aura, je le devine, et pourtant je ne divague point, un déplacement des emplois, des âges et des études. Sera au travail une population, mince d'ailleurs, qui affichera un quarante ans d'âge, avec de très fortes études et une longue maturité. L'adolescence, comme il est dit ailleurs, se terminera à 32, 35 ans. Ainsi va s'accomplir le voeu de Jean-Jacques Rousseau de retarder l'enfance, l'adolescence. Selon lui, éduquer, c'est retarder. Il reste toujours vrai de dire comme Roger Caillois qu'un adulte précoce est un adulte infantile. Au lieu de dire: *Life begins at forty*, il sera de mise de réciter: *Life begins at sixty*. On sera à peine vieux à quatre-vingt. Nous arrivons à cette période. Mais pour le moment, c'est l'enfer! Encore de nos jours, si l'on prend une mesure de normalisation, la courbe de Gauss, par exemple, il est presque une folie de croire que l'homme dans une large moyenne, vit. Vivre dans le sens d'avoir une vie à soi, sa vie dans laquelle il est l'arbitre de sa pensée et surtout de son action. On ne parle pas encore de ses caprices, de ses plaisirs, de son «être-à-soi comme-ça».

D'abord il étudie pour travailler. Il travaille pour vivre. Il vit pour travailler. Et quand il arrive à vivre sa vie, à vivre pour vivre, cet homme a déjà cinquante-cinq, soixante ans. Comme il meurt à soixante-douze, soixante-seize ans (chiffre des compagnies d'assurance), on peut tristement avancer que l'homme occidental ne vit en réalité que dix à douze ans de sa vie... Il est presque heureux ici ou malheureux de dire comme le moraliste J. Joubert qui écrivait ceci: «La grande affaire de l'homme c'est la vie et la grande affaire de la vie c'est la mort». (*Pensées*, 298).

Le laboureur (l'homme jadis le plus libre au monde et, a-t-on dit le plus heureux) va rester moins libre, plus asservi et moins heureux. C'est commencé. A disparu depuis très longtemps l'homme des bois, le porteur d'eau, l'homme fort qui, ce dernier, n'a qu'une chose à tenter; ou faire partie d'une foire, d'un *ring* ou accomplir une des dernières tâches sociales, agent de la paix. Ce «*chômage massif et volontaire*» s'entend de cette façon qu'un énorme champ de tâches actuelles est en train de disparaître (voir *Le Choc du futur*) et qu'il ne laissera de place que pour les cerveaux qui manipuleront des cerveaux, que pour les haut scolarisés, les mains les plus intelligentes, hautement technicisées. La main grande ouverte pour soulever, se campronner à, le *to grab at* ou le *to grip on* va se fermer pour n'occuper que le bout des doigts. Déplacement de la paume vers les régions «papillaires» des doigts. Travail de «minituarisation» et de presse-bouton. Serrer un minuscule boulon avec un tournevis de la grosseur d'un crayon en taponnant un ordinateur, une distributrice à gâteaux. Travail en minceur, multiplication des forces, des résultats et des profits. Un mot pour traduire cela: la «robotisation». Nous en sommes presque là. Le travail de fée, le pincement d'étoiles sera le lot de quelques travailleurs instruits et orientés. Le reste de la population, disons, le trois quart, c'est-à-dire les quarante ans et plus (peut-être 25) qui n'en est restée qu'au secondaire trois ou quatre, quant au niveau académique et qui accuse également un âge mental de treize ans, même pas suffisant pour lire *La Tribune* ou *La Presse*, cette population, il faut le dire, deviendra les «hôtes» éternels du gouvernement. Elle inscrira son nom sur de longues listes d'attente. Ils sont déjà les *antrustions* de la société, un peu comme les «nourris» du palais mérovingien et carolingien. Et devant la pénurie du travail, due en partie à la technologisation, à la «parcellisation» des tâches, au travail en miettes raréfié, devant la non-réponse d'une main adéquate, l'ancienne vie de la «job», du boulot à faire va se récuser pour faire monter en flèche effarante, l'angoissante figure du chômage. Travailler, un privilège; «chômer», un état normal. L'horrible prédiction biblique «à la sueur de ton front, tu mangeras ton pain», - «dans la douleur tu enfanteras des fils», à part son sens moral, ne sera vue que comme une méchante allégorie. Le soixante-douze heures de travail de nos grands, grands-parents, déjà réduit de plus de la moitié, se ramènera à un douze à quinze heures, tout au plus. En Allemagne, on vient de légiférer dernièrement pour trente-deux heures de travail. L'*homo technicus* et l'*homo vacans* dessinent depuis un certain temps l'*homo ludens*. L'homme joue depuis l'âge des cavernes. En généralisant, on reviendra à ce haut rendement de gloire des Empereurs de Rome qui, pour se soutenir sur leur trône, offraient au peuple du pain et des jeux. C'est déjà fait. La vision continuelle, permanente et cédulée du hockey, du football, du soccer et du baseball. Le peuple, toujours en général, s'applique à voir le jeu, ne s'y implique pas. Y aurait-il un petit voyeurisme là-dessous ou un éternel transfert de moi-même sur l'autre? La crise cardiaque dans un fauteuil au moment où les Oilers avec Gretsky...!

Ce nouveau moment de jeu veut dire aussi, pour cette pellicule populationnelle, temps de la communication, de la parole et de l'écriture, de la «consciencialisation», du penchement vers soi-même, de l'intériorisation des tâches; ce moment, dis-je, sera le fait de l'homme nouveau. L'*homo ludens* effectuera en lui plusieurs virages dont l'*homo scribens*, l'*homo communicans*, l'*homo fantasia*, l'*homo cogitans* (imaginant et s'imaginant) de H. Laborit, l'*homo ecologicus*, l'*homo ethicus*, l'*homo festivus*, l'*homo politicus*, l'*homo cyberneticus*. Ce dernier (art de gouverner, sens grec du mot) sera l'homme qui dans le futur, déjà commencé, va pouvoir par une technique auto-régulatrice prolonger sa vie jusqu'à cent quarante ans. L'idéal de la médecine. Le procédé du «déstressement» pourra accepter une formule jusqu'à s'hiberner un trois à six mois par année en vue de garder l'homme en condition, pour qu'il puisse non pas seulement vivre mais mener, fort tard, une action efficace. Deux derniers types pour parfaire l'idéal de l'humanité: l'*homo saltans*, l'homme dansant (si cher à Valéry), l'homme qui perd le pied pour reprendre sans cesse l'équilibre, le mouvement des algues flottantes et l'*homo contemplans*, l'homme de la sagesse, de la plénitude.

Pour donner une forme de squelette à cette théorie (?), voici en synoptique comment pourraient s'étager les divers types humains vus sous l'angle du jeu, des loisirs, mais plus spécifiquement des loisirs en face des tâches futures de l'humanité. Le prochain «faire» humain. Le mot jeu étant considéré comme l'existence en soi et le fait d'expier ou d'expirer cette existence, comme le lot de l'être au monde et de l'être dans le monde.

Voici les neuf types et les dix grandes activités ludiques.

HOMO LUDENS

9 grands types historiques de l'humanité en fonction du travail			10 grandes activités ludiques en fonction du jeu	
Homo vagus	(caverne, plaine)		*Homo scribens*	(l'écrivant, l'écrivain)
Homo agricolans	(plaine, type rural)		*Homo communicans*	(l'appeleur de foules, retour de la parole, fin de l'écrit?)
Homo laborans	(artisan, le «machinal», mi-rural, *homo faber*	HOMO LUDENS	*Homo cogitans*	(l'homme chreilogique (besoin) la praxis)
Homo technicus I	(l'intelligence de la main)		*Homo ecologicus*	(l'homme s'appropriant qualitativement son biotope)
Homo vacans	(le chômeur, type «chaûmé»)	Spielmensch ad-venant par		
Homo technicus II	(urbain-rural, la main sophistiquée, le spécialiste)	l'Humanisme ludique, conduisant vers	*Homo economicus*	(l'homme soupesant (sous pesant) son avoir)
Homo ludens	(l'homme jouant, riant)	l'Ueber-spielmensch	*Homo festivus*	(ridens) (l'homme festival, rituélaire, truffant)
Homo saltans	(la joie bondissante, le corps en leste, l'éternel *Icare qui tombe sans chuter*)		*Homo ethicus-religio*	sus (le devant-Dieu)
			Homo politicus	(le devant-homme)
Homo contemplan s	(l'adorateur, le psalmiste, Sisyphe heureux, «malgré tout»), retour au rural et à la caverne.		*Homo fantasia*	(le rêveur visionnaire, le ré-enchantement du monde)
			Homo cyberneticus	(le 3 à 6 mois de «dé-stressement» pour vivre jusqu'à 130 ans dans une action efficace.

Classification fantaisiste, me direz-vous, et qui mériterait peut-être quelque bienveillance, avec l'amical conseil, bien sûr, de m'en occuper d'une façon plus prolongée. C'est vrai et j'en remercie déjà ceux qui m'accorderaient le bénéfice. Ce tableau pourrait occuper la matière d'un livre, et à ce titre seul, me jette dans une frayeur fascinante. Ecartons cette idée. D'abord, je n'en puis pour le moment en assurer l'épaulement. L'épanchement.

Pour sécuriser et séculariser l'objectif de cet échellement, je dois dire en guise d'explication que la partie gauche affiche une sorte de typologie humaine à partir de l'homme des cavernes jusqu'à l'homme à venir (l'an 2500 environ), que la partie droite énumère les facettes variées de l'*homo ludens*. Il ne faut pas tenter entre les deux un parallèle, ni poser une classification figée. L'*homo ludens* qui se situe davantage après l'*homo technicus* II, peut signifier que nous sommes actuellement dans la société des loisirs, dans la civilisation des jeux. Cet *homo ludens*, en dehors de la perspective existentialiste, et que le présent essai soutient et sous-tend bien au-delà du Jeu dans le monde, a joué a été joué et est forcé de jouer bien avant l'*homo vagus*. Mais le jeu, pour ce dernier, s'est joué d'une façon hautement tragique à cause d'un *primo vivere* incessant et fort rudimentaire.

Inutile, comme on dit, de «noyer le poisson», d'éventer une des arêtes de la conclusion. Bornons-nous à dire, avant de poursuivre l'enquête sur le jeu, que plusieurs générations rejoindront précocement la tombe à force de n'avoir su que travailler. N'ayant pas appris à ne rien faire. Ce qui se présente comme un travail extrêmement difficile. Elles (les masses) ne s'effrayeront plus à toujours se chercher un nouveau «job» inexistant. Elles suivront de nouveaux caprices, d'anciens vices comme expédients à un long ennui... Le droit à la paresse de Paul Lafargues, vu comme un «classique de la littérature française», un des brillants paradoxes du siècle dernier, est en train de se réaliser. Ici s'achève l'illustration fantomatique de la déclaration, de ce cruel apophtegme, «*chômage massif et volontaire*». Continuons notre marche dans le jeu humain, ce jeu aux mains de l'enfant, jeux d'anges et d'innocence où n'apparaît que la ludicité.

Il paraîtrait étrange dans un essai sur le Jeu de sembler fuir le mot, de n'en point vouloir connaître la généalogie, de se refuser à une visite archéologique. Le vocable jeu n'a rien pour moi d'un mot dans le dictionnaire. C'est un empire, une galaxie et, pour dire vrai, il emprunte le visage de l'univers. Un peu comme ces mots initiatiques qui déclenchent les magies, ces prismes qui retiennent toutes les lumières. Si l'on dit avec Hugo que le verbe est Dieu, eh bien! ce verbe, ce mot serait le Jeu. C'est pourquoi avec le secours de Johan Huizinga, compagnon de route et grand essayiste, dont j'ai mis en tableau le chapitre deux, *Conception et expression de la notion de jeu dans la langue* (p. 57 à 84), nous allons à travers le corps de ce mot, l'étendue de ses racines connaître le magnifique veinage sémantique, découvrir les couches telluriques profondes qui animent tant de floraisons conceptuelles.

GÉOGRAPHIE RACINIELLE DU VOCABLE:

JEU ET DE SA FAMILLE

Langues	Racines	Signifié
Grec	paidía	jeu des enfants
	paída	puer-ilité
	inda, inthos	jeu des enfants
	paizein, paizô	jouer
	paigma, paigmon	jouet (du plus simple au plus noble)
	athurô, athurma	frivole, le futile
	agôn	compétitions, concours, fête, culte («la vie entière des Grecs a été un jeu»)
	sphairinda	jouer à la balle
	spondè-paidià	jeu-sérieux (anthithèse) zèle, effort, peine
	alindô, kudinkô	se vanter
	scolè	école
Latin	ludus, ludere	jeu enfantin, délassement, compétition
	lusus	représentation liturgique, jeu de hasard
	lares ludentes	danser
	al-ludo, col-ludo il-ludo	irréel, fallacieux
	ludi	jeux publics
	ludus	école, exercice
	icocus, iocari	jouer - badinade, plaisanterie (remplace ludus)
	ludere	ébats des poissons, vol d'oiseaux, clapotis de l'eau, feinte, moquerie
latin midiéval	plegium	non-sérieux, mouvement non rapide
Anglais	play, to play (de plega)	jeu, jouer, mouvement rapide, geste, serrement de main, applaudissement, jouer un instrument de musique, toutes actions concrètes
	play	jeu, mouvement limité d'une roue ou d'un véhicule
	Fair play	esprit du jeu, règles du jeu
	game	partie
	flirt	surprise, parure, maquillage, faire la cour
	wooing	faire la cour

	plihtan	exposer au danger, compromettre, engager
	plight	danger, forfait, faute, blâme
	pledge	engagement
	ernst	opposition du jeu au sérieux
	earnest	combat
	spel (gospel)	racine apparemment autre)
Vieil anglais ou Anglo-saxon	lâc, lâcan	Jouer, sauter, se mouvoir en cadence, offrande, Toutes espèces de jeux, la danse et l'exercice physique
	plegan, plega	Répondre, s'exposer au danger ou risque pour quelqu'un ou pour quelque chose
	plight	Danger, forfait, faute, blâme, puis engagement
	pledge	Caution otage, gage ou enjeu, prix, la cérémonie, la rasade, la promesse et le voeu
	heado-lâc, beau-du lâc	Jeu de combat, de lance
	ecgalâc, sverta-lâc	Danse des épées
	ornest	Combat singulier, provocation en duel
	spelian pliht	Figurer quelqu'un d'autre, se présenter
	beadeweg, bae-doweg	poculum certaminis (vase de guerre)
Allemand	leigh	jeu comme mouvement rapide
	spel, spelen, spielen	jouer, se mouvoir librement, entreprendre, effectuer, manier, s'employer à passer le temps, s'exercer à
	spel (herspel? dingspel? beispiel?	paroisse ressort du tribunal racine par exemple douteuse?
	pflegen	répondre, s'exposer au danger ou à un risque pour quelqu'un ou pour quelque chose. Sens abstrait
	plegan Expr.: ein Spiel treiben	faire un jeu
	etwas treiben	être occupé
	ernest, ernust, eornost	combat
	ernst	jeu sérieux, travail

173

Vieux haut allemand	pflegan	sens abstrait
Moyen haut allemand	spil	dans un sens mystique
Gothique	laikan	Bondir (jeu bondir des jeunes animaux, Platon, *Lois* II, 653) mouvement rapide
Vieux frison	plega pleoh, plê fyuchtleek	sens abstrait danger fête, combat
Frison moderne	boartsje sphylje	jeu enfantin jeu d'instrument
Vieux nordique	leikr, leika	tous jeux, danse et exercice physique, se mouvoir librement, entreprendre, effectuer, manier, s'employer à, passer le temps, s'exercer à
Néerlandais	Expr.: een spel- letje doen spelen zich verplichten verplegen plegen plechtig (solen- nel) plicht speelman speelkind minnespel speling	faire un petit jeu (comme pour leika, ci-haut) prendre à cœur, avoir soin de assister actions solennelles: hommage, grâce, serment, travail, cour amoureuse, sorcellerie, justice... et jeu célébrer des fêtes, faire étalage d'opulence devoir joueur, musicien. Par extension: poète-chanteur, jongleur de foire enfant de l'amour gestes de l'amour mouvement limité d'une roue ou d'un véhicule
Moyen néerlandais	huweliec, huweliec roecken roekeloos	sens cérémoniel être soucieux de inconsidéré
Néerlandais	huwelijk, feeste-	fête

174

		de céramique
	asobase-kotoba	langage courtois: vous arrivez à Tokyo, se dirait: vous jouez votre arrivée à Tokyo. J'ai appris la mort de votre père, devient: Monsieur votre père avait joué sa mort.
	kajime	gravité, sobriété, dignité, solennité, tranquillité, honnêteté, bienséance, prosaïque, terre-à-terre, le sérieux
Langues sémitiques	la'ab	jouer, rire, se moquer
arabe et syrien	la'iba	jouer d'un instrument de musique
	"	baver, pour un poupon, action de faire des bulles avec sa salive (sorte de jeu)
hébreu	sahaq	rire, jouer, s'occuper en badinant, danser. «Que les jeunes gens s'apprêtent et jouent devant nous» Livre II, Samuel, 2-14; Reg. II, 2-14.
Algonquin, le *Blackfoot*, un des parlers algonquins	koâni	jeu enfantin, futile au jeu organisé, relations illicites
	kachsti	jeu avec des règles, jeux de hasard, de force et d'adresse
	amots	victoire dans une compétition, un concours, un combat (opération de carnage)
	skits, skelts	jeu et sport
	apska	parler
	kip	tout comme, rien que tout comme, pour la frime, pour rire
	aniu	il dit
	kipaniu	il dit pour rire, sans y croire
Italien	giuoco, giocare	jeu, jouer
Espagnol	juego, jugar	jeu, jouer
Portugais	jogo, jogar	jeu, jouer
Roumain	joc, juca	jeu, jouer
Catalan	joc, juca	jeu, jouer
Provençal	joc, juca	jeu, jouer
Rhéto-roman	joc, juca	jeu, jouer

actuel	lic feest, vechtelie	
	gevech	combat
Vieux norrois	orrusta-prealium	combat
Sanscrît	krîdati	jeu des enfants, des adultes, des animaux, mouvements du vent ou des vagues, aussi gambader, danser sans notion de jeu
	nrt	danse et représentation dramatique
	Divyati	jeu de dés, jeu en général, badiner, «folâtrer», blaguer, lancer, rayonner
	vilâsa	rayonner, apparaître soudain, monter, aller et venir, jouer, en général «être occupé»
	lîlâ, lîlayati	balancer, bercer, caractère léger, insouciant, joyeux, aisé, insignifiant du jeu
	lîlâ	«comme si» de simulacre, d'imitation
	gajalîlayâ	jeu de l'éléphant, jouer «à l'éléphant»
	gâjendralîla	jeu consistant à faire l'éléphant, à le représenter, à le jouer
	krêdati	jouer, sens érotique
	kradaratnam	le joyau des jeux: le coït
Chinois	Wan	jeu enfantin, s'occuper de quelque chose, trouver plaisir à baguenauder, batifoler, folâtrer, badiner, aussi manier, examiner, flairer, façonner des bibelots de ses mains, la douceur du clair de lune. (Rien n'indique l'adresse, la compétition, les dés ou la représentation.) Idée de situation, établissement, disposition
	tcheng	compétition
	sai	compétition avec un prix
Japonais	asobi	jeu, délassement, récréation, passetemps, excursion, distraction, débauche, jeu de dés, oisiveté
	asobu	étudier sous la direction de quelqu'un, étudier quelque part, aussi combat simulé, non une compétition, réunions mondaines où l'on prend le thé et où l'on manie avec admiration des objets

Parlers scandinaves	lege, leka	jeu, jouer
Français	jocus	jeu, jouer, amusement, divertissement, jouer des instruments, théâtre, facilité de se mouvoir, fonctionnement, institution, etc.

(6)

NOTE

Il y a lieu d'observer, à travers les divers territoires linguistiques, combien la notion de Jeu est internationale et combien elle se prête par ses racines souvent limitrophes à un cousinage étroit, sosifié, à une sémantisation surprenante. Les barrières propres à chacune des grandes familles de langue ont suivi (la linguistique et toutes les sciences se rapportant à la langue) un chemin, certes particulier, mais aussi un destin attestant le fonds commun de l'humanité en ce qui concerne le vocable *ludus*, en ce qui a trait à l'activité ludique. Ce dernier lexème réconforte les tenants de la civilisation occidentale, mais il est né vraiment dans la civilisation orientale où le jeu n'était plus un jeu d'enfant, un entre deux devoirs et délassement turbulent de la récréation. Une autre remarque intéressante, je crois, pourrait développer ce rapport assez particulier entre l'évolution de tel ou tel peuple et la quantité, la largeur significative des racines propres au jeu. Exemples: la langue ou le peuple allemand, néerlandais. Question d'évolution, d'évaluation.

En ce sens, on peut avancer que la langue française n'a pas accumulé un lexique monstre vis-à-vis du mot jeu. Il s'est fabriqué, il est vrai, une dénomination surprenante quant aux noms de sports, de jeux, de jouets, mais la racine elle-même du mot, accuse une sécheresse, un arrêt que seuls peuvent expliquer un certain ostracisme, une méfiance prudente, paternaliste, même morale vis-à-vis du mot Jeu. Ce qui prouve qu'on habite à peine l'ère des loisirs et que la notion de jeu oscille à peine dernièrement avec celle de travail.

Pourquoi ne pas admettre dans la langue française d'autres désinences, permettre d'autre préfixations, suffixations, d'autres aires sémantiques tels que *ludème, ludémologie, ludicité, ludicitaire, aludique, ludicisme, éludisation, ludiciaire, ludésique, joculaire, jocologie, joculème, jocularité, ludothèque* (ce dernier est admis dans le Dictionnaire de Robert) et

6. Huizinga, J., *Homo ludens*. Gallimard, Paris, 1951, chap. 11, p. 57 à 83. Tiré du chap. 11 et mis en tableau avec quelques additions.

combien d'autres mots? Ce qui augmenterait avec tout l'apport scientifique et technique, la substantivité et l'adjectivité de la langue ludique. Enfin, c'est un voeu.

Quand *ludus* aura été saisi dans la langue populaire, aussi bien comme jeu de salivation (âge de la lalation) que comme armature d'un discours judiciaire, politique, «homiliaire», bref, qu'on aura reconnu partout l'universalité du Jeu dans le Monde, sa profondeur, sa synthèse dans les institutions sociales, sa densité psychologique émotive, mythique dans chacun des individus et dans la collectivité, à ce moment-là le Jeu s'ouvrira au-delà du jeu mondain, reflètera son origine cosmique et prendra vis-à-vis de l'homme et de l'Univers sa vraie figure eschatologique. Il s'instituera pour nous comme valeur et sens dans un monde qui a perdu sa signification et qui cherche encore sa raison et ses fins.

PARTIE B

Théorie cailloisienne des jeux
Parallèle entre le jouer et l'écrire,
entre le joueur et l'écrivain

1. Auprès de Jean Piaget, de Jean Château et de Roger Caillois
Jeux fictionnels et jeux fonctionnels

La solution métaphysique, cosmologique et psychanalytique du jeu que je désire avancer ici, ne contrecarre point l'étude hautement sérieuse et universellement reconnue des professeurs précités, ou celle de Ch. Bühler et de J. Claparède. Mon travail demeure toujours une hypothèse, et par là, essaie non pas de briser l'étagement des stades de développement infantiles, mais de poser la condition première du jeu. On suppose déjà que le fond de cette condition repose sur la pulsion fondamentale chez l'homme qu'on appelle l'instinct de conservation et de survie.

Ce qui explique une prise de position tout à fait psychologique. Au lieu de constater le phénomène-jeu chez tel ou tel enfant, j'essaie de saisir pourquoi l'enfant joue, pourquoi l'homme joue. Au jeu-phénomène, je préfère voir le phénomène-jeu. Selon Piaget, le jeu semblerait prendre fin à la fin de la période représentative, lorsque l'égocentrisme se substitue à l'hétérocentrisme. Une autre signification, celle-ci issue de l'ex-grand-prêtre si l'on peut dire en France des jeux, Jean Château, divise les jeux en deux grandes classes: les jeux non réglés et les jeux réglés. Ce dernier nous avertit qu'entre ces jeux qui se situent entre la première et la quatrième enfance, il y a souvent contamination, confusion, et que *«jouer c'est jouir»* chez l'enfant qui, par le jeu, escalade continuellement sa montée vers l'Aînée. On ne peut terminer cette trop mince et première classification sans se rappeler celle de Roger Caillois qui, chez les analystes de la fonction ludique, a plus d'un crédit.

Il a eu le mérite de classifier les jeux non pas en fonction de l'instrument du jeu, la qualité principale nécessaire, le nombre de participants ou le climat de la partie, mais selon que prédomine le rôle de la compétition, du hasard, du simulacre ou du vertige. Si l'on joue au hockey, aux cartes, le principe de l'*Agôn*, ou de la compétition est favorisé; si l'on achète à la loterie du Québec ou si l'on gagne aux courses hippiques, on entre dans la catégorie de l'*Aléa*, ou du hasard; si l'on interprète Andromaque ou si l'on imite Batman ou Tarzan, on fait appel au *Mimicry*, ou le simulacre; enfin, si lon fait de la trampoline ou l'on descend sur la rampe d'un escalier, disons, si l'on fait du parachutisme, c'est l'*Ilinx*, ou le vertige que l'on évoque ou invoque.

Nous verrons bientôt que ces quatre divisions du jeu adulte chez Caillois, sous lesquelles se placent une immense activité de jeu et de catégories de jeux, se dirigent vers deux grandes classes principales: le *païda* et le *ludus*.

Les activités propres au *païda* ne s'opposent point à celles du *ludus* dans le sens d'une négation absolue, elles se complètent tout en se dispersant en fonction de l'âge, du milieu, des motivations. Il y aurait, en effet, une certaine répugnance entre elles, ce qui peut marquer l'opposition. On peut dire selon le sens commun que «dans l'âge du jeu, il y a des jeux d'âge», ou si vous voulez autrement, que «dans les jeux de l'âge, il y a un âge de jeu». Les jeux de fiction, c'est connu, durent toute la vie.

La fantaisie, la turbulence, l'improvisation se rangeront davantage dans l'activité *païdique*, tandis que le besoin de discipline, de conventions arbitraires, de patience et d'habileté appartiendront plus à l'activité ludique.

Le tableau suivant concerne les jeux de l'enfant et représente la pensée de Château, de Piaget. Les statistiques menées par deux parents (les époux Scupin) sur le jeu de leur enfant nous font comprendre les baisses de température des jeux de fiction, des jeux fonctionnels et des jeux de construction en fonction, si l'on peut dire, de la hauteur de l'âge.

Âges	Jeux de fiction (en %)	Jeux fonctionnels (en %)	Jeux de construction (en %)
2 - 2 1/2	41	27	18
2 1/2 - 3	50	6	-
3 - 3 1/2	55	10	-
3 1/2 - 4	62	3	32
4 - 4 1/2	67	3	-
4 1/2 - 5	25	12	-
5 - 5 1/2	14	11	57
5 1/2 - 6	13	16	64

(7)

Ce seul tableau vaut toute une épopée dans le sens qu'on trouve chez l'enfant une situation de la petite enfance, de l'enfance et de la pré-adolescence qu'on pourrait appeler l'odyssée de l'enfance. C'est, en effet, une oeuvre bellement folle que de vivre les jours de l'aurore lorsque le quotidien se tient au centre du merveilleux, quand l'enthousiasme comme une âme sans corps vole au-dessus des plaines ravagées d'hommes et de sueur et va rejoindre cette douce passion de l'inutile et du toujours fait et défait. Il y a dans chaque enfant un sage, un héros, un saint, et chacun dans ses jeux et ses jours traverse le Roland furieux, le Cid, les Niebellugen, le Paradis perdu, la Chanson de Roland, les Martyrs, la Chute d'un Ange, Moïse sauvé et cela, jusque dans la Légende des siècle de son enfance.

Une seule chose traduit bien l'enfance, c'est l'élan. Élan vers le nouveau, l'accomplir, le turbulent, le dangereux, le fonctionnel, le construit, le fictif. «Nous faisions, ma soeur et moi, raconte Simone de Beauvoir, des concours d'endurance: nous nous pincions avec la pince à sucre, nous nous écorchions avec la hampe de nos petits drapeaux; il fallait mourir sans abjurer» Jouer vrai, devenir soi, hors de soi, en dehors de soi. Ce jeu à se pincer jusqu'à la mort, ce jeu à ne pas respirer, à ne pas bouger; ces petits jeux effrayants qui alarment tant les parents, (les psychanalystes auront vite fait de ramener cela au masochisme et au thanatos), ce jeu

7. Caillois, Roger. *Jeux et Sports*. Coll. de la Pléiade, Gallimard, Paris, 1967, chap. II, p. 69.

n'est jamais absent d'une fictivité, facticité et d'une attitude du «ne pas…».

Les jeux de fiction joués toute le vie durant et pour lesquels une grande majorité de gens ont troqué le réel pour l'irréel; ce réel souvent haïssable, perdurant et qui ronge continuellement les ailes, ces jeux trouveront leur réalisation suprême chez le scientifique, l'artiste, le romancier. Avant de scruter la matière à travers le microscope, de faire miroiter des dômes, de lever des cubes au-dessus de la terre, de graver l'âme humaine sur toile ou sur pellicule, de mener un héros, un personnage à travers une existence en récits, ces hommes, enfin, tous les hommes, ont passé vers l'âge d'un an par la conduite du «jouer à», du «faire semblant».

L'origine des jeux de fiction (ce faire semblant) prend siège, comme on le sait, dans la pensée représentative. Ces jeux ont ceci de remarquable que l'enfant gambade, si l'on peut dire, entre la réalité et l'illusion. Par la première, il copie, par la seconde, il déforme, plutôt reforme en imitant. Il imite d'abord soi, il imite ensuite autrui. Sous cet angle, le jeu fictif se rapproche beaucoup de l'essence du jeu par sa simplicité, son dépouille-ment, sa gratuité, sa liberté. Une boîte, un bâton suffit à l'enfant pour créer tout un monde; une certaine coordination dans les gestes qu'on appelle l'activité ludique, puis une activité gestuelle (imiter par exemple un chauffeur d'autobus) voilà en vrac, un jeu de fiction. L'objet matériel (boîte, bâton) ne se différencie pas plus pour l'enfant que la feuille blanche et les signes noirs pour le lecteur. Ils servent de symboles.

Pourquoi l'enfant, demandera-t-on, cherche-t-il à imiter? Par besoin de sécurité. J'ajouterais, pour répondre adéquatement à son angoisse. La vie pour un enfant de 2 à 5 ans n'offre pas un contenu toujours com-préhensible pour une jeune intelligence, aussi le rôle enfantin consiste à boucher des trous, un peu comme un maçon qui solidifie des briques. À sa manière il complète la vie. C'est tout à fait l'ouvrage, le but proposé, consciemment ou non, du romancier, du philosophe, du conteur, du mime ou du chansonnier.

Cet âge du «fictionnel», de l'imaginaire a été vu chez Platon comme «un vaste détour intellectuel» avant l'apparition de la pleine rationalité; a été comparé également à l'âge théologique d'Auguste Comte; aussi à cette âme primitive de Lucien Lévy-Bruhl, enfin, à l'âge des mythes. C'est peut-être dans le creuset de ces âges charmants et pleins d'attraits que se prépare secrètement le germe du monde scientifique, littéraire, artis-tique futur. Le ré-enchantement de la créaton.

Les jeux fonctionnels de la petite enfance, avec les jeux symboliques (3e année), les jeux de prouesse (1ère, 2e et 3e années scolaires), les jeux sociaux (fin de l'enfance) composent les jalons et les activités ludiques de notre enfance. Ces jeux de l'enfance pour Jean Château nous placent dans les pas de l'homme vers l'adulticité...

Comment peut-on imaginer, après tous ces jeux de gestation ludique du petit de l'homme, les gestes à venir de l'adolescent et de l'adulte? Roger Caillois, qui s'est inspiré à n'en point douter de Johan Huizinga, nous présente sa célèbre classification.

2. Les quatres grandes divisions du jeu adulte chez Caillois: agôn (compétition), aléa (chance), mimmicry (simulacre), ilinx (vertige) entre-jambement de ces catégories.

Je reproduis ici, pour mieux la visualiser, la classification de Roger Caillois, généralement admise et qui va orienter volontairement la thèse sur le jeu versus la culture ou, si vous voulez, vers une sociologie à partir des jeux. On pourra plus facilement ensuite jeter le pont vers une sociologie de l'écriture. Il trouve vaine la discussion à savoir si c'est le jeu qui a produit la culture ou si c'est cette dernière qui a donné naissance au jeu.

TABLEAU RÉCAPITULATIF I

	AGÔN (compétition)	ALEA (chance)	MIMICRY (simulacre)	ILINX (vertige)
PAIDIA	courses luttes non réglées etc. athlétisme	pile ou face comptines	imitations enfantines jeux d'illusion, poupées, pa-noplies, mas-que, travesti	manège «tournis» enfantin balançoire valse
vacarme agitation fou-rire				
cerf-volant solitaire réussites mots croisés	boxe billard escrime dames football échecs	pari roulettes loteries simples, composées ou à report	théâtre arts du spec-tacle en général	volador attractions foraines ski alpinisme voltige
LUDUS	compétitions sportives en gé-néral			

N.B.- Dans chaque colonne verticale, les jeux sont classés très approximativement dans un ordre tel que l'élément *païdia* décroisse constamment, tandis que l'é-lément *ludus* croît constamment.

Le prochain tableau nous entretient sur la rapport entre le jeu et les formes culturelles, puis les formes institutionnelles. Ce qui ne manque pas d'intérêt de nos jours où l'homme se méprise et inférioise le jeu par la violence, où l'homme encore bafoue la vraie image de l'athlète, détruit l'essence de l'esprit olympique grec et même désavoue toute éthique ludique.

N'a-t-on pas vu quelque part, et c'est là le scandale, (le jeu se rapprochant des origines historiques ne devrait-il pas, sous le regard pieux de l'*Hellanodikès*, le juge des jeux et sous la haute conscience ludique et religieuse des Grecs, avoir conservé sa pureté première?), n'a-t-on pas vu un coureur grec soudoyer un autre pour conquérir la palme, vers la 18e Olympique grecque? Ironie et à la fois finesse des Hellènes, on dressa pour ce «vainqueur» un arc de triomphe sous lequel il devait chaque jour passer.

Alors ne parlons pas, ne parlons plus de la corruption actuelle des jeux, ni de leur violence. Le dernier petit jeu qui se joue chaque matin, et encore ce matin, sous le pont Jacques-Cartier, le «craps»! Quel aria que cet aléa!

L'*agôn*, l'*aléa*, le *Mimicry* et l'*ilinx* qu'on vient de voir dressés en tableaux et qui définissent en «quaternité» des attitudes globales et fondamentales ne jouent pas, si l'on peut dire, comme une mécanique isolée et n'engageant qu'un seul mouvement. Tout jeu est compétition et tout n'est pas compétition. Cependant dans la théorie élargie des jeux de Roger Caillois, il existe comme dans la classification des huit tempéraments, des jeux qui permettent une nette affinité entre eux, comme une franche «antithéticité». Le passionné par exemple offre un caractère très éloigné de celui de l'amorphe ou du tempérament apathique. Ainsi pour les jeux, six conjugaisons s'amalgament: *agôn-aléa* (compétition-chance); *agôn-mimicry* (compétition-simulacre); *agôn-ilinx* (compétition-vertige); *aléa-mimicry* (chance-simulacre); *aléa-ilinx* (chance-vertige); *mimicry-ilinx* (simulacre-vertige). Il est clair que le vertige s'accommode assez mal avec la compétition. On appelle cela une conjonction interdite. Si éloignée soit-elle, elle peut malgré tout se tenir avec elle, par quelques fils, si minces soient-ils. Risquons un exemple qui pourrait marier les quatre attitudes. Une course d'automobiles! Quoi de plus compétitifs? L'*agôn* y exprime là sa pleine essence. S'ajoute facilement et même nécessairement la chance de gagner, l'*Aléa*. Le hasard y trouve aussi son compte. Le *mimicry*, plus difficile à défendre, s'accomplit dans l'intention du chauffeur, l'opinion qu'il a de lui comme champion possible, celle qu'il veut faire paraître à la foule, celle que la foule pense de lui. Il y a certes un rôle à tenir, une réputation faite ou à faire. Si je veux devenir champion je dois agir «comme» lui. Le spectacle est présent. Quant au vertige (ilinx), ce sport comporte suffisamment de voltiges pour en créer. Même chose pour une course transatlantique. sur un catamaran.

À faire un transfert presque étroit et dans un exemple plus près du jeu de l'écriture, le parallèle entre un coureur d'automobile et un écrivain peut très bien se jouer. Aucun doute en partant qu'il ne s'y glisse chez l'écrivain,, disons, le romancier, le désir de faire mieux que... (*agôn*); le risque de gagner tel concours ou tel prix, Goncourt, Fémina, de la Ville de Montréal (*aléa*); le vouloir de mener sa trame, sa thèse, son écriture en fonction d'une certaine tentative de séduction auprès du public (*mimicry*); enfin l'intention de «paroliser» ses états d'âme, de véhiculer ses idées, de créer chez le lecteur le prodigieux contour d'une idole, d'un héros ou l'action dense, pyramidale d'une situation et d'un pays (*ilinx*). N'est-ce pas une des tâches de l'écrivain de créer le vertige?

TABLEAU II

	Formes culturelles demeurant en marge du mécanisme social	Formes institutionnelles intégrées à la vie sociale	Corruption
Agôn (Compétition)	sports	concurrence commerciale examens et concours	violence, volonté de puissance, ruse
Alea (chance)	loteries, casinos hippodromes, paris mutuels	spéculation boursière	superstition, astrologie, etc.
Mimicry (Simulacre)	carnaval théâtre cinéma culte de la vedette	uniforme, étiquette cérémonial, métiers de représentation	aliénation, dédoublement de la personnalité
Ilinx (Vertige)	alpinisme ski - haute voltige griserie de la vitesse	professions dont l'exercice implique la domination du vertige	alcoolisme et drogues

3. Catégories ludiques et sortes d'écriture
La mixité hypothétique entre le jouer et l'écrire

Maintenant, si l'on jette un regard même distrait sur l'existence, toute combinaison et toute attitude devient possible. La vie est compétition, chance, simulacre et vertige à différentes intensités, à diverses hauteurs et c'est bien ici, entre l'existence et l'existant que s'apparentent le mieux ou s'appareillent à merveille la vie littéraire et la classification cailloisienne des jeux.

TABLEAU DES CATÉGORIES LUDIQUES
ET DES GENRES LITTÉRAIRES

Agôn (Compétition)	Alea (Chance)	Mimicry (Simulacre)	Ilinx (Vertige)
Examens		Théâtre	Épopée
Concours littéraire et artistique		Arts du spectacle, (chansonniers)	Poésie
Journalisme		Télévision	Télévision
Critique	Critique	Roman, conte, nouvelle	Conte
Histoire	Essai		
Science		Philosophie	

À tenter avec la littérature et quelques auteurs d'ici une application possible de ces catégories ludiques, est-il concevable d'avancer, dans le respect des anciens genres littéraires, que sous l'*agôn* («la forme pure du mérite personnel et la manifestation de ce dernier») peuvent se ranger, à part les examens, les concours littéraires, trois genres, c'est-à-dire le Journalisme, la Critique et l'Histoire. Le premier, moins accusé historiquement, enfin plus récent, fait apparaître les premiers témoins dont Thomas Chapais, Jules-Paul Tardivel, Arthur Buies, Hector Fabre (1860-1960); dont Lionel Groulx, Édouard Montpetit, Hermas Bastien, Ephrem Longpré, Marcelin Lamarche (1930-1945); dont Edmond Chassé, Roger Champoux, Jean-Marc Léger (1945-1985), témoins qui répondent bien à une prise de conscience avec le jour, les événements, la lutte avec un adversaire abstrait-concret dans un *agônique* intellectuel. La Critique avec Berthelot Brunet, Séraphin Marion, Albert Pelletier, Victor Barbeau (1930-1945), René Garneau, Roger Duhamel, Guy Sylvestre, Clément Lockwell, Jean Le Moyne, Jeanne Lapointe,, Maurice Blain, Pierre de Grandpré, Gilles Marcotte, Jean Éthier-Blais, Michel van Schendel, André Brochu (1945 à 1985) rencontrent bien les exigences de l'*agôn*. Ces écrivains, comme dirait Roland Barthes. Expression d'ailleurs fort récusée par quelques auteurs. Plusieurs de ces derniers sont aussi des écrivains reconnus. Être écrivant, c'est pour beaucoup d'écrivains un palier. Pour d'autres, une plateforme, cela, sans jeu de mots. Nous aurons à serrer plus loin la pensée barthienne à ce sujet. L'histoire dont l'ancienneté, aussi la séniorité nous renvoie, chez les Attiques seulement, à Thucydite (un peu avant 460 avant J.-C.) nous ramène ici, à ses débuts canadiens ou québécois, à Étienne-Michel Faillon, J.-B. Antoine Ferland, Henri-Raymond Casgrain, Benjamin Sulte, Louis-Philippe Turcotte, Antoine Gérin-Lajoie, Laurent-Olivier David, Joseph-Edmond Roy (1860-1900); à Jean Bruchési, Gustave Lanctôt, Robert Rumilly (1930-1945); à Maurice Séguin, Denis Vaugeois, Jean Hamelin, Guy Frégault, Michel Brunet, Marcel Trudel, Robert Sylvain, Fernand Ouellet (1945-1985).

Leur attitude historique n'est pas loin souvent de ressembler à celle d'un combat, d'un défi. Elle se rapproche aisément d'un *agôn*. Un *agôn* cérébral que Roger Caillois n'a pas pu ou n'a pas voulu développer dans sa thèse sur les *Jeux et les Sports*. Et pourtant, dans son tableau II, reproduit ici, il nous entretient sur les formes culturelles des quatre attitudes ludiques.

Celle du *Mimicry* mentionne, et c'est juste pour cet excellent ludologue, la dimension théâtre et cinéma. Faut-il rappeler que dans l'écriture du Jeu et le jeu de l'Écriture, qui dans le fond ne sont qu'une des parties du Jeu global dans le Monde, notre hypothèse permet, accepte cette audacieuse et toute nouvelle interférence de jeter l'écriture dans le jeu et de recueillir le jeu de l'écriture. Avec ces historiens s'apprend le jeu de l'Histoire mais sans ce fond d'horizon du Jeu du Monde. Cette Histoire (die Geschichte) où s'ordonne le destin d'un peuple qui en joue les parties (die Historie) et dont les historiens en général en taillent des lambeaux.

Sur le tremplin du vertige (*Ilinx*) où s'assemblent les conduites les plus troublantes de fuite, d'échappement, où du simple cheval de bois du petit manège au saut libre et périlleux du parachutiste ou même plus dangereux encore des voladorès du Mexique, je placerais comme jeu culturel, l'épopée et la poésie. En tant que toutes deux sont le produit de l'enthousiasme, de l'envol, de l'extase et même du déséquilibre.

Il ne semble pas que l'épopée ait trouvé rivage dans notre littérature. La poésie, mode et figure des pays jeunes, a trouvé de bonne heure son premier accent chez Jacques Labrie, Jacques Viger, Joseph-François Perrault, Michel Bibaud et surtout, chez Octave Crémazie, vers 1830-1860. Dans la trentaine d'années qui suivent apparaissent les noms de William Chapman, de Pamphile Le May, d'Alfred Garneau, de Nérée Beauchemin et puis, bien sûr, la fresque épique de Louis Fréchette. Arrive «un moi poète», Émile Nelligan. Défilent dans cette période de 1900 à 1930, un Jean Charbonneau, un Albert Lozeau, un Charles Gill, un Louis Dantin, un Albert Ferland, une Blanche Lamontagne. Durant l'avant-guerre et la guerre (1930 à 1945) suivent Rosaire Dion-Lévesque, Clément Marchand, Gustave Lamarche, Roger Brien, Robert Choquette, Alfred DesRochers, Émile Coderre, Jovette-Alice Bernier, Alice Lemieux, Simone Routier, Cécile Chabot. S'annonce un grand moment poétique vertigineux (1945 à 1985) avec Alain Grandbois, Hector de Saint-Denys Garneau, Anne Hébert, Rina Lasnier, François Hertel, Gilles Hénault, Sylvain Garneau, Suzanne Paradis, Roland Giguère, Éloi de Grandmont, Marie-Claire Blais, Maurice Beaulieu, Jacques Brault, Gaston Miron, Paul-Marie Lapointe, Claude Gauvreau, Fernand Ouellette, Michèle Lalonde, Alain Horic, Yves Préfontaine, Raoul Duguay, Claude Péloquin, Gatien Lapointe, Félix Leclerc, Gilles Vigneault, Marie Uguay, Nicole Brossard,

France Théoret, Madeleine Gagnon, pour n'en nommer que quelques-uns et pour éviter de paraître trop se complaire dans le jeu énumératif de la nomenclature.

À la suite de l'*agôn* et de l'*ilinx* culturel, nous pénétrons dans le monde du simulacre (*mimicry*), de l'illusion (*in-lusio*). Simulacre signifie «image, statue, représentations de fausses divinités, aussi voire représentation d'une chose. Apparence. Un acte par lequel on imite une chose». On vient par le fait même à part des items classés sous cette rubrique, de mettre en relief, la tricherie, même la tricherie codifiée, la métis, les sociétés tohu-bohu, le masque, la transe, la feinte, la victoire de l'hypocrisie, de la conduite oblique, le délire, la convulsion, la fête, le spasme, la danse, le shamanisme, la vaudouisme, le ventriloquisme, l'illusionnisme, le fakirisme, la possession, le confrérisme, le tribalisme, que sais-je? Le faire-semblant (*mimicry*) se conjugue avec la peur, le faire-peur, le se faire peur et se déverse immédiatement dans le vertige (*ilinx*).

Sous le simulacre, Roger Caillois a déjà inséré dans le tableau le Théâtre et les Arts du spectacle en général. il mentionne aussi dans les jeux du lettré pour les Chinois, la musique, la calligraphie, la peinture, le jeu de pions et le jeu d'échecs. J'ajouterais sous la catégorie du simulacre, le Roman, tout en pensant bien que le roman, sorte d'épopée moderne, a-t-on dit, peut se définir, même s'illustrer sous le vertige, la chance et même la compétition.

Si l'on prend le théâtre au Québec, le départ s'amorce avec Félix-Gabriel Marchand et Louis Fréchette. Il se poursuit après *Le Retour de l'exilé*, de ce dernier, avec Louvigny de Montigny (1900-1930) et Gustave Lamarche jusqu'à l'après-guerre. Il reprendra une forme virile avec Gratien Gélinas, Marcel Dubé, Jacques Languirand, Félix Leclerc, Jacques Ferron, etc. Quant au roman, comment ne pas sombrer devant l'énorme production, depuis Philippe Aubert de Gaspé, *Le Chercheur de Trésor* (1837) jusqu'au dernier roman bilingue de 600 pages, *Grand dérangement* (1984) de Norman Rousseau, paru récemment chez Stanké! Enfin, rappelons-en quelques-uns. dans cette période, on rencontre le romancier Georges Boucher de Boucherville (1830 à 1860). Vers 1900, Antoine Gérin-Lajoie et Laure Conan. Plus près de nous, de 1930 jusqu'à la deuxième grande guerre, Robert de Roquebrune, Claude-Henri Grignon, Léo-Paul Desrosiers, Félix-Antoine Savard, Ringuet, Germaine Guèvremont; de 1945 à nos jours, Roger Lemelin, Gabrielle Roy, André Giroux, Robert Élie, Anne Hébert, André Langevin, Yves Thériault, Jean Simard, Gilles Marcotte, André Major, Charlotte Savary, Andrée Maillet, Alice Poznanska-Parizeau, Monique Bosco, Diane Giguère, Marie-Claire Blais, Jacques Godbout, Claude Jasmin, Gérard Bessette, Hubert Aquin, Réjean Ducharme *et coetera*, établiront une solide écriture québécoise.

La dernière classification, l'*alea*, couvrirait sans doute, la Critique et l'Essai. On pourrait faire courir un doute et avancer péremptoirement que toute cette hypothèse est fallacieuse et qu'elle pourrait subir la rude épreuve de la critique. C'est juste. Je devrai dire que toute attitude d'écriture et dans l'écriture peut se ramener à une attitude ludique et le seul élément critique qui pourrait, et encore, léser cette démarche, se ramènerait non pas à l'attitude en soi, mais à la classification. je verrais assez mal, par exemple, ranger l'épopée sous la filière compétition. Il s'agit évidemment d'une hypothèse qui vient féconder le présent essai et lui prêter, si possible, les vertus inhérentes à ce genre qui fleurit de plus en plus dans nos lettres et qui a pour essence la nouveauté, la distanciation, le *Je* pronostic, la ferveur, le ralliement avec le futur, le vouloir de faire cohabiter le relatif dans une vision de l'absolu. Tout en sachant que cette vision, ce champ unitaire appréhendant et répondant du futur est sujet à l'intolérance légèreté de l'être. Expression chère à Kundera. D'ailleurs Robbe-Grillet ne dit-il pas quelque part que le roman est essentiellement ludique!

La Critique fait son entrée dans nos Lettres vers 1830 avec Camille Roy, Louis Dantin, Berthelot Brunet, Albert Pelletier, Victor Barbeau et d'autres. Elle prend plus de vigueur vers 1945, avec Roger Duhamel, Guy Sylvestre, Jean Le Moyne, Pierre de Grandpré, Gilles Marcotte, Maurice Blain, Jean Éthier-Blais, ainsi de suite.

L'Essai apparaît chez nous, zone francophone ou d'expression française, aussi vers 1830. Ses représentants se nomment Mgr Louis-François Laflèche et Edmond de Nevers (Edmond Boisvert). Au moment de la guerre, l'essai vibre avec Lionel Groulx, Édouard Montpetit, Hermas Bastien, Ephrem Longpré et le dominicain Marcelin Lamarche. De nos jours (1945 à 1985), plusieurs essayistes manifesteront leur conscience sous quatre aspects: *1o*: la réflexion humaniste avec Ringuet, Pierre Baillargeon, Paul Toupin, François Hertel, Maurice Lebel, Jacques Lavigne, Jean-Claude Dussault, Jean Tétreau, etc.; *2o*: la «québécologie» ou théorie d'un renouveau en Québec, avec Jean Le Moyne, Jean Simard, Pierre Vadboncoeur, Fernand Dumont, etc.; *3o*: la pensée politique et sociale, avec Marcel Rioux, l'ex-premier ministre Trudeau, Gérard Pelletier, Jean Jacques Falardeau, Gérard Bergeron, etc., et *4o*: l'aspect scientifique, au début, avec L'abbé Léon Provencher, ensuite, à l'aurore du 20e siècle, avec Pierre Dansereau, Gérard Gardner, Jacques Rousseau, et surtout le R.F. Marie-Victorin. Plus loin encore et près de nous, Benoit Brouillette (qu'on appelait gentiment entre nous B.-B.). Ces noms forment le premier contingent des essayistes québécois. À vouloir compléter la liste, on n'en finirait point de s'épuiser. D'autant plus que dans l'indifférenciation des genres, qui ne paraît point accommoder les Histoires de la littérature, il y a de ces oeuvres mixtes qui semblent défier toute classification. Roman ou essai! A ce moment-là, on retourne aux anciens gabarits des genres littéraires. Plus modernes cependant que ceux de Jules Verest, S.J., vieux manuel de littérature où tout est ramené à quatre genres dont les genres littéraires et didactiques, les divers genres de poésie, le roman et l'élo-qence.

Le roman égalait pour lui une épopée moderne et se divisait, c'est quand même intérressant, en romans selon la forme, d'après l'école et selon le but didactique de l'auteur. On sent toujours derrière ce visage académique un souci de prédiction, de pré-dication, un sens du poncif. Les nouvelles Histoires de la littérature française du Québec, celle de Pierre de Grandpré par exemple, ont vite fait de sortir des anciens moules et de parler dans le tome III, de poésie de grâce, de fantaisie et d'humour, de coulée lyrique, de poésie de l'appartenance et du pays à ré-inventer. Le roman ne se compte plus selon la forme, l'école ou le but didactique mais selon une classification plus ajustéee selon la forme, la thématique. On définit maintenant un roman d'analyse, d'observation et de critique sociale. On pousse la sensibilité jusqu'à habiter la conscience du romancier et de dénommer son oeuvre de romans-poèmes, de romans-symboles, et même de faire place à ce type qu'on appelle le nouveau roman.

Mais, malgré la liberté de pensée, de facture qui confère à l'écrivain actuel, canadien-français, une autonomie presque jalouse, la classification ultra-moderne actuelle ne peut jeter dans le purgatoire les anciennes catégories françaises inspirées par un rationalisme tout cartésien. Preuve la table des matières, tomes un et deux, de Pierre de Grandpré (10).

Partie C

Base de l'acte ludique et de l'acte d'écriture: l'Agoisse
Jouer l'angoisse qui s'angoisse à jouer

1. Classification des jeux (2ᵉ approche)

Après avoir examiné quelques grandes classifications ou structures globales des jeux, il me reste à faire le recensement de quelques définitions classiques admises chez les pédagogues, les psychologues, les sociologues et les philosophes qui se sont préoccupés de cette question tout à fait modernes qui, de nos jours, fait partie de la terminologie philosophique et s'instaure comme une interrogation au même titre que le problème

---

10. de Grandpré, Pierre. *Histoire de la littérature française du Québec*, Beauchemin, Montréal, 1969, 4 vol.

du mal, de la souffrance, du destin, de l'immortalité ou du bonheur. La notion de jeu est digne d'un questionnement philosophique. On l'a quelque peu vu.

J.J. Wunemberger pose le problème du jeu et le ramène à une sorte d'intermédiaire, à une puissance, à un symbole, à un droit, à une valeur de conversion et même à une aliénation. Il constate la nature paradigmatique du jeu et veut le jeu non comme la compensation d'un événement traumatisant (ceci contre Freud et Mélanie Klein), mais plutôt comme une construction du monde, une connaissance de faire, une conscience, après Merleau-Ponty, visant un monde. Le jeu relie comme l'arc-en-ciel la nature et l'esprit. Le jeu exprime donc la cause et la conséquence d'une liberté, le lieu du surréel. Selon lui, le jeu est une certaine «organisation de la conscience dans sa manière d'être face au monde...». «Le jeu n'est pas une adaptation au monde...Dans le jeu, il y a une spontanéité, un dynamisme de la récréation...». «Dans le jeu, écrit-il toujours, est une création de soi, mode d'exploration et de signification de la vie...» Pour Alain, le jeu s'affirme comme une poésie de l'action. Du côté négatif, le jeu serait-il transgression d'une norme ou simplement conformiste ou refus ou refuge? À la fin, Wunemberger place le jeu comme un intermédiaire. Toute cette méditation bien utile, nous rend encore plus confus le choix d'une définition dans la kyrielle épistémologique des avancés.

À poursuivre notre enquête, nous avons à faire un face à face sérieux avec Piaget, Château, Huizinga, Henriot, Freud, Granjouan et combien d'autres qui ont ajouté à ce phénomène du jeu, phénomène universel, une définition souvent juste, parfois surprenante mais toujours utile. Le jeu, selon Piaget, est désintéressé, (Baldwin dirait autotélique) spontané, une activité pour le plaisir, un manque relatif d'organisation, une libération des conflits, enfin, une surmotivation. Voilà les six critères définitionnels du jeu chez Piaget. La théorie de Piaget donne au jeu une fonction biologique précise, comme répétition et expérience qui «digère mentalement les situations et les expériences nouvelles». Ses trois hypothèses majeures se ramènent à ceci: le développement intellectuel procède par succession avancée ou diminuée mais modifiée par l'expérience. Le tout s'insère dans un séquentiel complet en soi (les stades) et ces stades s'appliquent également à des types d'opérations logiques. Mais peu jusqu'ici, quitte à me répéter, ne suppose ou n'explique chez Piaget un principe moteur du jeu, un moment impulsionnel; bien qu'il soit bon de retenir dans la définition même de Piaget une part «inconscientielle» du jeu lorsqu'il parle à ce propos de «libération des conflits», d'une «catharsis des combinaisons liquidatrices». Huizinga explique lui-même que «le jeu se produit en fonction d'autre chose», «qu'il répond à certaines «fins biologiques». Nombre de récréologues (récent néologisme scientifique) ramènent le jeu à la définition simpliste de délassement, de récréation.

Le nom de Buytendijk rappelle la théorie de la dynamique infantile qui fait que l'enfant ne peut faire autre chose que de jouer. Il joue parce que c'est un enfant et que cela répond à une dynamique propre. L'inohérence sensori-motrice ou mentale, l'impulsivité, l'attitude pathique non gnostique, la timidité à l'égard des choses seraient les quatre chevilles explicatives du jeu chez Buytendijk.

La classification de Piaget, ex-directeur de l'Institut Rousseau à Genève, est directement liée à la description de la croissance de l'intelligence chez l'enfant. Les deux processus postulés par l'auteur sont abondamment connus. Faut-il les rappeler? Ils se ramènent dans tout développement organique à l'assimilation et à l'accommodation. Exemple tout à fait simple: pour le premier c'est l'acte de manger; pour le second, celui de digérer, de se construire et de s'adapter. Donc complémentarité de ces deux processus. Si l'équilibre se fait entre les deux, une adaptation intelligente s'installe. Dans le cas contraire, si l'accommodation l'emporte sur l'assimilation ou vice-versa, on parlera d'imitation. Voilà le jeu chez Piaget. Assimilation de l'impression avec l'expérience antérieure et adaptation aux besoins de l'individu. Jeu et imitation.

Chez Piaget, trois périodes principales sous le schème de l'assimilation viennent rendre compte de la fonction ludique chez l'enfant; ce sont les jeux d'exercices, les jeux symboliques et les jeux de règles. Exercice, symbole et règle tels semblent les trois moments successifs des grandes classes de jeux quant à la structure mentale de l'enfant. Ces trois moments, on le sait, correspondent à trois périodes principales du développement intellectuel ou la période sensori-motrice (1 jour à 18 mois), la période représentative d'ordre opératoire (11 à 12 ans), entre les deux, la période représentative égocentrique (2 à 8 ans). C'est dans la période sensori-motrice qu se situe le jeu. Le fait de répéter pour le bébé jusqu'au moment de traduire cette répétition dans une aptitude (l'assimilation reproductrice), cette répétition devient le précurseur du jeu. Piaget ne suppose aucune pulsion ou impulsion au jeu, puisque selon lui le jeu est un aspect de l'assimilation, c'est-à-dire une forme de répétition en vue de l'harmonisation. C'est en ceci que modestement, très timidement d'ailleurs, je diffère d'opinion avec le savant suisse. Le jeu dans mon optique nouvelle de la fonction ludique commence avant la naissance dans un processus d'interéchange chimique. Le jeu, (si vous voulez, des échanges biochimiques) se poursuit dès la naissance sous l'effet de l'angoisse (lutte pour la survie) et s'allonge à travers les âges humains (jeux d'adolescents, d'adultes) jusqu'à la mort de l'homme. Cette réflexion un peu précoce ici dans le présent texte, trouvera son explication dans les paragraphes ultérieurs.

Contraria contrariis curantur. Le jeu contraire du travail... Rabelais dans son *Gargantua*, le rappelle. «L'enfant se délasse d'un travail intellectuel, écrit Locke dans ses *Pensées*, par des exercices physiques». Platon, Aristote, Lazarus, Gutsmuths, Quérat, même Alain semblent incliner vers cette opinion. Ce dernier parle «de la honte de l'enfant, quand il voit que c'est l'heure de l'étude et qu'on veut encore le faire rire.» Il écrit encore: «La cloche et le sifflet marquent la fin des jeux et le retour à un ordre plus sévère». Détente, récréation, amusement, frivolité demeurent, à mon sens, des aspects extérieurs du jeu, aspects vrais, mais insignifiants quant à l'explication profonde, interne du jeu. Il faudra attendre Freud, Adler, surtout Mélanie Klein, Spitz, Kriss: («le sourire exprime une décharge de la tension»); Kaila, Bühler, Skézely: («les yeux sont comme les clefs de l'angoisse»); Stirnimann, Watson et les témoignages de combien de médecins, de psychologues, de gynécologues pour mieux saisir que plaisir ou déplisir, jouissance, détente sont des états extrêmes du monde organique et qu'il faut attaquer de front l'hypothèse de l'angoisse ou du plan psychique opposé au plan organique et structurel pour expliquer le principe moteur du jeu.

Avant de procéder à l'analyse du concept de l'angoisse, de son état et de sa condition, il s'avère utile d'inventorier encore quelques définitions du jeu et de trouver (quitte à émonder à coups d'épée de Damoclès) des théories qui, à la longue, vont peut-être faire apparaître cet invariant définitionnel du jeu, nous signifier son *prima* qui engloberait toute action humaine, animale ludique. Je ne me fais point d'illusion, je vois déjà que le jeu expliqué jusqu'ici concernant l'animal, l'enfant, l'homme fait partie de... d'un moment, d'un milieu, d'une organisation, d'une culture, d'une pulsion, d'une structure, d'une motivation, ainsi de suite. Il s'agit pour moi, et c'est le but extrêmement difficile de cet essai, d'arriver à cerner le concept de jeu, de le globaliser dans une superstructure universelle qui risque fort de compromettre et même de contredire les affirmations déjà accumulées par les ludologues. Ces définitions sont loin d'être vaines, au contraire, elles disent le pourquoi, le comment du jeu chez l'enfant, chez l'homme, et prouvent par leur cernement un grand discernement. Mon but, déjà avoué, privilégie cette option d'angoisse comme base du jeu. Angoisse qui peut rejoindre toutes les définitions, enfin, leur donner un sous-bassement. Cette assise fondée, quoique infondable en un sens, à cause de la non-touchabilité, de l'impondérance de cet état qu'on appelle l'angoisse, peut, en dépit de l'indicibilité, du caractère *pianissimo* du concept, quand même légitimer le saut vers l'angoisse océanique, cosmique et nous faire mieux appréhender le jeu du monde et de l'univers.

Tous les jeux dans le grand Jeu. Enfin deux mots: angoisse et jeu. En priorité, le Jeu. Ensuite, après avoir senti, connu, compris (sans jamais vraiment saisir) ce jeu là, déjà joué et dans lequel nous faisons partie du cercle, c'est l'angoisse. Que faire alors? Une chose très simple et très difficile à la fois: jouer pour dissiper cette angoisse, de sorte que celle-ci monnayée ou plutôt mise en face de ce visage «quasimodien» informe en soi, mais difforme autour de nous, décidions (une certaine liberté étant respectée) d'entrer dans le jeu et de liquider ainsi notre angoisse en la rendant créatrice. Le jeu du faire comme si... (nous sommes heureux, nous sommes immortels, nous irons en paradis, nous avons ou nous nous sommes réussis...) demeurera toujours un leurre. L'angoisse ne disparaîtra jamais. La figure gulliverienne du Destin, de l'Au-delà qui joue avec le fil lilliputien de chaque individu.

Pour respecter l'honnêteté de la démarche actuelle, il ne faut pas nous lasser de poursuivre la recherche du saint-Graal, la définition «viaticariale» du jeu.

La théorie du surplus d'énergie de Spencer prévaut encore dans l'opinion publique et n'est pas, malgré tout, si grossière qu'on le croit et si éloignée de la vérité ludique. Le jeu est l'expression d'une énergie délibérante et, avance Schiller, l'origine de tout art. Bref, c'est le *Spieltrieb* qui vient résoudre l'antagonisme entre le *Sinntrieb* et le *Fromtrieb*. Le jeu est l'utilisation des compétences, écrit Groos. On reconnaît là, la pensée de Darwin et de Weissman. Ainsi le jeu, pulsion en vue d'exercer les instincts, est étroitement lié à l'imitation (*Vorübung*). Déjà se dessine le but biologique du jeu. Fechner avait esquissé le principe de l'homéostasie; Brewer le voyait comme une méthode cathartique. Et toutes les écoles thérapeutiques lui donnent étrangement raison. L'enfant qui monte dans un arbre, le fait, stipule Scholberg, non parce qu'il veut imiter le singe, mais parce qu'il a phylogénétiquement à imiter le singe. À la théorie du *Learning* s'attachent les noms de Guthrie, Hull, Skinner, Tolman, Harlow, Berlyne; à celle de la Gestalt et du Champ (Pattern global du jeu) s'inscrivent ceux de Wertheimer, Koffka, Köhler, Kurt Levin. S'ajoute, si l'on veut, l'analyse mathématique et structurale d'Éric Berne (nous en reparlerons sûrement) avec qui les jeux se ramènent à quatre significations sociales: 1o: historique (consanguinité des jeux), 2o: culturelle (typologie des jeux à partir des classes sociales), 3o: sociale (le jeu comme appât du lien social en vue de l'intimité), 4o: personnelle (l'appariement des jeux coïncidant avec l'appariement des amis).

Quot capita, tot ludus.

2. L'être joué. Le jeu déjoué.
Définition des quatre grands: Château, Caillois, Huizinga, Piaget.

«L'existence du jeu affirme d'une façon permanente, et au sens le plus élevé, le caractère supralogique de notre situation dans le cosmos» (11).

11. Huizinga, Johan. *op. cit.*, p. 20.

Le jeu, avance encore Johan Huizinga, ainsi que Buytendijk et Caillois, est une entité, une mystique, un esprit qui pénètre toute la vie des adultes, toute la vie sociale.

> Le jeu est le besoin de s'affirmer; l'ambition de se montrer le meilleur; le goût du défi, du record ou simplement de la difficulté vaincue; l'attente, la poursuite de la faveur du destin; le plaisir du secret, de la feinte, du déguisement; celui d'avoir peur ou de faire peur; la recherche de la répétition, de la symétrie ou au contraire la joie d'imprimer, d'inventer, de varier à l'infini les solutions; celle d'éluder un mystère, une énigme; les satisfactions procurées par tout art combinatoire; l'envie de se mesurer dans une épreuve de force, d'adresse, de rapidité, d'endurance, d'équilibre, d'ingéniosité; la mise au point de règles de jurisprudence, le devoir de les respecter, la tentation de les tourner; enfin la griserie, l'ivresse, la nostalgie de l'extase, le désir d'une passion voluptueuse (12).

Sous la plume de Caillois, la fonction ludique semble vouloir réunir la plupart des tendances et des prérequis des diverses écoles. Mais, à mon sens, l'angoisse naturelle, cultuelle, culturelle et métaphysique qui viendrait en quelque sorte expliquer le jeu, lui donner le rôle d'exorcisme et non plus seulement d'exercice, lui fournir par la pulsion le principal moteur, ne me paraît pas suffisamment accentuée.

On l'a vu jusqu'ici le jeu est défini en fonction surtout du phénomène, donc quelque chose vue dans sa réalité mi-externe. À preuve la définition de Caillois. À preuve la définition de Piaget.

> Le jeu est:
> 1. désintéressé, 2. spontané, 3. c'est un plaisir, 4. une organisation, 5. une libération de conflits et 6. une surmotivation (13).

À preuve également la définition de Huizinga

> Le jeu pour la forme est:
>
> 1. une action libre, 2. sentie comme «fictive», 3. située hors de la vie courante, 4. capable néanmoins d'absorber totalement le joueur, 5. une action dénuée de tout intérêt matériel et de toute utilité, 6. qui accomplit en un temps et dans un espace expressément circonscrits, 7. se déroule avec ordre selon des règles données, 8. et suscite dans la vie des relations de groupes, 9. s'entourant de mystère ou accentuant par le déguisement leur étrangeté vis-à-vis du monde habituel (14).

À preuve aussi la définition de Château qui étudie d'abord les jeux de l'enfant après trois ans et qui souffre enfin, je dirais, qui se ressent d'un pédagogisme moral. Ne parle-t-il pas quelque part de trois règles de la moralité ludique! Alain, Wallen sont dans la ligne des Pédagogues. Henriot

12. Callois, Roger. *op. cit.*, p. 138-139.
13. Piaget, Jean. *La formation du symbole chez l'enfant.* Delachaux et Niestlé, Suisse, 1968, p. 154 à 159.
14. Huizinga, Johan. *Homo ludens.* Gallimard, Paris, 1951. pp. 34-35.

(15) ramène le jeu à trois moments. Le premier, c'est la magie (l'irréalisme); le second, la lucidité (le réalisme) et le dernier, l'illusion (le surréalisme). À la question: «Que faut-il pour jouer?», l'auteur répond qu'il faut une conscience qui se définit par un jeu intrasubjectif qui rend possible une certaine situation du sujet par rapport à lui-même.

Le Moi, dans une situation subjectale, se détache de lui-même, se dépasse en une image de moi. Donc, Je en face du Moi. Le Je est regardant jouer Moi ou le contenu objectif de l'être que je suis; encore, l'état de mon être tel qu'il m'apparaît. Y aura-t-il disjonction, dissymétrie entre le je et le moi? C'est grâce à cette disjonction que la conscience pourra, avance Henriot, maintenir cette distanciation et sera à même de tenir le difficile équilibre en un en deça et un au-delà du jeu. Bref, si je m'anéantis dans le jeu, je ne joue plus, ce n'est pas du jeu. Le *joueur* de Dostoïevsky ne joue pas. Son jeu est une passion et la passion est la mort du jeu. L'ivresse, le vertige, le saccagement, l'emportement, le désordre, la turbulence sont les formes corrompues du jeu. Exemple: les Clubs de la Ligue nationale paient leurs joueurs; en retour, on assiste au risque du spectacle dévié par le spectacle de la rixe. Deux conditions aberrantes du jeu. En jouant on risque toujours de ne pas jouer. Il faut accepter cette inconvénience. C'est dans la nature de l'être animal et humain de jouer.

> Il convient donc de distinguer, continue Henriot, deux significations du verbe jouer: d'une part le jouer (ou praxis ludique) de celui qui, à certains moments de son existence, joue; d'autre part, le jeu intrasubjectif constitutif de la conscience de soi, jeu que l'on opeut appeler, pour cette raison, «existentiel» et qui rend possible, non seulement la praxis ludique elle-même, mais toute forme d'existence consciente de soi, capable d'imaginer et de vouloir. «L'être jouant du Je précède et fonde le Jouer» (16).

Pascal écrit que

> rien n'est si insupportable à l'homme que d'être dans un plein repos, sans passions, sans affaire, sans divertissement, sans explication. Il sent alors son néant, son abandon, son insuffisance, son vide». «Le fait de jouer, rappelle Pascal, explique une profonde inquiétude chez l'homme. Inquiétude d'un être incapable par nature de coïncider avec lui-même et de se satisfaire de ce qu'il est (17).

«Si l'homme joue, remarque Henriot, c'est parce qu'il y a du jeu dans l'être de l'homme» (18). On observe chez Pascal deux aspects du jeu: le premier, est le divertissement qui prend la forme des plaisirs et des

15. Henriot, Jacques. *Le Jeu*. PUF, Paris, 1969, Coll. Sup., no 86, p. 87-88.
16. Henriot, Jacques. *op. cit.*, p. 94.
17. Pascal, Blaise. *Pensées*. Éd. Brunswicg, frag. 131, p. 388.
18. Henriot, Jacques. *loc. cit.*

jeux; c'est le côté superficiel; le second, c'est le jeu secret d'un être angoissé et vide. L'homme doit jouer, se brûler dans l'action. Le jeu c'est du vide rempli. Par le jeu l'homme se fuit et se retrouve. Il s'enfuit.

Nous avons déjà perçu l'angoisse qui est au fond de tout être parce que l'homme est un être en jeu, c'est-à-dire qu'il est un être déjà joué. Et davantage fait, joué s'il ne joue pas son existence: *Alea jacta est*. Chaque homme doit passer le Rubicon. Ainsi l'angoisse, protophénomène existentiel, est la principale des prémisses du Jeu. Trois angoisses cernent l'homme, celle métaphysique, celle naturelle, celle cultuelle ou culturelle. Partagées dans l'homme, elles correspondent, pour la première, au désespoir de Kierkegaard («le désespoir est une catégorie de l'esprit et s'applique dans l'homme à son éternité»). Quant à la seconde, c'est l'angoisse alimentée par le principe énergétique. Selon lui, tout organisme vivant (l'animal, bien sûr, et le végétal) est doué d'une énergie particulière. Probablement de même origine que l'énergie physique, elle s'en distingue considérablement par les formes qu'elle engendre. C'est là tout le mystère de la vie. La troisième, qui a plus d'une affinité avec la première, prend la forme d'une évaluation culturelle (ex.: le romantisme, l'existentialisme, le surréalisme, etc). Dans cette dernière, l'homme est baigné, assujetti, aliéné. On peut voir ici se dégager la notion d'absurde (Sartre), d'échec (Jaspers, Heidegger), de révolte (Sade, Camus, Nietzsche), de scepticisme, de pessimisme, de solipsisme. (Cioran)

«L'angoisse c'est celui, écrit Jankélévitch, de notre précarité fondamentale, de notre vulnérabilité créaturelle et, pour tout dire, de notre finitude» (19). L'angoisse créée par le traumatisme de la naissance, du sevrage, de l'entrée à l'école, par les instances institutionnelles; l'angoisse de l'infériorité chez l'enfant, de la dualité structurelle du moi et de l'adualisme, de «l'externisme» adulte, de l'insécurité, de la culpabilité, du sentiment de danger, du sentiment d'impuissance devant le danger, d'un souvenir pénible, de la castration, de la persécution, du sentiment tragique de la vie, de la mort.

Les éthologues, les biologistes, les accoucheurs s'accordent pour voir dans la naissance, Freud l'assure également, son ex-disciple Otto Rank évidemment, Mélanie Klein, son disciple émérite, l'élément anxiogène premier de l'angoisse.

Comme nous le savons, «l'enfant se comporte de la même manière face à toutes les impressions qui lui sont pénibles en les répétant dans le jeu; par ce passage de la passivité à l'activité, il cherche à maîtriser psychiquement les impressions de sa vie» (20).

19. Jankélévitch, Vladimir. *L'aventure, l'ennui, le sérieux.* Aubier Montaigne, Paris, 1963, p. 51.
20. Freud, Sigmund. *Inhibition, symptôme et angoisse.* PUF, 2e édition, Paris, 1968, p. 96.

Depuis la naissance, le moi est capable d'établir et - conduit par ses pulsions et son angoisse - établit effectivement des relations objectales primitives dans le fantasme et dans la réalité. Depuis sa naissance le nourrisson se heurte à la réalité, qui commence par le choc de la naissance et se poursuit par de continuelles gratifications et frustrations de ses désirs... On peut facilement observer de tels fantasmes dans le jeu d'enfants tout petits, ainsi que dans le jeu et dans le babillage d'enfants un peu moins jeunes (21).

Pour la psychanalyse, la première situation d'angoisse coïncide avec la naissance. Freud considère comme deuxième situation d'angoisse, celle où l'enfant est laissé seul par le départ de la mère, dans la seconde moitié de sa première année. D'autres auteurs, par exemple, Stirnimann, un pédiatre expérimenté, ont observé cette angoisse à la naissance. Il écrit:

Quiconque a observé des nouveau-nés, immédiatement après leur naissance, ne peut contester cette angoisse. «Quand la tête seule est apparue, l'angoisse est déjà inscrite sur le visage. Elle est liée à la prise de conscience de la nécessité de respirer; si la conscience est obscurcie ou disparaît, l'angoisse cesse même si l'oxygène vient à manquer». Selon Stirnimann, «les lésions provoquées par l'accouchement s'accompagnent aussi d'angoisse nettement caractérisée». «Les enfants poussent des cris si pitoyables qu'il est déjà possible de diagnostiquer des lésions. Leur mimique exprime incontestablement l'angoisse. Le regard lui-même implore de l'aide et de ce fait même nous impressionne». «Mais sitôt que l'hémorragie annihile la conscience, l'angoisse disparaît» (22).

Mélanie Klein affirme bien contre Freud l'origine de l'angoisse émanant de la pulsion de la mort:

Mais nous devons considérer le cas d'un déplaisir assez sévère pour prévaloir et pour vaincre l'omnipotence narcissique. Je prendrai le cas dans lequel le plaisir est à son degré minimum. C'est le problème du bébé malade, peut-être affamé ou négligé. L'état de cet enfant est en général un état de souffrance, de dépression; il est clair qu'il ne jouit d'aucune satisfaction, et nous disons d'ailleurs «qu'il n'a pas de vitalité». Il est évidemment bien plus près de la mort qu'un enfant vigoureux en train de hurler. Je pense alors que le moi de cet enfant a l'expérience de la réalité de son état, de sa proximité de la mort, et du danger provenant des forces de la pulsion de mort agissant à l'intérieur de lui-même, et qu'il sent son désemparement en face d'elles. Son corps n'a pas suffisamment de vie (d'Eros) pour rendre possible une fusion assez forte pour décharger la pulsion de mort vers l'extérieur dans l'acte agressif de hurler, et d'appeler ainsi à l'aide. Je pense que ce désemparement en face des forces destructrices à l'intérieur constitue la situation de danger psychique la plus grande que puisse connaître l'organisme humain, et que désemparement est la source d'angoisse la plus profonde chez les êtres humains. Cela correspondrait à la «situation traumatique» (Freud) et à l'«angoisse primaire préconceptuelle» (Jones) (23, (24).

et encore ce témoignage, pour fonder l'hypothèse centrale de cet essai:

21. Klein, Mélanie. *Introduction à l'oeuvre de Mélanie Klein*. PUF, Paris, 1969, p. 14-15.
22. Melli, Richard. *Le développement du caractère chez l'enfant*. Dessart. Bruxelles, 1969, Dossiers de psychologie et de sciences humaines. pp. 75-76.
23. Klein, Mélanie. *La Psychanalyse des enfants*. PUF, Paris, 1932, p. 212.
24. Klein, Mélanie. *Développement de la Psychanalyse*. PUF, Paris, 1966, p. 41, 187, 224, 259-259

Au commencement de la vie post-natale, le bébé éprouve de l'angoisse qui provient d'origines internes et externes. Je soutiens depuis des années l'idée que l'action interne de l'instinct de mort donne naissance à la crainte de l'anéantissement, et que c'est cela qui constitue la cause première de l'angoisse de persécution. On peut trouver dans l'expérience de la naissance la première source externe de cette angoisse. Cette expérience, qui, selon Freud, constitue le patron de toutes les premières relations du bébé avec le monde extérieur. Il semblerait qu'il ressent la souffrance et le malaise qu'il a supportés, aussi bien que la perte de l'état intra-utérin, comme une attaque provenant de forces hostiles, c'est-à-dire comme une persécution. L'angoisse de persécution entre donc dès le début de sa relation avec les objets, dans la mesure où il est exposé aux privations. Le nouveau-né souffre de l'angoisse de persécution éveillée par le processus de la naissance et par la perte de la situation intra-utérine. Un accouchement prolongé ou difficile doit intensifier cette angoisse. Un autre aspect de cette situation d'angoisse est la nécessité imposée au bébé de s'adapter à des conditions entièrement nouvelles.

Enfin, contre Freud, qui conçoit l'angoisse de la mort comme l'analyse de l'angoisse de castration, M. Klein avance catégoriquement:

Je ne partage pas cette opinion, car mes observations analytiques m'ont montré qu'il y a dans l'inconscient une peur de l'anéantissement de la vie. Je penserais aussi que, si nous supposons l'existence d'une pulsion de mort, nous supposons par là même qu'il y a, aux niveaux les plus profonds du psychisme, une réponse à cette pulsion sous forme de peur de l'anéantissement de la vie. Ainsi, à mon avis, le danger provenant du travail interne de la pulsion de mort est la cause primaire de l'angoisse. Puisque la lutte entre les pulsions de vie et de mort persiste tout au long de la vie, cette sorte d'angoisse n'est jamais éliminée, et entre comme facteur permanent dans toutes les situations d'angoisse (25).

On connaît les trois protagonistes de la théorie sur l'origine de l'angoisse, Freud, Ernest Jones et M. Klein qui ont prôné, le premier, l'angoisse comme le résultat automatique des pulsions libidinales refoulées; le second, comme l'instinct de peur et, la dernière, comme le produit de la pulsion de la mort.

Il serait fastidieux ici d'amonceler les preuves à l'appui de la thèse et de l'hypothèse de l'angoisse, prémisse du jeu, et du jeu, élément liquidateur de l'angoisse. Il est inutile, je crois, après la parution abondante d'une littérature par les mass-média de l'aliénation tant expliquée d'une société étouffante et étouffée, d'ouvrir un long chapitre sur l'angoisse métaphysique, l'angoisse naturelle et l'angoisse culturelle qui guette toute civilisation. Tout progrès, toute montée en flèche de la science et de la technologie dans un moment et dans un milieu donnés relance l'angoisse. Il me faut ajouter cependant que l'angoisse, l'anxiété chez l'enfant demeure «une abréaction du traumatisme de la naissance, un des prototypes de toutes les situations de danger» (26). Abréaction dans le sens de catharsis ou de libération par dérivation. Le jeu ainsi exorcise et exercise

25. Klein, Mélanie. *Ibid.*, p. 9.
26. Freud, Sigmund. *Ibid.*, p. 90, 96.

l'angoisse, les craintes, la peur; il médiatise l'enfant et l'homme dans un monde à venir. Il est impossible pour un enfant de ne pas jouer. S'il ne joue pas, c'est qu'il ne peut transférer son angoisse dans le jeu et qu'il présente un cas sérieux. Seule une thérapeutique ludique diligente pourra le rendre au monde du jeu. J'avancerai que le jeu mène l'enfant et que l'adulte mène le jeu; les deux sous le principe moteur de la pulsion et, le dernier, de la pulsion fraternisant avec la raison, les raisons. On ne joue pas si l'on veut, mais quand on veut. Pour l'adulte, quand il peut. Où se situe le jeu chez l'enfant et chez l'adulte? Le jeu, tel que connu, provient d'abord (on développera plus loin) de l'organisation biologique qui, par son infirmité même, développe une insécurité latente, d'ordre phylogénétique et ontogénétique, racine première de l'angoisse. Pour conserver son primat de sécurité qui se traduit par une exigence de vie et de survie (instincts de conservation et instinct sexuel), l'enfant se verra joindre à ces deux premières exigences, celle excédentaire (instinct de curiosité), de recherche et de progrès. C'est dans cette exigence de qualité que se situe inconsciemment l'instinct de progrès, d'action «gratuite» ou plus précisément de jeu, de sport, d'activité morale, esthétique, intellectuelle et spirituelle. L'angoisse cénesthésique, constitutionnelle, réactionnelle et statutaire est évidemment inconsciente chez l'enfant. Au niveau conscient, l'angoisse se verra régulée. Chez l'adulte, à l'angoisse naturelle, s'ajoutera celle cultuelle et culturelle, (Ex: «en physique, toute découverte nouvelle est une source d'angoisse» disait J.R. Oppenheimer (dans *La Science et le Bon sens*) pour confirmer cette idée ci-précitée. À ces deux premières structures anxiogènes, viendra se greffer (oh! pour un tout petit nombre d'élus) l'angoisse métaphysique. «Cette angoisse encore, conscience de notre destinée personnelle qui nous tire à chaque instant du néant en ouvrant devant nous un avenir où notre existence se décide» (27).

3. Tableau de l'angoisse naturelle et pathologique.
L'angoisse: c'est prendre conscience d'avoir à jouer.
Reprise du dilemme: le Tout ou Rien. *Ludor ergo sum*
(je suis joué donc je joue (re-joue).

Pour offrir à l'intelligence une alimentation rationnelle, rien comme un tableau pour cerner une théorie, une hypothèse et la rendre féconde pour un aller-plus-loin dans la pensée. Ici, pour résumer le concept évanescent d'angoisse, voici un tableau sur l'angoisse naturelle (isotrope) dans une explication qui se veut psychologique.

---

27. Lavelle, Louis. *La Philosophie française entre les deux guerres*, p. 100, rapporté dans Vocabulaire technique et écrit de la Philosophie, par André Lalande, PUF, Paris, 1968, p. 59.

L'ANGOISSE NATURELLE (ISOTROPE)

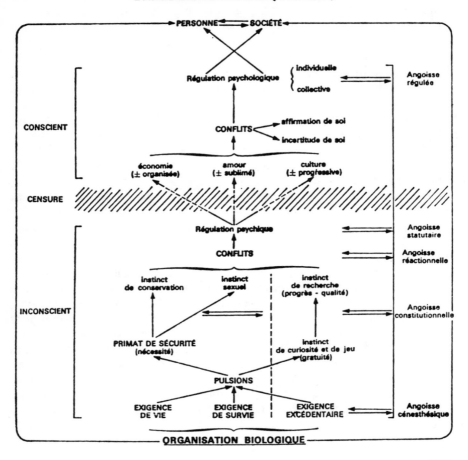

(28)

Il faudra se souvenir en tout temps de ce mystère de la vie (loin d'être éludé d'ailleurs), du principe énergétique de tout organisme vivant qui possède comme l'énergie physique, une logique, un potentiel, une intensité et qui, tôt ou tard, se traduit par des charges, des pulsions, des tendances. Et l'homme ainsi demeure depuis dans une insécurité latente, racine première de l'angoisse naturelle. Tout cela né d'une perception de soi, de l'autre, du monde, enfin, de l'inconnaissable. Ajoutez à cela divers traumatismes dont celui de la naissance (Otto Rank) et nous sommes en continuel dérangement de nous-même. Parce que continuellement dérangé. «J'étais, dit Monsieur Teste, dans le néant, infiniment pur et tranquille». Dieu l'a dé-rangé. Par la naissance que beaucoup de jeunes,

28. Barraud, Jean. *L'homme et son angoisse*, Resna, Paris, 1969, p. 84.

de moins jeunes de nos jours *veulent comme non voulue*, l'homme doit vivre des exigences de vie, de survie, des exigences excédentaires dans des angoisses de toutes sortes, tant conscientes qu'inconscientes. Angoisse de la naissance, de castration, de vie, de mort; celle plus inconsciente appelée cénesthésique (insécurité latente); constitutionnelle (les 3 exigences fondamentales et les pulsions); réactionnelle (les obstacles, les échecs) et statutaire (le complexe d'Oedipe, par exemple), autant de situations, d'états que Jean Cocteau identifierait au mal être, au mal de vivre. En face de l'être-dans-le-monde, l'angoisse s'angoisse, rappelle Heidegger. Cette antinomie à vivre de Simone de Beauvoir entre «la gaieté d'exister et l'horreur de finir» (29). «La source de toute angoisse, se demande Kostas Axelos, est-elle l'angoisse primitive devant la perte de l'Amour?» (30).

Serait-il utile de rapporter ici l'angoisse pathologique, portrait de perturbation de l'appareil psychique où s'allongent les névroses, les psychoses, les insatisfactions, les frustrations, les compensations, les complexes? Je le crois. Pour le besoin de la thèse dans l'essai. «L'angoisse accompagne comme toujours la pulsion et demeure le centre dynamique des névroses» (Karen Horney). Ce tableau de l'angoisse pathologique répond mieux au visage psychique et psychologique de l'homme que le schéma, modèle réduit, de l'angoisse naturelle. Il montre bien nos déguisements, nos maladies.

Dans le prochain chapitre, il y aura lieu d'introduire dans le jeu de l'écriture, l'angoisse culturelle. L'auteur demeure constant avec cette idée que le jeu est le produit de l'angoisse. Il faut entendre le jeu chez Barraud, tels que l'entendent quelques analystes du jeu, comme une activité dont le ressort secret est l'angoisse et qui se présente comme une énergie excédentaire, faisant partie de l'instinct de recherche, du progrès intellectuel, scientifique, littéraire et moral. Je partage encore mieux son avis quand il soutient que l'angoisse bien régulée peut être fortement convertie en angoisse positive. Mais tôt, j'aurai à me séparer de lui quand, en m'élevant au palier métaphysique comme dans le premier chapitre, j'aurai à rehausser le Jeu, à lui remettre sa toge sacrée, son épitoge divine et son tric-trac pour jouer aux dés sur le monde. L'éloignant ainsi mais non le séparant, du jeu cécitaire et volontaire tel que joué par le monde de la «métalicité» des choses, de la floralité des êtres, de l'animalité consciente et inconsciente de l'homme.

29.   Moubachir, Chantal. *Simone de Beauvoir*, Seghers, Paris, 1972, no 78, p. 28.
30.   Axelos, Kostas. *Le Jeu du Monde*. Éditions de Minuit, Paris, 1969, p. 281.

L'ANGOISSE PATHOLOGIQUE

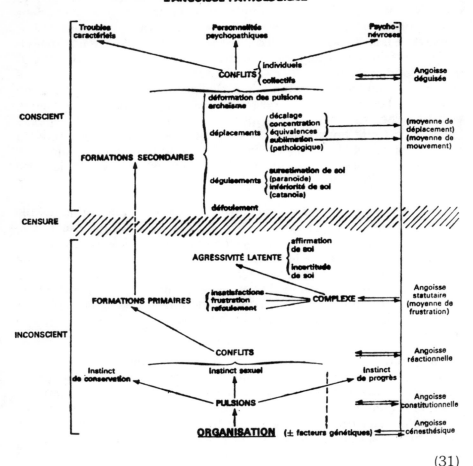

(31)

Le jeu dans le Monde et le monde des Jeux, dont l'un s'ouvre chaque jour en spectacle sur la scène de nos yeux, dont l'autre se joue bien avant dans les coulisses de l'univers... Le monde des jeux n'est qu'un *rebound* fort éloigné...

Lorsque le jeu devient sport, dans le sens, qu'il est ou se convertit en jeux codifiés, réglés, nous rencontrons l'enfant, surtout l'adolescent et très souvent l'adulte. Le jeu et le sport pavillonnent la vie entière de l'enfant; réglementés chez l'adolescent, ils «s'occasionalisent» et se falsifient chez l'adulte. Chez ce dernier, le sport institutionnalisé prend généralement la forme d'un jeu déjà fait, et par le fait même plus corrompu

---

31. Barraud, Jean. *Ibid.*, p. 120.

qu'éducable. On sait ce qu'en pense Pierre Laguillaumie (32). Pour lui le sport (que nous avons tué comme la famille bourgeoise) est une organisation mondiale, cimentée par un langage universel (le record), une force étatisée, industrialisée, commercialisée, d'essence bourgeoise. Le futur terrain de tennis, quelque part dans les Laurentides vient d'aligner ses prix: $34.00 de l'heure. Qui joue au tennis? Laguillaumie rappelle dans son livre que le «sport est le reflet des catégories du système capitaliste industriel, que l'athlète dans une structure taylorisante est devenu un homme-machine au niveau de l'activité, de son corps, du temps, de l'espace» (33). On comprenait un peu différemment ce *Mens sana in corpore sano*, au moment où toutes les institutions religieuses et sociales prônaient le sport d'une façon si acharnée. C'était une morale en acte, mais une morale malgré tout bourgeoise «qui servait les intérêts, aurait dit Trotsky, de la classe dominante».

Le jeu des adultes qui ne jouent plus comme les enfants, est vérité chez ces derniers; mensonge chez les premiers. Le sport actuel n'est-il pas une petite guerre avec des règles, une illustration d'un régime politique, une publicité commerciale, une valeur marchande, un choix de favoris, de héros, une leçon d'antisportisme, une sorte de *struggle for life*, résumée en une prosaïque vérité, *a life for a struggle and for money*?

Le sport n'est pas une marchandises, une consommation pour l'événementiel journalistique, une sorte de voyeurisme, de *résultatisme*, de recordisme pour les morons. Un exemple tout récent: la démission de Guy Lafleur: victime propitiatoire du spectateur...

Le sport est éducation. Après Maheu, je dirai, qu'il est une chevalerie, une trêve, une culture, une éthique, une esthétique. Il est à espérer que le sport prenne une dimension globale vraiment sociale. À ce moment-là, on pourra parler du surhomme qui possède en lui réunis «la pureté morale, la perfection physique et le développement intellectuel». Le mariage de l'intellectuel, de l'athlète et du sage! On pourra parler aussi d'un vrai *humanisme ludique*, humanisme que doit viser tout homme et non seulement «l'athlète chevronné». Ce tout homme devrait se rencontrer en tout individu qui a pris le parti de prendre en main son destin d'homme social, politique, économique, familial, religieux et ludique. On pourra parler également d'une *religio athletae*, mais dans un sens différent qu'on rencontre au niveau des petites paroisses de campagne jusqu'au niveau des villes olympiques modernes. L'appartenance à ... dévoile le clanique. (Les Bruins de... Les Expos de... Les As de...).

Le sport, le jeu sous toutes ses formes, érigé en une espèce de vocation

32. Laguillaumie, Pierre. *Pour une critique fondamentale du sport*. Sport, culture et répression, Petite collection, Maspéro, no 109, Paris, 1972.
33. Laguillaumie, Pierre. *Ibid.*, p. 37.

chez l'homme, promu en une éthique ludique comme chez les Grecs, les Stoïciens (avec quelques nuances près), doit se décider dans un esprit démocratique, dans une attitude de loyauté, de respect, d'amitié, de générosité et de liberté. Le sport, triomphe de l'esprit sur la matière, ne doit pas s'éloigner comme le spectacle (idée chère à Aristote) trop de son rôle de catharsis, de purge des passions et des instincts. Il est la découverte de soi, des autres, la rencontre des valeurs éthiques et esthétiques, l'accompagnement de ma vie à la vie, la boussole de l'angoisse, la manière de se rapprocher de l'homme, la façon de restreindre la marge entre l'enfant et l'adulte, l'apprentissage aussi à la vie, à l'homme, à l'univers où se joue le grand Jeu des dieux supervisant les hommes au jeu. Le sport ainsi conçu ne pourra être qu'une assomption courageuse du destin de l'homme, un *anti-dasein*, une victoire sur la mort, un défi pour la vie. Enfin le sport ou le jeu réglé, connu chez tous comme une éducation du caractère, une école de probité sera aussi un créateur de beauté. Et les trois maîtres chez Platon qui doivent se partager l'éducation de l'enfant en vue de développer chez lui la *virtur*, le courage, la sagesse archaïque des héros d'Homère portaient ร titre de cithariste, de grammairien et de pédotribe. On remarque fort heureusement dans le système éducatif actuel la résurrection du *Turnlehrer* ou du maître de gymnastique. Qui nous dit que dans une décade ou plus, le récréologue, le *ludologue*, le technicien des Loisirs, le prof de gymnastique ne sera pas, et avec raison, le «gourou» principal de toute maison d'éducation future, le recteur (*rectus*) de toute l'activité humaine!

À la devise de Pierre de Coubertin: «*Citius, Altius, Fortius*» dont je soupçonne de voiler à peine l'idée de recordisme, je préférerais plutôt, pour le moment, celle de la gymnastique allemande de *Turnem* ou des 4 F: *Frisch, Frei, Frölich, Fromm*, ou Dispos, libre, joyeux, pieux.

La définition du jeu que l'on a vue chez Huizinga, à savoir que le jeu est une activité libre, sentie comme fictive... etc, ne rencontre pas une définition que je voudrais plus globale et invariante. Elle ne tient pas compte de l'incidence psychanalytique et des récents travaux entrepris dans la dynamique humaine infantile. Pour moi, et toujours en fonction de ma théorie, l'angoisse à tous les niveaux, à toutes les époques, à tous les âges, à toutes les latitudes et dans toutes les conditions, est la prémisse du jeu et le jeu, à son tour, liquide l'angoisse. Le jeu à ce moment-là ne peut être une activité gratuite, ni venir et n'y peut venir d'une gratuité. Il est toujours sous-tendu par l'Angoisse. Dans une perspective psychologique, *rien n'est gratuit*. Ce n'est qu'après, ou, à la suite de, que le Jeu accepté, assomptionné par la con-science, devient une activité libre. La prochaine réflexion va essayer de poser la définition du jeu dans un paramètre axiomatique, de saisir ainsi en les focalisant les autres définitions. Mais avant, le dilemme laissé en plan: le *Tout ou Rien* du Jeu est à reprendre. On ne peut refuser ce duel dialectique du *Rien n'est jeu*, proposé par Jacques Henriot. Au nom, ne serait-ce, de l'élégance ludique...

L'angoisse c'est apprendre l'en-dedans et l'en-dehors de nous dans l'existence; c'est prendre conscience d'avoir à jouer... et formuler le jouer dans une angoisse créatrice.

L'homme ne pouvant être, manquant à l'être, n'a d'autre solution que d'agir pour masquer cette «décompression d'être». «Le trou d'être au sein de l'Être». Le jeu vient d'une façon sérieuse ou non sérieuse remplir cette fissure entre l'en-soi et le pour-soi. Au déterminé, au nécessaire, à l'infini répond le jeu. Et cela, de la naissance, même de la pré-naissance, à la mort de l'homme. Le jeu renverse la misère, la mort de l'homme, la lui fait mieux apprivoiser en se l'approchant. Car jouer c'est aussi mourir. Comme l'homme meurt à chaque instant, il joue toujours. Dans le style de Johan Huizinga: «tout ce que fait l'homme se ramène au jeu...» Ceci fait que notre existence jouée, rejouée est un jeu existentiel. L'*homo ludens* est un être jouant, jouant l'être, jouant à l'être, jouant pour être.

Demandez au garçon de café de Jean-Paul Sartre s'il joue? Il joue, il s'amuse, avance le philosophe existentialiste, «il joue à être garçon de café... le jeu est une sorte de repérage et d'investigation» (34). En réalité, il joue et il ne joue pas. Il joue une conduite sociale, il est «en représentation pour les autres et pour soi-même» (35). Il ne joue pas, dans le sens sartrien toujours «qu'il est ce qu'il n'est pas et qu'il n'est pas ce qu'il est» (36). Le petit jeu terrible pour l'homme entre sa transcendance et sa facticité. Ici, comme pour tout commerçant, poète, juriste, guerrier ou écrivain, on peut voir une conduite de *mauvaise foi*. Un Pour-soi, néantisation de l'En-soi, qui essaie de devenir conscience, de fonder le projet, d'atteindre la dignité de l'En-soi-pour-soi ou en-soi-cause-de-soi (37). Le difficile (peut-être impossible) devoir pour l'homme de devenir ce qu'il est, ce qu'il doit être. Ainsi, toujours en train de vouloir être, d'habiter, de vivre mon projet, je n'arriverai jamais à devenir moi-même. Je serai continuellement «sur un mode d'être ce que je ne suis pas» (38). Cette absence d'être, ce trou m'amène constamment à jouer, à me jouer pour me réaliser. Ainsi, je suis le jeu et j'ai continuellement partie avec lui. Ne vivons-nous pas, nous adultes, dans le champ presque total de *mimicry*, du faire semblant, de la représentation? Dans un éternel jeu de miroir (le reflet, la copie chère à Platon) où sans cesse joue le réflétant, le reflet et le reflété!

34. Sartre, Jean-Paul. *L'être et le néant*. Gallimard, Paris, 1943, p. 99.
35. *Ibid.*, p. 99.
36. *Ibid.*, p. 97.
37. *Ibid.*, p. 715.
38. *Ibid.*, p. 99.

Au tout est jeu qui peut encore demeurer aporique pour certains et dresser l'une en face de l'autre deux philosophies du contraire, deux attitudes volte-face et commander une manière d'être intensément ou désespérément à la vie, il faut comprendre que toutes les conditions humaines sont des actes de jeu, des façon multiples du jouer. Hégel n'a pas manqué de dire que le jeu dans son indifférence et dans son extrême frivolité était l'expression unique et la plus sublime du véritable sérieux. Et pour continuer: «je ne connais pas d'autre méthode, avance Nietzsche dans son *Ecce Homo*, que le jeu pour affronter les tâches importantes». Sartre dont on évoquait le témoignage il y a un instant, écrit quelque part que «tout dans l'existence humaine pris comme être dialectique résulte du jeu qui, se creusant dans son être même, le tient à distance de soi, le fait être pour soi».

Le jeu s'offre, selon l'avis d'un certain nombre de phénoménologues, d'anthropologues, de structuralistes, de psychologues, de ludologues, comme une conduite séparée, tronquée de la vie. Il en est tout autrement. Il est non seulement une actualisation parcellaire de l'existence (ce qui le pose comme un phénomène à structurer) mais il est «la forme primordiale, l'essence pure de toute existence livrée à elle-même», - «la forme, rétorque Jacques Henriot (dans le sens sartrien) *a priori* de toute existence» (39).

Le dilemme du *Tout ou Rien du jeu*, pile ou face de la conduite ludique, laquelle est ramenée au *païdique* ou au *ludique*, perd de plus en plus sa forme gordienne, erratique. Sorti depuis plus de vingt de son ergastule, le jeu défend maintenant sur l'agora des questions contemporaines son droit de cité et même sa haute prééminence. Le *Ludo ergo sum*, sans vouloir paraphraser le grand René Descartes, s'érige comme le leitmotiv de ce présent essai et flotte sur le camp du *Tout est jeu*. Le jeu de le prouver n'est pas si gratuit. Jacques Henriot par exemple, même s'il partage cette opinion, apporte des réserves. Il se demande, ayant examiné la thèse de Johan Huizinga et celle de Roger Caillois et leurs échauffourées verbales, si l'on peut jouer sans savoir qu'on joue et assène aux *ludophilosophes*, Johan Huinzinga, Jean-Paul Sartre, Sigmund Freud, Mélanie Klein, D. Lagache, Roger Caillois, un coup de deux questions massues. À l'intérieur de la première on peut lire ces deux sentences: «Un jeu dont on n'est pas conscient n'est *pas* un jeu»; puis, cet autre coup de revers «un jeu dont on est conscient n'est *plus* un jeu». La première assertion (vraie d'ailleurs) s'appuie sur cette idée (vraie d'ailleurs également) que la conscience de jouer fait partie intégrante de l'acte de jouer. On voit venir le profil de sa pensée, de sa ligne dialecticale d'une conscience alternante, dont les pôles seraient la prise de conscience entre la passion et le jeu ou l'ancienne antinomie sérieux, non-sérieux. Tout

39. Henriot, Jacques, *op. cit.*, p. 9.

jeu ainsi exige un recul et un dépassement pour être hors de ou dans le jeu.

La seconde, non moins subtile, déclare qu'un jeu complet, conscient de soi contient une conduite de réflexion et de duplicité. Sous l'angle de la réflexion, un joueur conscient de son jeu doit se reprendre pour parfaire ou faire progresser son jeu; sous l'angle de la duplicité, un joueur se laisse très souvent prendre par le jeu, il s'aveugle et ainsi perd la conscience de jouer. Dans le premier cas, si le joueur se reprend, il *cesse de jouer;* dans le second cas, s'il se laisse prendre, il *cesse* aussi de jouer parce qu'il ne sait plus qu'il joue. *Le joueur* de Dostoïenski, par exemple, déjà mentionné.

La seconde question henriotienne s'affirme ainsi: *si tout est jeu, rien n'est jeu.* Peut-on admettre, dit-il, que toute chose soit jeu et qu'en même temps (ceci contre la définition de Johan Huinzinga) le jeu soit chose parmi tant d'autres? Tout ce plaidoyer de Jacques Henriot contre la maxime: *Tout est jeu.* Il me faut répondre. Non à la place de, pour l'autre, mais pour moi. Et, bien sûr! pour le délice ou le tourment de l'actuel lecteur. Je prendrai soin, si peut se faire, de poursuivre ensuite la seconde question ou réserve émise par le dialecticien: *Rien n'est jeu, même pas le jeu.* Je prends conscience que l'attaque est sérieuse et qu'elle risque d'émêcher la ligne de faîte de cet essai. La réponse ne peut se faire attendre et laisser voir une cicatrice, une emboîture où gît un jeu inexplicable.

La réponse à la question première à savoir: a) Si un joueur joue sait-il qu'il joue, et, b) s'il ne le sait pas, y a-t-il à ce moment-là un acte de conscience du jouer? et, c) si le jeu, sans jeu et sans conscience, demeure un jeu? Il me faut répondre comme cela, sans trop d'examen, dans l'affirmative. Il est clair que pour la plupart des gens tout n'est pas jeu. La vie est travail, souci, chance·et parfois jeu. Pour beaucoup de gens, des millions et des millions d'individus, il n'y a pas de jeu, il n'y a jamais eu de jeu. Sachons que tout être joue. Et sent qu'il joue. Davantage le joueur, l'artiste, l'écrivain, le juriste, le politicien, l'unijambiste, le mécanicien. Tous. À différents degrés, sous diverses perceptions, mais *tous.* Seulement peu l'admettent. C'est la théorie surconnue de Jean-Paul Sartre, de «la mauvaise foi», cette attitude qui nie la transcendance, qui est mensonge à soi... Je me masque la vérité à moi-même. Alors l'homme joue, beaucoup d'hommes jouent sans savoir qu'ils jouent. Mais tous ont conscience de jouer. L'animal ne sait pas qu'il joue, il le sent. Peu de gens savent, peu de personnes peuvent expliquer la conscience du savoir, encore moins le savoir de la conscience. Nous vivons, c'est Henri Laborit qui l'avance, le trois-quart de notre vie dans l'inconscience. Le jeu risque aussi de vivre une large part dans l'inconscience. Ce qu'on voit, (je m'excuse pour le vieux cliché, mais cliché parce qu'il *cliche* bien, ou clique bien), ce qu'on aperçoit n'est que le pic ou la calotte flottante de l'iceberg. Nous vivons à la fois à la surface et en profondeur comme la banquise éclatante de soleil et surtout repentante dans la nuit. Nous vivons en émergence, en urgence, en «sursis». Le moment passion où vibrent les larmes de l'aurore et le moment jeu où s'effacent dans l'inconscience individuelle et collective les premiers sillons du chemin à prendre, de la route à suivre. Cet immense gaspillage neuronnique, treize milliards... Un soleil bleu du temps «a-historique» de ses forces vives. Pour sauver ce patrimoine, ce trésor enfoui, nous n'avons qu'une petite boussole, la raison qui règne en maîtresse à l'entrée de la caverne. Une mauvaise douairière tenant en sujétion l'imagination, la fantaisie, l'émotion, l'enthousiasme et qui à ses cheveux, son corsage, ses yeux, attache, sans doute de magnifiques rubis, mais aussi beaucoup de rubines. À risquer une autre métaphore, un peu désobligeante pour la raison, l'homme, tel un édifice froid s'élève sombre dans la nuit et n'offre à la rutilance des étoiles, à la richesse insondable des trésors de son souterrain, un petit pavé de lumière. Plus prosaïquement, une lampe de cinq cents watts dans un immeuble de dix-sept étages...

> Sur les gradins, le petit groupe gelé se réchauffait à sa propre chaleur. Et lorsque - ostensoir immense - le soleil éteignit derrière une maison son disque aveuglant, le terrain connut le pressentiment de la nuit. Maillots rouges et maillots blancs couraient en tous sens, dans une lumière d'une étrange transparence irisée. Le vent déviait le ballon. La Fortune remettait sur les yeux son bandeau. C'était bon d'être ainsi peu nombreux transis de froid, ensemble, comme les derniers hommes réfugiés sur un mont, et regardant de là le dernier combat (40).

Comme autre élément de réponse à la question première, il y a lieu de remarquer d'abord que l'indice du jeu se rapporte toujours à l'homme, généralement sous les mêmes angles: 1. à quoi joue l'homme (règles, classifications), 2. son faire ludique (conduites), 3. le jeu qui amène à jouer (caractères ludiques décelant les propriétés de l'être). L'étude menée sur le jeu ne prend signification que par l'homme, par l'animal; on ne s'arrête habituellement qu'aux structures, au sens, aux attitudes ludiques; on n'essaie, coûte que coûte, que d'aboutir à une psychologie du comportement, à une sociologie des sports, à une activité thérapeutique, à une historicité olympique, à une structure sociale, à une politique culturelle et sportive, à une explication du profane et du sacré, etc. Peut-on imaginer un instant qu'au lieu de saisir le concept de jeu par l'homme, par l'animal, on pourrait inverser la situation comme l'ont fait Kostas Axelos, Eugen Fink et se mettre à expliquer l'homme par le jeu, par son fait ludique existentiel. Il faudra se mettre à dire: «dis-moi à quoi, comment, avec qui et pourquoi tu joues et je te dirai qui tu es», et même pousser le «bonjourement» comme ceci: «comment joues-tu?», au lieu du sempiternel: «comment ça va?» ou «comment allez-vous?». Ce

40. Saba, Umberto. Tiré d'un article «Pour une ontologie du jeu», d'Eugen Fink, revue Deucalion, no 6, *L'art et le jeu*, p. 80, Éd. de la Baconnière, Neuchâtel, Suisse, oct. 1948, 1957.

How do you do? - How do you feel? tiendrait plus compte de la réalité, du faire existentiel (le *to do*). Et la réponse viendrait naturellement, «je joue bien!» ou «aujourd'hui, j'ai mal joué!» À répondre en un mot à la première question: pour a) c'est oui; pour b) non; pour c) oui.

Les racines japonaises et autres, comme le sanscrit par exemple, nous suggèrent des emplois beaucoup plus vivants, plus humains du vocable jeu que dans les racines des langues italiques, romanes. La carte sémantique des langues sémitiques n'est-elle pas plus riche, plus évocatrice? Lîlâ (comme si), Kradaratnam (coït), asobase-kotoba (langage courtois). Dans ce dernier terme (exposé à la fin du chapitre trois), on reste surpris de la munificence des lexèmes. C'est plus qu'un fait de langage, c'est le reflet d'une civilisation. On joue notre arrivée à Sherbrooke, on joue une maladie (ici dans la grosse et grasse médecine occidentale, c'est le médecin qui joue avec le malade et la maladie) - (voir Yvan Ilich) - on joue nos funérailles. Alors le jeu prend un sens plus universel et rejoint mieux l'être que celui de nos moralistes français refoulant le jeu dans le capharnaüm de la récréation entre deux heures d'études.

C'est ce sens cosmique que je veux évoquer ici dans cet essai, cette conscience du jeu des hommes, oui, mais déployée dans l'énorme colisée du grand Jeu du Monde et de l'Univers. À la limite restrictive des définitions, je veux, avec Kostas Axelos, Eugen Fink, Suzanne Lilar (le jeu est un comportement analogique) et de combien peu encore de cette phalange, (appelons-les pour le moment, les *ludométaphysiciens*), démontrer que nous sommes dans un jeu, objet et sujet, que nous faisons des jeux sur la scène d'un immense théâtre où chacun à l'intérieur de la tragédie et de la comédie humaine joue son rôle, ses répliques, son personnage (persona:masque). À ce que je sache, l'univers est séparable, non séparé...

Partir de l'homme pour expliquer le jeu, son articulation, c'est une démarche normale, rationnelle. Avec lui, le jeu prend sens et nous pouvons mieux saisir cet *animus ludendi*, cette intention de jouer qui peut caractériser l'homme comme le rire. Dans ce sens, on peut affirmer que le jeu sans une conscience de jouer n'est pas un jeu et aussi qu'un jeu dont on est conscient n'est plus aussi un jeu. Ce qui justifie la belle phrase de Paul Valéry que «la réalité des jeux est dans l'homme seul». Dans une optique plus transcendantale, on ignore à quoi l'on joue. À le savoir, on aurait la clé de la fameuse énigme de l'univers, du mystère de la vie. Savoir pourquoi l'on existe! Connaissance supra-humaine qui nous rendrait semblable aux dieux. Cela fait appel au jeu de la chute de nos premiers parents et à cette interdiction inquiétante, toujours incomprise mais fort péremptoire de l'arbre du Bien et du Mal, instrument de la chute. Tout le reste des jeux ont été dans la suite de l'Histoire, brisés, marqués par la rupture, l'emboîture à travers toute la nature. C'est peut-être cette blessure de jeu qui a rendu l'homme plus grand que lui-même et qui le punit maintenant de n'être qu'un homme!

À la seconde sentence: «si Tout est jeu, rien n'est jeu», il ne semble pas y avoir contradiction flagrante comme le voudrait le faire croire Jacques Henriot. Elle ne met qu'en évidence cette césure qui au fond a été fossoyée par l'homme. La définition du jeu chez les hommes ne contrecarre point celle du Jeu du monde et de l'univers. Des morceaux de casse-tête dans un jeu chinois. On peut admettre ainsi que toute chose soit ludicité et en même temps qu'elle paraisse chose parmi tant d'autres. J'appuie Grandjouan quand il avance qu'on ne peut donner une définition du jeu. En effet, ne sommes-nous pas dans ce procès, juge et partie à la fois?

La deuxième question ou interrogation henriotienne: *Rien n'est jeu, même pas le jeu*, il me faut faire face au déterminisme qui règle la vie tant physique que psychique de tout être vivant. Le déterminisme rejette l'idée de jeu et l'analyse psychologique démontre bien que dans «la vie psychique il n'y a rien d'arbitraire, d'indéterminé» (41). Donc, le jeu est loin d'être gratuit, c'est une belle aventure de jeunesse, vivant sur des apparences. Comme elle, le jeu risque de s'évanouir et de devenir une écriture difficilement déchiffrable. Le jeu du jeune garçon dans Freud (42), microsillon d'une situation d'absences répétées de la mère, tient peut-être sur la frange du jeu, au point selon les psychanalistes, de voir dans ce drôle, plutôt dans ce triste jeu, une conduite d'atténuation de l'angoisse. Pour eux, le jeu est proche cousin du rêve. Ainsi le jeu, selon Mélanie Klein est une conduite par laquelle tend à se réaliser un certain équilibre entre le monde intérieur et le monde extérieur. Le jeu sert de dédommagement, il est un tribut payé à un conflit plus ou moins angoissant, disons, à un inconscient plus ou moins refoulé. Quand le conscient, écrit Jacques Henriot, joue, l'inconscient travaille. Ou, il se repose...

Tout ce qu'ont médité les psychanalystes au sujet du jeu comme révélateur des frustrations, comme baromètre des obsessions de l'enfant, de l'adulte, aussi de l'animal, en un certains sens, vient confirmer la présente recherche et lui donner un air de validité. En vertu des principes et des trouvailles fructueuses des excavateurs de l'âme, les définitions des pédagogues risquent de tomber non pas dans une complète caducité, mais de voir ces mêmes définitions quelque peu obviées. L'attribut *adjectival* de «gratuit» ne me semble plus supportable. Toléré dans la description des phénomènes du jeu, après la connaissance de sa racine et de sa lecture psychologique, il doit désormais être interdit et mis hors de portée. Ceci rappelle la belle lutte autour de «l'acte gratuit», expression mise à

41. Freud, Sigmund. *La psychopathologie de la vie quotidienne*. Payot, Paris, 1922, p. 280.
42. Freud, Sigmund. *Essai de psychanalyse*. Petite Bibliothèque Payot, Paris, 1963, p. 16-17.

la mode par André Gide, «la raison de commettre ce crime est de le commettre sans raison». En fin de compte cet acte n'est pas plus libre que l'action ludique.

Au paramètre: *Rien n'est jeu, pas même le jeu*, n'acceptons-nous pas, à recevoir cette thèse de la nécessité d'une nature physique et psychique «clonée», de ramener l'homme à un petit *necesse est* tout fait, tout «monodien», à une «passion inutile», à une dimension quotidienne du *facere* du produire usinal, à un monde lisse, sans fissure, à un *paranthropus erectus* arrêté, vivant sans jeu, sans joie, bref, à un déterminisme cassant, à une finitude, à un fatalisme étouffant et givré? Sans doute, nous sommes un animal de plus en plus naturé, génétiquement mécanisé, gêné. Les savants nous l'apprennent chaque jour. À lire, en passant, la revue *La Recherche* (43), le problème de l'inné et de l'acquis, la transmission des comportements humains, animaux, le morcellement des gènes et la toujours tétrachie cellulaire (adénine, thymine, cytosine, guanine) de l'ADN, nous jettent dans une continuelle surprise mêlée de frayeur et qui nous fait plus nous angoisser sur notre liberté. (Question folle qui me vient: y aurait-il des gènes littéraires?) Pour nous consoler, disons immédiatement que malgré ce «cernement» de toutes parts, jusque dans les bases profondes de notre personnalité, de notre individu naturel, la liberté reconnaît cette nécessité, elle ne s'y oppose pas, elle se doit de la maîtriser par la connaissance. Je disais quelque part que nous sommes libres jusqu'au bout de notre chaîne, on peut dire aussi avec Merleau-Ponty que «même ce qu'on appelle les obstacles de la liberté sont en réalité déployés par elle...»

> Il n'est donc rien finalement qui puisse limiter ma liberté, sinon ce qu'elle a elle-même déterminé comme limite par ses initiatives et le sujet n'a que l'extérieur qu'il se donne. Comme c'est lui, en surgissant, qui fait paraître sens et valeur dans les choses, et comme aucune chose ne peut l'atteindre qu'en se faisant par lui sens et valeur, il n'y a pas d'action des choses sur le sujet, il n'y a qu'une signification (sens actif), une *Sinngebung* centrifuge (44).

Jouer, c'est pour l'homme se faire en existant, c'est faire la rencontre entre l'Un (le Jeu) et le Multiple (les jeux), c'est remettre au monde la création, c'est placer dans le jeu, en face du grand Joueur, un partenaire possible, c'est s'ouvrir à l'existence, c'est affronter ou mettre son jeu dans un déjà-là du Jeu, devant un *Master Game*, c'est vouloir que *games worth playing*, c'est enfin, rendre l'angoisse créatrice et redire après la phrase-clé de cet essai: *Ludo ergo sum*, cette autre phrase extraite de la vie et de la connaissance de chaque homme, *Ludor ergo ludo*.

Car entre le traumatisme de la naissance et l'appréhension de la mort,

43. Recherche, La. *La génétique et l'hérédité*, numéro spécial, revue mensuelle, no 155, mai 1984.
44. Merleau-Ponty, Maurice. *Phénoménologie de la perception*, Gallimard, Paris, 1966, p. 498.

l'homme, entre ces deux cris, ces deux moments de vivre en mourant, en mourant de vivre, se situe l'instant émouvant, angoissant de la vie. Pour liquider, néantiser cette angoisse, l'enfant n'a d'autre issue que de jouer dans l'insouciance du jeu et dans l'inconscience de son angoisse; l'adulte, dans le souci (*Besorgen* heideggérien) des jeux et dans la conscience de son angoisse.

Qu'est-ce donc que le Jeu?

> Je suis le Jeu.

> Le jeu dans la fièvre magmatique du globe,
> le jeu dans le mutisme du langage obstiné du minéral,
> le jeu dans la corolle qui au-dessus de sa nécessité végétalière joue de l'oeil
> au regard fauve du passant,
> le jeu dans l'animal où se mêlent le mieux ma grâce, ma gratuité, ma graphie,
> le jeu dans l'enfant, le meilleur preneur au jeu, qui près de l'innocence de son âge
> se fait sentir les atteintes légères ma première tyrannie,
> le jeu dans l'homme, le pire des joueurs, qui me détourne avec un masque,
> un rôle, un simili-jeu, avec qui je risque souvent ma vie jusque dans sa mort,
> avec qui, enfin, je joue le jeu dans la transe de son existence, dans la cruauté
> de son amphithéâtre,
> Je suis le Jeu. Le jeu de Dieu, le jeu dans Dieu.

Mon jeu, dit Dieu, face éternelle du Jeu, c'est de confondre mon temps avec celui de tous les êtres, de projeter le marchement de l'*Aiôn* et du *Chronos*, de reprendre la langue de l'homme, le langage du vivant pour le restituer, le réinstituer dans le *Logos*, la Parole première;

Mon Jeu, c'est de faire retentir les âmes en chant clair, d'étouffer le bruit gras des corps, de liquider les surfaces creuses et molles, de ré-inventer le Cosmos et de réparer sa faille, de reprendre l'homme, d'ouvrir sa liberté, de guérir son emboîture et de l'inviter à quitter son petit jeu pour jouer enfin au grand Jeu, mon Jeu, l'*Aiôn*, pure forme vide du temps, est la vérité éternelle de ma Face.

CONCLUSION SOMMAIRE

Cette présente conclusion est dite sommaire dans le sens d'un arrêt et aussi d'un repos. Arrêt commandé au milieu d'une grande marche réflexive, d'un long jeu d'écriture, comme pour rendre nécessaire une possibilité de bilan, un équilibre voulu entre deux masses. Ce qui a nécessité, pour le projet actuel de l'édition, une élaboration en deux tomes. Repos, pour le voyageur qui, à un moment vallée, après l'escarpement d'un massif raide et rechigné, trouve «un chemin sous les arbres au printemps» (Corot) et prend plaisir des yeux et des sens, tout en mesurant l'arc déjà tracé de ses pas et la prochaine courbe à parcourir.

C'est à la fin de cette pérégrination, c'est-à-dire au bout du tome II, que se dressera une Conclusion générale. Pour l'instant, cette conclusion sommaire ne s'épargnera point le souci de toucher aux grandes lignes de faîte, mais voudra surtout, dans le luxe de l'équilibre et de l'économie, déployer quelques interrogations et prendre le risque de quelques réponses.

Bref, une sorte de courte anticipation de la Conclusion générale, avec ce qu'elle peut comporter de similitudes et de contradictions. Ne pas oublier que ce livre, comme tout livre d'ailleurs, est né d'une fracture (frango, fractum: briser, réduire, violer,) un peu comme ces pierres qui tombent de l'épaule de Deucalion et de Pyrrha, et que toute fracture suppose une lésion, un choc, même une certaine blessure. fL'étymologie du mot tome (tomè) rejoint à profusion l'idée de ce qui reste d'un arbre coupé, de place où les cheveux ont été coupés sur la tête, et le verbe *tomeus* suggère bien cette disjonction par les instruments de tranchet de cordonnier, de scalpel de chirurgien.

Que dire en finale dans cette conclusion sommaire?

On peut déjà répondre que l'homme actuel se définit par sa conscience qui prend d'abord conscience de soi et constate devant soi la Conscience totale de l'Univers.

Cet univers est un jeu, un enjeu, un «déjeu». Il est, en effet, une immense mécanique énergétiquement structurée (jeu) qui s'expose devant nous comme un jouet (enjeu) et que l'homme a détérioré par le manque de cfonnaissance, le déficit de sa conscience (déjeu). On a soutenu, essayé de prouver que le jeu est «une manière et acte d'être de l'Être». Et même que Dieu est Jeu. Qu'il a joué ou a laissé jouer (l'homme et sa liberté). Qu'il s'est fait jouer (par le Cela et les hommes de Dieu). Qu'il faut maintenant jouer avec lui, en un sens, le déjouer (par la réfaction de l'homme et de la Création). Alors se tient devant l'homme une conscience de jouer; tout un projet ludique dans lequel il devra se réaliser. Réaliser des performances, oui, mais surtout, se réaliser dans une manière de jouer, par une façon personnelle de se livrer au jeu et de rentrer dans la vérité du Jeu.

Le jeu n'est pas facile. D'abord, je ne comprends pas le Jeu. Ensuite, je n'ai pas le jeu que je voudrais avoir. Enfin, est-ce qu'on m'a demandé de faire partie du jeu? Ajouter à cela tous les «freinages» du jeu, tels que le Destin, la Liberté, la Nécessité, la Mort, la Pauvreté, la Souffrance, et on constate que je n'ai pas grand jeu. C'est un jeu perdant. Un qui joue perd.

«L'essentiel dans le jeu, avance François Helft, c'est l'activité jouissant de sa coïncidence avec le devenir créateur». - «On peut dire, ajoute-t-il, que partout où une intentionnalité s'exerce, elle joue et que tout jeu représente sa propre finalité vivante».

À revoir dans un coup d'oeil rapide les «freinages» qui viennent comme distordre le Jeu, il est bon de rappeler, en dehors de tout discours d'allure prétorienne ou logocratique, que Dieu (deinos, lumineux, céleste) est pris ici comme le Meneur de Jeu et Jeu lui-même. Cette manifestation du Jeu dans la nature entière et dans l'homme démontre sa présence, mais défie toute connaissance du Jeu absolu. On ferait une meilleure approche de Dieu par le sentiment de Dieu et par la disposition d'avoir à jouer pour, avec ou contre Lui. Joueur invincible qui ne vise pas au gain, mais devant qui reste toujours, pour nous suspendues, les questions suivantes: À quoi Dieu joue? Pourquoi joue-t-il? Ce jeu de Dieu était-il utile, absolument nécessaire?

Si je trouve une bonne raison, le ce pourquoi Dieu a créé le Monde, l'Univers, a mené ce Jeu, j'aurai trouvé une réponse suffisante au problème de la Vie, du Destin, de la Mort, de la Liberté, de la Souffrance et de Dieu lui-même.

Admettons l'hypothèse que Dieu est Jeu, Meneur du Jeu, la Vérité du Jeu, la, risquons un mot, la «Logoludicité», on peut rejoindre la définition du Jeu, enfin, une de ses principales prérogatives et l'appliquer ainsi à Dieu. Si l'on avance que le Jeu est gratuité (gratuitus, pour rien, de pure grâce, qui est sans motif, proixios); est don (donum, doron, libéralité, donation, honorer, présent), on peut déduire que l'acte de Dieu (la Création) est un don, un acte gratuit. Un don dans le sens heideggérien (la cruche et l'eau); une gratuité dans l'acception d'un «acte réfléchi mais sans motif, c'est-à-dire résultant d'une décision complète-ment arbitraire». On peut se rappeler ici le fameux acte gratuit d'André Gide: «La raison de commettre ce crime est de le commettre sans raison» (Oeuvres, VII, 351). Je préfère le mot de J. Guéhenno (La foi diffic., III) qui veut que la gratuité est «la qualité de ce qui, par une grâce surabondante, se donne sans esprit de retour».

Chez l'homme, un acte gratuit c'est impossible. Dans Dieu, c'est possiblement impossible... Je reviens à ce dilemme effrayant évoqué quelque part dans les pages précédentes: «Si Dieu n'est pas l'Être, comment expliquer le monde» se demande Étienne Gilson. Mais si Dieu est l'Être, comment peut-il avoir autre chose que lui?

Pourrions-nous tirer une réponse qui sorte de l'ordinaire? Voici. Dieu est Jeu. Son grand jeu, son premier, a été de répondre à la magnificence de son Être, de sa force, de sa générosité, de son trop plein d'Être. «La nature de l'être est de produire des êtres». «Bonum est diffusivum sui». Ce fut la Création. Sortie de l'Acte pur, elle devient, ainsi créée, l'acte second. Il y a donc, ici, un jeu. Et qui dit jeu, dit action, mouvement, dévaluation, dévalorisation, souillure, amoindrissement, etc. «Tout objet en mouvement, dit Einstein, perd de la valeur». Un autre, bien avant lui, le philosophe Plotin (205-270), de la transition mystique, déclare que «plus elle (Beauté) va vers la matière en s'étendant dans l'espace, plus elle s'affaiblit, plus elle est au-dessous de celle qui reste dans l'unité» (Ennéades, V, 8, 1, trad. Bréhier). «L'agent, continue-t-il, donne sans rien perdre». Un vase trop plein qui répand sans cesser d'être plein. L'effet, par un côté, est nécessairement semblable à la cause et la perfection de l'effet ne peut jamais égaler celle de la cause. Dans la quaternité plotinienne de l'Un, de l'Intelligence, de l'Âme et de la Matière, le néoplatoniste ajoute ceci: «Tout être parfait produit sans rien perdre une image douée par rapport à son modèle, à la fois de similitude et de dégradation; d'immanence et de distinction réelle».

À continuer une réponse qui tarde à venir dans sa marche houleuse, je devrai dire, à la suite de Plotin, d'Aristote, de saint Thomas et de quelques philosophes audacieux, que je crois à «l'éternité du monde», de la matière (hylê), de la Création. Et par le fait même, au Mal, à la dégradation, à ce que j'appelle, le Cela. C'est ici que surnage une grande difficulté: celle de l'imputabilité de Dieu vis-à-vis le Mal, de sa culpabilité devant l'homme. Si Dieu est cause du Mal, du Cela, du Néant, de la Souffrance, de la Mort, il n'est pas Dieu. Et si c'est Lui, c'est un Dieu méchant et sadique. De là le scandale de la théologie tragique. Si Dieu n'est pas la cause du Mal, de l'imparfait, il y aurait donc une cause seconde, un principe en dehors de Lui qui serait à l'origine de la dégradation de l'Univers, du Mal dans le Monde et qui existerait comme Dieu, de toute éternité. Cette cause seconde, ce principe, c'est le Cela, la matière en général, l'imparfait issus de la Cause parfaite. Dieu qui engendre un monstre... Et qui, en plus, n'est pas responsable de lui. Oui, dans sa cause absolue, non, dans ses effets relatifs. «Étant parfait, l'Un surabonde et cette surabondance produit une chose différente de lui». Bref, «la cause ne peut s'identifier avec son effet».

On pourrait déduire que même s'il n'est pas essentiel au parfait de créer le monde, Dieu n'était pas libre de créer ou non le monde. Pas plus libre de créer que de se renier lui-même. Près de Lui, le Monde contenait en soi, en germe «le principe de toute erreur et laideur», «plusieurs fois le non-être et le mensonge essentiel». La matière est «le mal originel». On pourrait presque croire que Dieu n'a pas créé ce monde actuel, qu'il en aurait créé un autre auparavant, ressemblant à lui comme un doux reflet de sa Beauté (le monde édénique) et qu'une autre divinité... serait venue, par la suite, châtier toute pureté et installer les forces du Mal (monde post-édénique ou monde actuel). Panthéisme, immanentisme, manichéisme... C'est à voir.

Mais pour l'homme actuel, qui regarde le Monde qui par l'étincelle de Dieu roule dans la boue jusque dans l'éternité, n'y a-t-il pas en lui une inquiétude amère, une interrogation incessante qui le pourchasse et qui peut lui faire croire que Dieu a fait une erreur quelque part; que (il y a bien aussi, le scandale des hommes!, il le sait), Dieu peut être quelque peu responsable d'une telle catastrophe, qu'il s'est déplacé pour rien et que sa Rédemption, de nos jours, est en train de s'annuler? Ne pense-t-il pas, cet homme de tout jour, homme du quotidien, que pour une seule cuillerée de bonheur il y a des urnes de malheurs et de larmes; que pour un mince sourire il y a des milliers de visages de haine; que le Monde est une vaste poubelle où se mêlent des odeurs de pouvoir et d'avoir? Ne sait-il pas, cet homme, que créer, c'est tirer du néant, inventer; que c'est (en cinquième sens «dictionnarial»), créer, susciter des ennuis et qu'aussi, c'est jeter hors de, hors de soi, c'est séparer et que pour Dieu c'est, d'une manière, se mettre à l'extérieur de son oeuvre, se retirer, abandonner?

Que peut répondre cet homme devant un Plotin qui va jusqu'à dire: «qu'on aurait tort de blâmer ce monde et de dire qu'il n'est pas beau, et qu'il n'est pas le plus parfait des êtres corporels» (IIIe Ennéades). Et plus loin: «qu'il ne faut pas accuser celui qui est cause de son existence; d'abord, il existe nécessairement et ne dérive pas d'une intention réfléchie... De plus, même s'il était l'oeuvre d'une pensée réfléchie, son auteur n'aurait pas à en rougir...»; devant un saint Augustin qui stipule que Dieu veut efficacement le bien de son oeuvre... et que le bien (puisque tout émane de Dieu) est partout répandu. Dieu, «en produisant des êtres inférieurs, a étendu jusqu'à eux sa bienfaisance, ce qui est un bien»; devant le mal universel, le péché originel; devant sa liberté, la souffrance et la mort; devant la prescience de Dieu, dites-moi ce que peut bien répondre l'homme du jour?

Si cet homme est croyant, il s'écrira comme cela, sans savoir qu'il est déipassianiste comme Marcellin ou Rusticus: «Mon Dieu! que Dieu doit souffrir de voir son oeuvre partir en vacance!» - «Dieu doit certainement mourir d'angoisse de voir sa créature plonger dans le mal et même, de l'y voir plonger victorieusement et avec délice!». C'est aussi avec une immense satisfaction, mêlée de pitié que cet homme entend parler dans la Bible du repentir de Dieu, de son échec avoué (Genèse 6, 6; Exode 32, 14; 1, Sam. 15, 11); même si la Bible se récuse et trouve le repentir de Dieu intolérable (Nombres 23, 19; 1 Zam. 15, 29; Jérémie XVIII; Jonas III, 10; Romains XI, 29). Avec un grain d'impiété, tout homme sceptique, au bord de l'incroyance dira d'une façon un peu gamine: «Il ne l'a pas volé!, ou répètera la boutade bien connue de Bernard Shaw: «Si Dieu a créé l'homme à son image et à sa ressemblance, il le lui a bien rendu!».

Il est difficile de conclure. Il y en a trop à dire et pas assez. Après un dernier coup d'oeil sur une soixantaine de livres qui jonchent la table pour cette seule conclusion sommaire, je demeure malgré tout inébranlable dans ma vision ludique (ludus) du monde et de l'Univers: Dieu est Jeu --- Tout est jeu.

En vue d'assurer la dernière partie de ce discours, je me permettrai de placer, dans un ordre qui n'est pas un ordre, quelques jugements voulant affirmer le credo ludique. Chaque fois que le mot Jeu, jouer ou ses multiples seront employés, il faut placer ces vocables dans une perspective de la totalité, de l'infinité et de la transcendance. Ce sera, pour moi, une façon à la fois de répondre à la difficile question que je me suis posée en ces dernières pages, à savoir: Pourquoi Dieu a créé le Monde? Le Jeu? En prenant le parti que d'abord, Dieu existe; en supposant ensuite qu'Il l'aurait créé. Parce que à ce stade actuel, je suis un peu plus convaincu de la première assertion que de la seconde. Enfin, commençons pour finir.

Tout est jeu: Jeu des hommes, jeu de Dieu. Des jeux à l'intérieur d'une immense partie millénaire, disons, éternelle. (Voir Proverbes, VIII, 30-31; Sagesse, 7-8; K. Axelos, p. 426, 420; E. Fink, P. 54; le Coran, le jeu de l'Ange et de Jacob, (Genèse 32, 25-32).

Le Jeu est éternel: Il a toujours existé, comme la matière, comme Dieu. Le Jeu est attribut de Dieu, propriété de l'Être. Transcendance et immanence. Harmonie. (Voir A.D. Sertillanges, p. 99; Spinoza; G. Geleuze, p. 122-123; Aristote, 251h-252a; Plotin; Platon, Timée, 38 b).

Jeu signifie aussi pensée, élévation, Pour-soi, mouvement, logos, Aussi, En-soi, dépérissement, échec, rôle, existence, conscience, chute, Cela, Histoire, Devenir. Désordre, distraction. Tout mouvement, comme la Création, disons, contient en soi comme effet une dégradation. Un «esprit de Pesanteur». «La création ne serait-elle pas la chute de Dieu?» (Mon coeur mis à nu XXXIII, Baudelaire). Le «Big Crunch». (Voir Philèbe 31 d; Proverbes III, 12; Hébreux XII, 7; Gorgias 480a b; de Civ. Dei XIV, 11, 13).

Dieu est Jeu. Dieu est amour. «Gottes Sein ist sein Lieben. Er ist alles, war er ist, als der Liebende» Karl Barth, Kirchliche Dogmatik II, p. 394. Il est le Joueur par excellence, le Meneur de Jeu. Il subsiste en soi, éternellement et sans change-ment. Un infini en acte et en pensée. (Voir Théétète 161c; Lois, 716 c; Cf. Rép. 504c; F. Nietzsche, p. 75; Plotin, II, 9, 4; Phèdre 246 e, 252d-253a; Ion 534 bc; Lois 747 b, Philèbe 65a b; 1 Cor. 1, 23).

La création est un jouet fort complexe que les hommes ont achevé de détraquer. Le «potlatch» divin. Elle est éternelle. Elle était dans la pensée de Dieu. On pourrait même dire que, en vertu de la prescience de Dieu, l'homme est éternel et qu'il subit dans son enveloppe charnelle les lois de la dégradation. Le point zéro (H. Reeves). «Le rayon de création. Loi de Sept ou Loi d'Octave» (Ous-pensky). (Voir Lois 803b; Cratyle 403 cd).

Dieu n'a pas fait la création, du moins, telle qu'on la connait et qu'il l'aurait voulue. La création du déjà créé. Les trois forces absolues, égales, conscientes et volontaires.. La création vient du point tangentiel des trois atomes de l'Absolu. Loi de Dieu (Ouspensky). Il l'a' créée, pensée parfaite. Elle est devenue avec le Cela, principe du mal, le meilleur des mondes possibles dans la pire misère des hommes. Dieu, principe du Tout, de tout, aurait, dans sa prescience, laissé passer la Création. C'était un jeu voulu. Il a joué sa partie. Renonciation de Dieu. L'irresponsabilité divine, la responsabilité humaine. (Voir Platon, Rép. 379c-381a; Plotin, 11, 9, 4).

Le Cela, qui est Dieu en moins, se situe comme le principe du Mal. Le jeu défait. Le Non-jeu. Le mauvais Démiurge. La Pesanteur. Le Même, l'Autre, le Mal, 3 impulsions. De là, la mort, la souffrance, la Nécessité, l'ignorance, l'angoisse, le souci. Ce principe, cette «Cause errante» (Timée), était là de toute éternité, comme Dieu. (Voir Phèdre, 248 c; Plotin 1, 8, 5; Phèdre, 254 b; Plotin, Enn IV, 3, 17; Rép.. 546a; Gorgias 465b; Philèbe 63 e).

Dieu ne pouvait pas ne pas créer le monde, l'univers. Le monde est l'aliénation de Dieu ou du Logos (Hegel). «L'acte créateur vaut autant que ce qu'il crée et ce qui est créé est tel qu'il ne pouvait pas ne pas permettre l'acte créateur». L'Être a besoin du néant. Étant lui-même le Jeu en soi dans sa perfection illimitée, il ne pouvait se renoncer, empêcher le jeu d'être, de se manifester et de produire la surabondance de son Être. Persévérance de l'Être dans l'être. «Le mal est une forme du bien» (Plotin, III, 2, 18).

Le but de la Création tiendrait en trois choses: 1. Retour à l'Unité originelle. 2. Pour la plus grande gloire de Dieu (Ad majorem Dei gloriam). Saint Paul (Eph.. 2, 4-9; 2, 7-9; 1, 3-14; 16-27; 2, 4-6; 3, 20-21; 1,20); (Rom. II, 6; 3, 27-28; 6,4; 16-27; 8, 32; 11, 36); (1 Cor. 1, 29; 1, 31; 10, 13; II Cor.. 10, 17; Phil. 1, 6; 2, 11; II Th. 11-12). 3. Pour la plus grande gloire de l'homme à venir (Ad majorem hominis gloriam). Gloria Dei vivens homo. Pour la plus grande gloire de ceux qui auront traversé les dures épreuves des jeux. Donc, la Création est utile, nécessaire, inévitable et le fruit d'une incompréhensible Sagesse au bout d'une espérance chez l'homme, en reste, en laisse...

Le jeu chez l'homme est à peine joué par quelques millions sur six milliards qui ne peuvent pas encore vivre authentiquement.. Les favoris du ciel (élus), les antrustions de la terre (ceux se favorisant la terre) près des mal-vivants. Une histoire sans issue. Un drame quotidien dans un tragique millénaire: le jeu humain qui participe au jeu divin (reflet de la divinité) a toujours été freiné, souvent même empêché. Tout le monde porte un chandail, possède sa place, un numéro, mais peu d'hommes jouent. Enfin, le jeu normal humain qu'ils devraient jouer. Donc, un jeu en ré mineur. Minable.. En un certain sens et jusqu'à nos jours: Rien n'est Jeu. «L'homme n'existe que pour être dépassé» (Zarathoustra, 1, p. 57.) (Voir Lois 904a-c; Phédon 90 d).

Le Jeu va vers son achèvement. Il est grâce, mouvement, liberté, conscience de soi et de Dieu. Il est Amour. Parousie du Jeu. La grande partie finale. Les éliminatoires. Commencé dans les jeux intra-mondains, le Jeu prendra son véritable sens dans les Jeux extra-mondains. «Voyez, je vole; voyez, je me survole; voyez, un dieu danse en moi» (Zarathoustra, 1, p. 113). (Voir Timée, 48a; 254 e; Rép. 613a; Phèdre, 249a; Gorgias, 523 e; Philèbe 28 d e; Sophiste, 265 c; Lois 889b-890a).

Ces jugements ne mettent point au rancart les cinq questions qui font l'objet actuellement de mes hallucinantes préoccupations et qui reportées sur la sagacité, l'intelligence, disons, la bonne foi du lecteur, vont peut-être, un jour ou l'autre, trouver écho et réponse.

Il s'agit toujours d'essayer de trouver une ou des réponses rationnellement humaines autour de la question principale: Pourquoi Dieu a-t-il fait le Monde, l'Univers; pourquoi (et c'est la même question), pourquoi a-t-il joué, s'est-il mis en Jeu (enjeu), au Jeu? Ces questions nouvelles, auréolant celle principale, les voici:

1. D'où vient la matière? Pourquoi la matière?
2. Pourquoi Dieu a subitement éprouvé le besoin de l'ordonner? (Proclus, In Timaeum 88 c)
3. Sa bonté n'aurait-elle pas dû l'y pousser dès le début?
4. Pourquoi Dieu est-il impuissant à mieux faire? à tout faire? (Plotin III, 2, 1)
5. Comment le mal est encore possible du moment que Dieu se pose en créateur universel et tout puissant? (dans la perspective chrétienne)

Dans le but de fonder une philosophie ludique et d'amoindrir l'aspérité brûlante de ces questions ci-précitées, il me faut répondre au verdict divin, tenter, dans le désespoir de cette implacable histoire d'avant les temps, de trouver une solution acceptable de vivre, de jouer et même de déjouer mon sort. Je me servirai, dans les quatre questions à venir qui apportent avec elles une réponse possible, du stoïque modèle kantien. Moins, le rigorisme conceptuel. Les réponses seront quelque peu oblitérées par une vision ludique du monde, une *Spiel-Weltaangschauung* dans lequel Tout est jeu, jeu de tout et jeu du Tout.

Que puis-je savoir?

«C'est la destinée de l'homme d'aspirer à l'absolu». À un état supérieur. *Uebermensch*. L'homme a conscience de sa liberté; il est raisonnable, spirituel et limité. Il y a chez lui des possibilités de volonté. En d'autres termes: je peux savoir que: «je suis»; que «je pense»; que je peux communiquer; et cela, universellement et nécessairement dans un accord nécessaire avec les autres hommes. Ainsi, je peux avoir une connaissance idéale réfléchissant la totalité (univers) et cette connaissance théorique et contemplative me permettant d'établir une communauté matérielle et nécessaire entre les hommes (communauté humaine). Deux mots qui m'offrent une espèce d'universalité du tout: l'Univers et la Communauté humaine.

La première loi ludique qui formule mon devoir (sollen) et non seulement mon être (sein) est celle-ci:

«Joue toujours d'après une règle telle que tu puisses vouloir qu'elle devienne une loi universelle».

Cette universalité de la loi vient de l'exigence de la raison pure qui nous manifeste le JEU (Dieu), lequel nous appelle à jouer. C'est le devoir de jouer, c'est-à-dire la nécessité de rentrer dans l'action ludique par respect pour le Jeu. Cette loi offerte à la lucidité de ma conscience ludique (dont la fin en soi est la dignité de l'homme et de son autonomie), ne peut bien s'accomplir sans «la pure et Bonne Volonté» ou le ferme propos de faire le bien, de faire ce que l'on doit et bien.

C'est la base du jeu. Qu'on peut traduire entre autre par le terme général de «Fair play».

Que dois-je faire?

Que dois-je faire pour réaliser le Jeu absolu, la totalité parfaite, la connaissance des jeux de l'Univers et le royaume des fins?

Je dois *dans le présent*: être dans le jeu, en faire partie (invitation au devoir); *dans l'éternité*: développer une attitude religieuse joculaire (religion); *pour l'avenir*: faire en sorte que tout le monde dans l'avenir puisse jouer (histoire).

La deuxième loi ludique s'inscrira comme ceci:

«Joue de telle sorte que tu traites l'humanité, dans ta personne et celle d'autrui, toujours en même temps comme une fin, et jamais simplement comme un moyen».

Réaliser la totalité parfaite, comme il est dit plus haut, signifie l'autonomie, l'esprit, la raison, les sens, la réalisation de la vie, le plein jeu. Parler de la totalité parfaite, c'est toujours être dans le monde de la promesse, du voeu, de l'intention. Rien n'est totalité parfaite, il y a toujours un «mimicry», un comme si... (simulacre) qui exprime la grandeur et tout le tragique de l'existence humaine. Une autre formule kantienne du devoir met bien en exergue ce *comme si*: «Agis comme si la maxime de ton action...». Le philosophe allemand, plus ponctuel qu'une horloge, réplique que la totalité n'est pas impossible, qu'il existe un espoir, si petit soit-il. Un regard de nos jours sur le monde nous avertit bien qu'en bien des peuples et des points de la terre, il n'y a pas, il n'y a plus d'espoir. Sur cette vision tragique du monde, il n'y a qu'à écrire une «métaphysique de la tragédie». Pour l'immense partie des peuples qui ne jouent point décemment une vie honnête, décente, il ne leur reste qu'à essayer de sauver leur existence. Combien de morts pour quelques survivants! L'espoir n'est pas pour l'individu, mais, plus tard pour le collectif... Théorie du XIXe siècle.

On a beau essayer de se dire que l'essentiel, c'est la bonne volonté, rien n'y fait. La deuxième formule du devoir qui s'adresse à la morale et à l'éthique (les fins) suppose un plan social, politique, *économique* accompli. Les jeux sont faits. Mais, peut-être... qu'un jour-jeu viendra!

Qu'ai-je le droit d'espérer?

Tandis que la première formule du devoir vise la métaphysique et l'éthique (les règles d'une volonté droite), cette dernière s'adresse à la religion, à l'histoire et à l'esthétique (l'ordre total). Elle peut se dire ainsi:

«Joue de telle sorte que tu te considères à la fois comme législateur et comme sujet dans un règne des Jeux».

J'ai le droit d'espérer *dans le présent*: la Beauté. La beauté, l'indulgence du premier Joueur; la beauté et la ludicité éthique de l'homme-jeu (Ueberspielmensch). *Dans l'éternité*: j'ai le droit d'espérer l'immortalité qui me sera nécessaire pour finaliser ma perfection morale ludique. J'espère aussi une plus grande liberté, une plus grande indépendance, autonomie pour mieux déterminer ma propre loi, mon propre jeu. Enfin j'espère me placer dans cette condition nécessaire, pour un monde intelligible, de mieux sentir et comprendre Dieu, son existence en vue de découvrir le Souverain Jeu.

Qu'est-ce l'homme?

La dernière question concerne l'homme. On l'a dit plus haut que l'homme a une conscience, qu'il est libre, raisonnable, excentrique, spirituel et limité. Il est le seul animal ignorant qui peut et doit être éduqué. Atteint du mal radical en lui, on peu établir que l'homme a un «penchant au mal», qu'il est «mauvais par nature» mais aussi, qu'il a une «disposition naturelle au bien». Ce mal inné en lui, il faut en chercher la cause dans la création, entre la crféation et Dieu. Le Cela. De toutes manières, c'est un être qui se crée du souci, vit dans l'angoisse, la conscience, l'action et l'inconscience.

(Voir dans la République, 588b sqq comment Platon se représente l'homme. Aussi, 440c, 589 ab.) Ici, Shakespeare:

«Out, out brief candel!
Life's but a walking shadow, a poor player,
That struts and frets his hour upon the sage,
And then is heard no more; it is a tale
Told by an idiot, full of sound and fury,
Signifying noting
                    Macbeth, V, 5.

                Là, Schelling:

«L'homme a profondément caché en lui une «complicité avec la créature», car il a assisté à ses origines».

Bref, l'homme est un *homo ludens* qui commence à peine à jouer et qui pense encore que le jeu se ramène à une affaire d'enfant (paidia) ou à une occupation ludique pour les professionnels adultes (ludus). Il faudra partir, désormais, de la parole de l'Athénien qui (Lois, VII, 793e-794a, 794c-d, 803 c-e, 804 d-e,

805 e, 806 c, 813b-814a) parle d'éducation avec Clinias:

L'Athénien: Il faut s'appliquer sérieusement à ce qui est sérieux, non à ce qui ne l'est pas; par nature, Dieu mérite tout notre bienheureux zèle, mais l'homme, nous l'avons déjà dit, n'a été fait que pour être un jouet aux mains de Dieu, et c'est là vraiment le meilleur de son lot. Voilà donc à quel rôle doit, tout au long de sa vie, se conformer tout homme et toute femme, en jouant aux plus beaux jeux qui soient, mais dans de tout autres pensées, qu'ils n'ont aujourd'hui.

Clinias: Que veux-tu dire?

L'Athénien: Aujourd'hui, on s'imagine, en somme, que les choses sérieuses doivent se faire en vue des jeux; ainsi, pense-t-on, les choses de la guerre, qui sont sérieuses, c'est en vue de la paix qu'il faut les bien conduire. Or la guerre, en vérité, n'a jamais pu nous offrir ni la réalité ni la promesse d'un jeu authentique ou d'une éducation digne de ce nom, qui sont précisément à nos yeux, nous l'affirmons, la chose sérieuse par excellence. Aussi est-ce dans la paix qu'il faut vivre, et le mieux qu'on pourra, la plus longue part de notre existence. Où donc est la voie droite? Vivre en jouant, et jouant des jeux tels que les sacrifices, les chants, les danses, qui nous feront capables et de gagner la faveur des dieux et de repousser les attaques de nos ennemis et de les vaincre dans le combat.

Ce beau texte que je n'ai point voulu écourter pour en respecter la belle mesure philosophique, bien que pour Platon, jeu, jouet, éducation sont des termes de l'enfance et des rapports de l'enfant et du divin, dessine assez bien la thèse du jeu dans ce présent livre, tome un. C'est tout de même génial, quatre cents ans avant Jésus-Christ, d'avoir pensé que le jeu pouvait servir de «voie droite» et qu'il fallait «vivre en jouant... pour gagner la faveur des dieux». C'est le «miracle grec», malgré ce que peut en dire quelques historiens des institutions grecques et romaines contre cette expressions fort répandue et très accréditée en nos temps de collège.

Dernier mot

Pour traduire ici une pensée globale qui ne s'annonce qu'en finale, c'est-à-dire dans la Conclusion générale, donc, tome II, il me faut présenter une réflexion dernière qui viendra clore ce tome I et qui se résume dans l'idée du Jeu et du Mystère chrétien.

Il faut toujours se rappeler que le tome I: *L'ÉCRITURE DU JEU* et le tome II: *LE JEU DE L'ÉCRITURE* devait, au départ, ne faire qu'un seul livre. Ce rappel, pour dire que la conclusion sommaire, née subitement d'une fracture comme Vénus sortant de l'écume de la mer, souffre, comme Jacob de jadis, d'une emboîture. L'emboîture fractale. C'est-à-dire celle qui recoupe un découpage, bref, une conclusion dans la conclusion.

Ce qui retient mon attention dans ce dernier mot, c'est la ressemblance et l'opposition flagrante entre le Dieu de Platon et le Dieu des Chrétiens. Il est certain que ce dernier, enfin le Dieu de la Bible est, je ne dirai pas absurde, mais certainement hors du raisonnable, incompréhensible. *Verborgen*. Caché, dirait Karl Barth. Chez Platon, Dieu est l'Être (abbé Diès) ou, d'après E. Gilson, Dieu serait le Bien, une réalité subordonnée à l'Être et, R. Schaerer affirme, à l'encontre de Gilson, que Dieu «est l'acte d'être en tant qu'il se pose librement comme tel; celui de Platon, l'état d'être. Platon aura tout fait pour exonérer les dieux de tout mal. Zénophon, Euripide aussi.

La philosophie chrétienne accepte cette dualité de bien-mal, dérivée de Dieu qui dispose librement du Bien et du Mal. Ceci va amener, plus loin, chez des penseurs tels que Tertullien, Duns Scot, Descartes, à affirmer «le primat de la volonté en Dieu», et chez d'autres, saint Thomas et Leibniz, «le primat de l'intelligence». Ce qui pourrait nous faire admettre, après moult discussions ou aberrations dialectiques, que la Création serait plus l'effet d'un manque de volonté en Dieu que d'un manque d'intelligence. Si l'on réfère, évidemment, et toujours, à la prescience de Dieu. Scandale! Oui. Mais, ce manque de volonté aurait été voulu pour «laisser passer la Création», pour se faire apparaître dans la Création elle-même et pour l'homme. Bref, ce manque de volonté signifierait un bien dans le processus théogonique et dans l'économie de la Rédemption. *Felix culpa!* Pourquoi? Par amour. Je dirais: par naïveté de l'amour pour l'homme.

Le fait d'un Dieu qui se fait homme, prend chair, vit avec les hommes et qui est tué par eux d'une façon ignomineuse est inconcevable, irrecevable pour l'esprit grec d'alors. Jamais un dieu grec, le Dieu de Platon aurait accepté cette sorte de dégradation. «C'est la chute du centre vers la périphérie, le Bien amoureux du Mal, la Raison qui déraisonne» (R. Schaerer). Un Dieu qui me donne son fils? Incroyable. C'est un jeu absurde. Et pourtant vrai.

Pourquoi moi, un être relatif, à demi conscient, plein de défauts, sans valeur aucune, rempli de soucis terrestres et des vanités de toutes sortes, recevrais l'attention, l'amour d'un Dieu? Lui, la Sagesse, l'Infini, l'Amour infini! Je suis son jeu. Dans son jeu…

C'est renversant. Cela devient irrespirable.

Tout ceci me fait penser à une espèce de «potlatch» de la part de Dieu. Vous savez, ces dons ostentatoires décrits par Marcel Mauss et repris par Georges Bataille dans: *«La part maudite».* Ne vous trompez pas, il ne s'agit pas d'un don de rivalité comme chez les Mexicains ou les Indiens du Nord-Ouest américain qui offraient un don pour humilier, obliger un rival, le défier.

Imaginez un Roi qui fait un don à un de ses sujets. Sans doute, le roi le plus magnifique et le sujet le plus pauvre. Ce don, signe de gloire, prend vis-à-vis le sujet une valeur infinie. En effet, Dieu donne par son fils, son corps et son amour. Le sujet devient l'homme du don. Que peut bien penser un type qui dans le fond de sa masure devient l'objet d'un tel don? Si cet homme n'est pas terrassé par la peur, saisi de tremblements jusque dans ses os, étouffé par la seule pensée d'un tel geste, c'est que cet homme est fou, inconscient; bref, je le dis: il est fou. Les deux questions qui peuvent hanter désormais, ce riche destinataire sera, premièrement, celle de savoir comment arriver à compenser une telle opulence; la seconde, sera celle de savoir pourquoi un tel don à moi.

Ici la notion de «potlatch» doit se désister un peu de la pratique connue sous ce nom et ne retirer que ce qui est valable pour le besoin de la considération présente. Si l'on suit les lois ou les six théories du «potlatch», on sera surpris de voir combien ces jeux (la conduite des hommes et la geste de Dieu), se rapprochent tant par le lien religieux que par une économie générale. Il y a de part et d'autre consumation et consommation.

La première loi du «potlatch» tient dans le paradoxe du «don» réduit à «l'acquisition» d'un pouvoir. «Donner devient acquérir un pouvoir». «Le don, écrit Bataille, a la vertu d'un dépassement du sujet qui donne, mais en échange de l'objet donné, le sujet approprie le dépassement». «Et, continue-t-il, l'action exercée sur autrui constitue justement le pouvoir du don, que l'on acquiert du fait de perdre. La vertu exemplaire du «potlatch» est donnée dans cette possibilité pour l'homme de saisir ce qui lui échappe, de conjuguer les mouvements sans limite de l'univers avec la limite qui lui appartient». p. 105.

La deuxième théorie nous fair voir le non-sens apparent des dons. Entre le donateur et le receveur existe une obligation et le devoir pour le destinataire de lever l'obligation. Le «potlatch» des hommes se sépare nettement ici du «potlatch» de Dieu. Parce qu'il est impossible à l'homme de prendre sa revanche et de vaincre une générosité si grande. Le «potlatch» ne se fait, en réalité, quant à la mesure, que d'un côté. C'est un «potlacht» idéal pour l'homme. Ce qui grandit l'amour de Dieu pour la Création et pour la créature. Ce n'est pas un jeu «donnant-surdonnant», c'est un jeu «donnant-non-donnant».

La troisième théorie se ramène à «l'acquisition d'un rang». On peut ébaucher ici toute une conduite humaine «pour s'approprier une place ou des biens», mais aussi, le fait de l'homme de se mettre en jeu et enjeu. Toute l'existence humaine se pose dans ces lignes et que, ce tome premier et second, essaie de mettre en évidence.

La quatrième théorie nous entretient sur les premières lois fondamentales qui se ramènent à trois: 1. la dilapidation de ce surcroît devient elle-même objet d'appropriation, 2. le ce qui est approprié dans la dilapidation est le prestige qui est un bien et qui détermine le rang du dilapidateur, 3. le rang est une appropriation comme la possession d'un champ ou d'un outil. Si le rang rapporte, c'est qu'il est dû ou a été dû par une dilapidation résolue de ressources.

La cinquième théorie consiste à nous faire voir l'ambiguïté et la contradiction du «potlatch». Ambiguïté de ce jeu insaisissable de l'emploi inutile de ses biens, de l'utilisation de ce dont on a refusé l'utilité. Contradiction dans le sens de l'histoire (action) et dans la contemplation (pensée), c'est-à-dire dans la réduction des objets de pensée à des choses et dans la recherche de l'inexpugnable, de l'inextricable.

La sixième théorie, et la dernière, développe la notion de luxe et de misère. L'auteur avance que «l'égo ïsme en définitive est trompé», qu'on ne possède pas vraiment, qu'on n'a pas à proprement dit un rang, que l'ensemble des richesses est conservé, l'excédent est donné, et que, par conséquent, la perte dans l'opération est réduite au donateur. Le «potlatch», manifestation du luxe (rang, richesses, prestige), démontre, dans notre monde actuel, une dérision, une malfaçon et au fond, une misère profonde. «Le véritable luxe et profond potlatch de notre temps, dit Bataille, revient au misérable, s'entend à celui qui s'étend sur la terre et méprise». Le luxe authentique méprise les richesses, fait de sa vie une splendeur ruinée, «ce qui est une insulte silencieuse au mensonge laborieux des riches» (p. 114).

La pratique du «potlatch» n'est point sans rapport avec l'acte de Dieu, la Création, sa Rédemption. Le peu de peine qu'on peut se donner de l'interprétation de ces coutumes dans le champ de l'expérience chrétienne nous livrerait à peu près le message suivant:

Dieu donne (permet) la Création. Il est tout. Il a tout. C'est un don amoureux donné à un pauvre (l'homme) qui n'est rien, si ce n'est que par Lui. En plus, il se donne à nous. Par «naïveté de l'amour». L'homme acquiert ainsi un pouvoir, un sens. En échange de ce don, il nous demande dans les limites de notre être, de notre intelligence de l'aimer, sans comprendre, sans chercher rageusement à comprendre, sans gain escompté et d'aimer aussi notre prochain comme nous-même. Voilà le «potlatch» de Dieu.

Un gros cadeau qu'on ne peut saisir, un peu comme notre liberté...

Il y a certainement un non-sens devant toute cette prodigalité. C'est que l'homme ne peut pas donner grand chose, si ce n'est rien ou lui-même. Il ne peut y avoir rivalité entre Dieu et l'homme. Mais de la part de ce dernier, il peut y avoir usure. La remise avec usure. Le non-sens apparent vient (2ième théorie) de ce que Dieu donne infiniment et que l'homme remet finement, avec mesquinerie. Le non-sens apparent du don vient aussi de ce que Dieu a permit la Création, le Mal dans le Monde, sa venue au monde et que le non-sens de ce geste, apparent pour lui, répond à un long jeu, à un sens non apparent pour nous.

C'est juste de dire (3ième théorie) que par le rachat de l'homme, ce dernier acquiert un rang, rentre dans le Jeu du Tout.

Cette dilapidation dans la nature (4ième théorie), qui est plutôt l'effet d'une munificence inégalée, est appropriée par l'homme. L'homme tire ainsi avantage de Dieu: prestige d'être un animal rationnel, d'avoir une conscience, une liberté, puis, une terre devant lui qui s'offre à son intelligence. Cela, lui donne un rang, celui d'être une créature rachetée; un autre rang, celui d'un propriétaire qui a la trop facile possibilité de bien user ou de dilapider son bien.

L'ambiguïté et la contradiction du «potlatch», (5ième théorie) raconte bien notre folie, celle de tout recevoir et de ne rien donner. En plus de mal utiliser la terre, notre intelligence, nous ne voulons rendre compte à personne.

La sixième théorie met en évidence que l'homme utilise tout mais, qu'en fin de compte il n'est rien, ne possède rien, sauf la «splendeur des haillons et le sombre défi de l'indifférence».

On croit entendre le Sermon sur la Montagne: «Bienheureux les pauvres, car ils possèderont la terre». Ces pauvres, faut-il encore nous le rappeler, composent les trois-quarts de notre planète. Ceux qui n'ont jamais joué leur faim, leur soif, leur authenticité d'homme... et qui ne joueront jamais.

Si les hommes vivent en général dans la misère, est-ce qu'il n'y aurait pas aussi chez Dieu une grande misère? Nous tant donner et si peu recevoir. Cette misère dè Dieu, j'ose dire, ne tiendrait-elle pas dans ce «potlatch» démesuré qui dénonce justement ou injustement, cette «naïveté de l'amour» et ce besoin des hommes...?

On peut, je crois, lui pardonner le jeu de la Création.

TABLE ANALYTIQUE DES MATIÈRES
TOME I

CHAPITRE DEUX: LA GESTE DE DIEU ET DE L'HOMME

CHAPITRE TROIS: LE JEU DE L'HOMME (L'homme en travail du jeu)
Ludo ergo sum je joue donc j'existe